RIDE THE EAST WIND

～東の風に乗って～

レイ・ペイン　著

ISBN 978-4-908598-48-7

『自分の育ちを忘れず、家族を大事にし、出来るときには人の為になる。人の助けを買って出ることだ。』

ヒュー・ペイン
ペイン家　家長

『人生には、無知と自信さえあれば良い。そうすれば、成功は確実だ。』
マーク・トウェイン

黒い瞳のアーモンド形の目、積もりたての新雪のような純白の肌、薔薇色の頬、えくぼのある可愛いい微笑…　これがアイコだ。僕たちは愛し合っている。

レイ・ペイン

夢の逢ひは苦しかりけり覚きてかき探れども手にも触れねば
(夢で逢わなければよかったのに。目覚めても手にも触れられないのなら。)
大伴家持

RIDE THE EAST WIND

～東の風に乗って～

目　次

パート 1
キングクリーク

パート 2
チョコレートバー デイズ

キングクリーク

　僕がまだ小学校1 - 2年生の少年だったころ、僕たち一家はミシシッピ州リー郡パルメットに住んでいた。僕は、学校ではいつもチャイムのなるのを犬のように耳を立てて今か今かと待ち望んでいるような子供であった。チャイムは校庭の柱に括り付けられてあり、誰かがロープを引っ張って鐘を鳴らす仕組みなのだ。下校のチャイムが鳴ると同時に椅子から跳ね上がって真っ先にドアに突進したのはどの子だか容易に想像がつくだろう。

　家族が住む南部の田舎町では、同様の鐘がほとんどの大きな農場にはあって、昼食の時間になると食事の用意ができたことを家族や野良仕事中の使用人に知らせる為の合図として使われていた。

　日も暮れると夕食の時間になる。チャイムの音は皆に農場での一日の終わりを告げる役割も果たしていた。

　ああ、あの遠い昔の素晴らしい日々、満天の星空が今でも昨日の事のように思い出されるのだ。あなたにはマネシツグミのさえずりが聞こえるだろうか。ヨタカの呼び声、ホーホーと夜の闇にこだまするフクロウの鳴き声が。

戦争は終わった

　戦争は終わった。横浜の町を歩く18歳の米兵である僕は目の前に繰り広げられる絶望と荒廃の世界に驚き、思いを巡らせる。日本という世界は至って興味深く、僕にとっては別世界である。ここは今までテューペロのストランド劇場のニュース映画でしか見たことがなかった世界。僕は今までミシシッピ州の自分の故郷を遠く離れることなどなかった。僕は駅前で小さな群れになって体を寄せ合う、虚ろな眼差しの貧しいホームレスにちらりと目をやる。そこに見えるのは厳しい冬の寒さから逃げるように橋の下の川岸や小屋に沿って建てられた掘っ建て小屋の数々。大人も子供も暖を取るためにボロボロの毛布にしがみつく。町中をゆっくりと歩きながら、かつては誰かの帰る場所であったはずの爆弾によって破壊された家々を信じられない思いで見つめる。

　寺院の入り口には、腕や足のない日本の兵士の集団が地べたの至る所に横たわっていた。化膿したままの傷口に包帯だけを巻いて、誰かが食べ物とお金を恵んでくれるのを待っている者もいる。

　ほんの数か月前まで、日本人は僕の恐ろしい敵だった。今、その同じ日本人を別の目でみている。同情の目だ。戦争が彼らの家族や子供に与えた影響の大きさに気づいたのだ。そんなことを考えながら思いを馳せるのはミシシッピ州リー郡にいる自分の家族。そして家族で乗り越えた厳しい大恐慌時代の思い出。

「東の風に乗って」は、僕自身より僕の事を熟知している大切な妹のジェリーに捧げます。

『日々新たな力と思考がみなぎる。』

エレノア・ローズベルト

『誰かの心の雲に架かる虹となってあげましょう。誰かの心が曇りなら、あなたが虹となるのです。』

マヤ・アンジェロウ

RIDE THE EAST WIND ～東の風に乗って～

パート 1

キングクリーク

　写真はミス・キャンプ先生の6年生クラスの集合写真。僕の妹ジェリー・ペイン
とエルビス・プレスリーがミラム中学校の同級生と仲良く肩を並べる。
　さて、どれがエルビスかわかるだろうか？

ミシシッピ州リー郡

1928年辰年
やあ、ミシシッピ州！元気かい？

　今日という幸運な日は、僕の誕生日だ！数字の８は僕のラッキーナンバー。僕はペイン家の８番目の子供として竜年1928年の８月８日の日にこの世に生を受けた。

　東アジアでは竜年に８が４つも重なる日に生まれるのは大層縁起が良いこととされている。東アジアでは８は究極のラッキーナンバーなのだ。十二支の動物は皆実存する動物であるが、竜は神話や伝説に出てくる幻獣であり、竜年だけは例外である。

　東アジアの人々は竜を幸運、神の祝福、カリスマ、力の象徴だと言う。竜年の人の持つ真の自信は誰もが感じ取れるほどのオーラだと言われる。後に東アジアの街やジャングルを駆け巡る僕には、竜年持ち前の自信と運の良さはいくらあっても足りない大事な要素となる。

『「幸運を招くウサギの足」は、当のウサギにとってみれば全くもって迷惑な話だ。幸運なんてこったない。』

プライベート・ペイン

　母はいつも言う。僕は兄弟の中で最も出産が軽くて早くて簡単だったと。確かに、早くこの世に生を受けてミシシッピ州のリー郡でいったいどんな冒険が待ち構えているのか、ちゃんとこの目で見てみるのだと、母のお腹の中で今か今かとうずうずしていたのだろう。

　ミシシッピ州の暑い夏の昼下がりの事だった。兄弟達がブラックベリー狩りから帰ってきた。バタバタと玄関に続く階段を駆け上がって、今ちょうど帰るところだったホーランド医師に手を振り、そのまま家に飛び込むと、父さんと母さんにただいまと言う。ゆりかごの赤ん坊を見つけると、一斉にその周りを取り囲む。兄弟達は驚きでポカンと口を開けたまま顔を見合わせる。２歳の小さなヒューはもう一歩近づいてゆりかごをのぞき込む。

　「これ、だあれ？」

　エリザベスが

　「私たちのちっちゃな弟よ」と答える。

　「名前はなあに？」とヒュー。

「まだ決めてないんだよ」と父さん。

すると バディが「なんで名前がないの」と聞く。

母さんは兄弟を見つめて提案する。

「ミシシッピ州知事ノエルさんの名を借りてノエルとしましょう」

すると父さんがすかさず

「いんや、ミシシッピ州ジョン・アレン二等兵の名にあやかろう」と。

「見て、この赤ちゃん、僕の学校の絵本に出てくる赤ん坊『レイ坊や』に似ているよ。レイ坊やって呼ぼうよ」

とバディが言う。

「ほら！赤ちゃんが僕たちの事見つめ返しているよ。」

「赤ちゃん、僕たちが誰か分かるかな。火星から来たエイリアンだと思ってるかも！」とジェームス。

「ちゃんと知っているわよ。赤ちゃん、私たちが家族だって知っているのよ。」と言うのはオパール。

「レイ坊やってかわいいと思う」とエリザベス。

母さんは僕を抱き上げると腕の中に抱えこむ。兄弟たちはもっと間近で見ようと近寄る。『レイ坊や』が父さんにくすぐられて微笑むと一家が笑いに包まれる。僕は愛情溢れる家庭に生まれた。だが、まさか生後１年後には家族が大恐慌の真っただ中に翻弄されるなんて、知るすべもない。

『笑う門には福来る。』

日本のことわざ

僕たちの父
このムスタングは父そっくりにワイルドなのだ！

　父はミシシッピ州北部の丘陵地帯にある山間部出身のハンサムな青年であった。強くて元気な彼は乗馬と射撃の名手だ。ある日山を下りて、そこで出会ったのが、若く美しい大規模農場の経営者一族の娘である母だった。父は一目で恋に落ちる。自分の欲しいと思うものは何としてでも手に入れる性分の父は思う。あの娘が欲しい！

　母がヒュー・ペインに会ったのは、あるバーン（納屋）ダンスパーティーでの事。

二人はこの特別な夜、恋に落ちた。山奥から出てきた田舎男と、著名な大規模農場一族の令嬢の、禁断の恋。でもこの2人は恋に落ちてしまった。この初々しい恋には一つだけ大きな問題があった… 母は南部の若紳士との婚約を言い渡されていたのだ。これがどんな事態を招くことになるか、全く想像できるだろうか。

　山で育った父は、大して学校教育など受けていなかったが彼には知恵がある。ヒュー・ペインには彼を虜にした夢の女性、未来の妻、ネル・ハイを手に入れる為の練りに練った作戦があった。愛しい女性の心を掴むために、彼は真っ向勝負に出る。

　ある日の晴れた日曜日、パルメットでも数本の指に入るほどの大規模農場一族の後継者ネル・ハイの婚約者である若き紳士は、ネル・ハイを彼の高級馬車で散歩に連れ出した。この青年紳士の馬車と言ったら、それは、それは良い馬車であった。上品な金で縁取られ、シート部分は座り心地のよい皮で出来ている。ハーネスは蜂の蝋でピカピカに磨き上げられている。首輪の上にある明るい真鍮のつまみは小さな鐘で飾られている。栗色の毛の小さな雌馬がトコトコと歩くたびに小さい鈴がリンリン可愛い音をたて、デートにふさわしいロマンチックな演出をする。

　この若き紳士、ネルの婚約者は、小さな黒フェルトの山高帽とノリのきいたフリル付きの白シャツと茶色のスエードのチョッキに身を包み、チョッキからチェーンがブラ下がる金時計をアクセントに光らせている。彼のライディングジャケットは柔らかい茶色の革で縁取られている。ズボンはピカピカに磨き上げられた膝丈の乗馬靴にピッタリと収まり、日曜日のおしゃれが決まる。

　ネル・ハイは、ピンクのパラソルを上品に持って気高く腰をぴんと伸ばして馬車のシートに腰かけている。上品な模様の入ったベルベットのドレスには、内布に使ったバラ色のシルクの袖口にフリルをあしらった長めのレース袖が付いている。彼女の肩の上を覆うのは、金と銀の錦織模様が浮き彫りになったヴェルヴェットの襟付きの外套。ネル・ハイは、北東ミシシッピ州で、誰もが羨望のまなざしを送る美少女であった。そして、この日曜日の朝、同じく熱いまなざしを持って美少女を見やる2人の男が…。

　この運命の朝、ヒュー・ペインは作戦実行にでた。父は体勢を低く構えて、視界から外れた森の中で、大きな栗色のムスタングにまたがって静かにチャンスを待つ。馬の顔には美しい白い筋が縦に縦断しており、スタミナとレースにかけては類を見ない能力を発揮する、たいそう優れた馬であった。このムスタングは父そっくりでワイルドなのだ！

　しばらくすると高級馬車がちらと視界の隅に現れた。父は静かに馬車が過ぎ去るのを見届ける。リンリンと首についた鈴を鳴らしながら歩くこの小さな雌馬はゆっ

くりと小高い丘を降りる。すぐさま父は、木と木の間を駆け抜けて、横道の溝を飛び越えて、ムスタングの横っ腹を蹴り疾走する。ムスタングは驚きすぐさま完全なギャロップに走りを切り替える。高級馬車の若紳士は、全速力で猛突進する馬がこちらに近づいてくる音を遠くに聞き、何事かと肩越しにふりかえると、見えるのは丘を駆け下りてくる大きな栗色のムスタング！瞬く間にネル・ハイを乗せた優雅な馬車に追いついた。若紳士は小さな雌馬を鞭打って早く早く走ろうとするが父のムスタングには到底かなわない。

　ヒュー・ペインは高級馬車を引く雌馬の首輪を鷲掴みにして急停止させると空に向けてピストルを撃つ。若紳士はムンクの『叫び』のような顔をして飛び上がる！ヒューはネル・ハイをさっと抱きかかえると、自分のムスタングにひょいと乗せ、そのままギャロップで北東ミシシッピ州の低地を遠く走り去った。山の上を目指して馬を疾走させるヒュー・ペインにしっかりと抱きつく母の笑顔は、彼女がこれまでになく幸せであることを物語っていた。

『どこへ行くにも、誠心誠意尽くしなさい。』

孔子

僕たちの母

ハイ大規模農場は広大で、馬に乗って一日中走ってもまだ農園の中にいるほど広かった。

　僕たちの母、ネル・ハイは大規模農場の娘である。父と結婚後、経済的に厳しい生活をするうち、母は機知に富んだ生活術を自ら身につけていったようである。8人の子供を養うのは易しいことではなかった。母は疲れを知らないコマのように動き回る。僕たちのために食事を準備し、泡ぶくの水を張った桶に洗濯物を入れ、洗濯板でごしごしと洗って、ゆすいで、これを繰り返してまた次の洗濯の山をこなす。時には家に食べ物がないこともあったが、母はいつもどうにかして僕たちを食べさせてくれた。

　母ネル・ハイと父ヒュー・ペインは深く愛し合っていた。彼らは夫婦という間柄であるだけでなく、愛を語る恋人同士であり、最高の親友同士でもあった。2人は短い人生でお互いを支え合い、子供たちを支え、励ましあっていた。人生は厳しいものだが、母はどんな苦難の中でも、いつも子供たち皆に対し、暖かく思いやりの

ある母親だった。

　大恐慌の時代に、家族一同でリー郡内をあちらこちらへと根無し草のように、やむを得ず引っ越しを強いられながらも、父と母は手をつなぎ共に人生に立ち向かったものだ。

　大規模農場は、代々一族の子から子へと引き継がれている。通りから家までの小道には大きな樫の木々が優雅に両脇に連なる。美しい白い柱が玄関前の大きな広場とバルコニーを支えている。家を取り囲む広大な芝を飾るのは我ら南部自慢の愛らしいマグノリアの木。農園は広大で、馬に乗って一日中走ってもまだ農園の敷地内にいるほど広い。

　後年、僕の一番上の姉であるオパール・デュー・ドロップの娘、ヴェルマ・フィルゴと僕は、リー郡庁舎を訪問した。ヴェルマが、かつては大規模農場であった土地の記録簿を僕に見せてくれた。

　僕の心の中には、青々とした草をはむ馬や牛が放牧された豊かな牧草地、川沿いの果てしなく続くコットン畑、ゆるやかで広大な丘陵が焼き付いている。家畜に水を供給するための貯水池はしだれ柳に囲まれていて、魚も沢山飼われていた。

　時代を経て農園は代々一族の間で分割され引き継がれていった。大恐慌時には、市民銀行と信託会社に土地の多くが奪われてしまった。わずかに残った土地を僕の母と母の兄妹が引き継いだ。

　だが残念なことに、母はその土地でさえも後に手放すこととなる。

『愛と優しさを持って人に接すると、その人に愛や思いやりを感じさせるだけでなく、私たち自身も内なる幸福と平和を感じることができる。』

ダライ・ラマ

家族

ミシシッピの山ではつらい冬が終わり春になり、ハナミズキの花が咲き始めている。

　ミシシッピ州北東部の丘陵地帯で、父と母は小さな一部屋の小屋に落ち着いている。小屋には父の馬のための差し掛け屋根も付いている。日が暮れると静かな夜が訪れ、フクロウの鳴き声が闇にこだまする。はるか遠く黒ヒョウが仲間を探し吠えるのが聞こえると、警戒した馬は脚で地面を掻く。

　母はすぐに山の人々の暮らしが厳しいという現実を知った。食材の確保のために

父は小屋の近くの樹木からリスを撃つ。父にとって射撃は朝飯前だ。父にはリス狩りの右腕がいる。小さな猟犬、ベンジャミンだ。リスは父を見ると木の反対側に逃げるので、ベンジャミンが素早く反対側に走りこみリスに向かって吠える。するとリスは再び父の側に戻りそこを父が仕留めるのだ。そんな日には夕食にはリス料理がでた。ベンジャミンも分け前をもらう。

小屋の端に石の暖炉があった。暖炉の中心にフックがあり、ここに鋳鉄製の鍋をつるす。この鋳鉄製の鍋で母は黒エンドウ豆と豚の背脂を使った料理や野生の芥子菜を料理した。時にはニンニクの香りが香ばしい野生タマネギで味付けしたリスのシチューも作った。これらの珍味は父が近くの森から集めた。また、父と母は、トウモロコシパンやバター豆、グリッツのような、南部の食卓に欠かせない料理も食べていたに違いない。

暖炉の横の壁にへらの形に曲がった短いハンドルのついた鍬が吊るしてある。母はこの鍬を熱い石炭の上に置き、よくコーンミールでホウケーキを作ってくれたものだった。母はケーキに父の大好物である糖蜜を添えた。

小屋の近くには馬のための小さな貯水池があった。貯水池にはナマズがいて、父がよくサトウキビを釣り竿代わりに釣りあげる。父は魚を惹きつけるために掘って来たばかりの元気に動き回るミミズを釣り竿の糸の先端に鉛の重りと一緒にぶら下げる。数匹捕まると、父はそのナマズの頭を一匹ずつ木に釘付けにし、皮を剥がし、はらわたを取り出してきれいにする。母はこれを揚げ物にして、鋳鉄製の鍋で作ったホカホカのハッシュパピー（コーンミールのドーナツ）を添えてくれる。父は山の暮らしより最高なものはないと言う。

父の家での役目の一つは、夜、暖炉に燃える熱い石炭に、こんもりと灰をかぶせて埋めることだ。翌日には朝も早々ベッドから飛び出し、夜にうずめた石炭を灰の中から掻き出して火付け用の燃えやすい小枝を投げ込む。小枝が赤く燃えてくると父は大きめの枝を何本か投げ入れ、ベットに飛び戻る。やがて暖炉に燃える枝でひんやりとした空気は小屋から追い出され、山での新しい一日を告げる柔らかなぬくもりが小屋を包み込む。

まもなくヒューとネルの初めての子供がこの世に生を授かった。母の初めての赤ちゃんは、男の子だ。でも産まれてすぐに息を引き取ってしまった。二番目の子供は女の子で、母がバージニアと名付けた。なんて美しい南部の名前だ。

でも残念なことにバージニアもわずか3週間しか生きられなかった。彼らにとって初めての息子と娘を次々に失ったことはとてもつらいことだった。医療支援もなく近隣に家族親戚もいない山の暮らしは厳しいものだ。

山間部ではつらい冬が終わり春になり、ハナミズキの花が咲き始めている。この季節になると母が言う。「ヒュー、山を降りましょう。皆でパルメットに帰る時よ！」母はほとんどない家族の荷物を積むと「行きましょう、ヒュー。」と父に準備が出来たことを知らせる。

　父が馬の鞍をセットして、一家は山からリー郡の低地に降りて行った。もう父の誘拐事件を咎めるものはいない。非難の声を上げるものは誰もいなかった。いや、もしや、父があまりに奔放すぎて皆何も言えなかったのかもしれない。山育ちの男はそんなものだ。

　一家は母が一族から受け継いだ80エーカーの土地に落ち着いて、綿花と子供を育て始める。父は母のためならば地獄の川も泳いで渡る。

子曰く、君子は言に訥にして、行いに敏ならんことを欲す（徳がある人は、多くのことをしゃべらなくても、まずは行動を敏速にし、行いでやりたいことを示す）

孔子

　ペイン家は三番目の子供に女の子を授かった。彼女はオパール・デュー・ドロップという何とも愛らしい名前をもらった。デュー・ドロップという名の子どもが他にいただろうか。この子が出生後も元気に育った母と父の初めての子供である。

　オパール・デュー・ドロップは最年長なので、彼女は時々僕たち兄弟に厳しく当たった。僕がいたずらすると、オパールは母を呼び、僕が自分で外から鞭打ちのための柳の枝を取ってこさせるように母に頼んだ。母が僕を鞭打つ枝は、僕が自分で探しに行かなければならなかった。

　ある時、僕が鞭に小さな切り込みをいくつも入れたことに気づかない母は、鞭を大きく振り上げて僕を打とうとした。鞭は僕の尻に触れた途端にバラバラと砕け落ちた。びっくりした母は笑い出し、あまりに可笑しくてそれ以上鞭打ちをするのをやめてしまった。オパールは叫ぶ。

　「ママ、この子をちゃんとお仕置きして！新しい鞭で打つのよ！」

　母は彼女の訴えに応えた。

　両親が亡くなった後、長女のオパールが下の兄弟にとっての母親代わりとなった。

　父と母の四番目の子供は男の子だ。ジェームス・トラビスは第二次世界大戦が始まる前に海兵隊に加わり、第二次世界大戦の始まりから終わりまで従軍した。上陸用舟艇がガダルカナルに着いた時、彼は後続三番目の上陸部隊にいた。後に兄は当時を振り返って、日本軍の残していった炊飯窯はまだ暖かったと言っていた。

皆が五番目の子供LJが生まれたときにすべてが変わったと言う。そう、LJは彼の本名だ。でも僕たちは彼のことを「バディ」と呼ぶ。その頃は男の赤ん坊にイニシャルだけの名前を付けるのは大して珍しいことではなかった。実際、RBと言う名前の従兄弟がいる。

　バディは生まれた時、足の向きが逆についていた。彼は本当に自分が行きたいのが前だか後だかわからなかった。バディはこっちに来ようとしているのか？あれあれ、どこに行くのだ？ともあれ、母は父に言った。

　「私たちの大事なバディは必ず、他の子たちのように走りまわって遊ぶことができるようになるわ。」

　母は決心した。決心したら後戻りはしない。母は一族から代々受け継がれてきた土地を、ジョン叔父さんに売った。

　バディが手術を受けられる年齢に達すると、医師はバディの小さな足首を折って前向きに付け直す手術をした。母は医者に治療費を十分に支払えるよう計らった。

　バディは鋼製の矯正装置を装着して前向きに治った足を固定しなければならなかった。やっと矯正装置を外す時が来た時、彼はやっと自分が前を向いているのか、後ろを向いているのか分かるようになった！バディはもう他の男の子たちと同じように、遊んだり走ったりすることができるようになったのだ。彼が跳びまわるのを見るのは爽快な気分だ。口笛を吹き、芝生の上を端から端まで走り回り、飛び回る。なんてハッピーな子供になったことか！

　父は言った。「見てごらん、なんて元気に走り回る事か！」

　母はもうハイ大規模農場の土地を所有していないが、彼女には心の安らぎがある。彼女には心の底から愛する小さな息子がいて、その子が今では他の男の子と同じように走り遊ぶことが出来る。彼女は彼女の愛しい息子が良い人生を送れるようにしてくれた医者たちに心から感謝したものだった。

　父と母はその後もリー郡に残り、小さな家庭を大きく育んだ。まもなく、僕たちがベティと愛称で呼び始める女の子のエリザベスが生まれた。ベティはペイン家の六番目の子供だ。後年、僕たちは皆で父の車に乗り合わせてシカゴの病院にいるベティの夫を見舞うために800キロ以上も運転した。僕たちは騒々しく渋滞で込み合った知らない街の中で道に迷う。

　僕たちは道を訊くためにガソリンスタンドに立ち寄った。スタンドの従業員は「君たち、全く反対方面に向かっているよ。逆戻りしたら目的地の方面に行ける。」と教えてくれた。バディはお構いなしに同じ方向に運転を続ける。

　僕たちは彼の肩を叩いて言う「バディ、彼は反対方向って言ってたよ？」

　「もちろんさ、聞いたとも。でも彼は嘘をついてるのさ。北部の奴らは僕たちの

南部訛りを聞いたから、わざと出まかせ言ったのさ。」

　ベティは、僕たち家族一団が彼女と入院中の夫を訪問するためにテューペロから
はるばるやって来たのを見ると、とても喜んだ。

　テューペロで次に生を受けた七番目の子供は男の子のヒュー・ホーランドだ。父
の名前ヒューと僕たち兄弟の出生を助けたホーランド医師の名前にちなんで名づけ
られた。ヒューは僕より２歳年上である。優しくきれいな心を持った兄だ。ヒュー
はいつも家の周りにうろついている野良犬に餌をやっていた。ある日、誰かが
ヒューと僕に仔犬のシェパードを２匹くれた。

　この地域では皆がこの犬を「ドイツの警察犬」と呼んでいた。父も母もこの犬を
飼うことを許してくれなかったので、泣く泣く僕たちは仔犬を返しに行った。家族
が食べていくのでさえ十分な食糧がないのに、育ち盛りの大きな２頭の犬を飼う余
裕は家になかったのだが、その現実を知る由もないヒューと僕はわんわん泣いた。

　ペイン家八番目の子供である僕が生まれたのは大恐慌の直前だ。僕が生まれて直
ぐに家族は農場を失った。どこの農家も大恐慌により大打撃を受けた。

　ミシシッピも酷い損害を受けた。いくつもの銀行が毎日のように破綻した。国家
経済は信じられないほどに停滞した。失業率は前代未聞の高さだった。多くの人が
仕事を見つけることができない結果、絶望と屈辱感に苛まれた。多くの家庭が固定
資産税を払うことができないため、次々と家や事業を失った。1932年４月、フラ
ンクリン・D・ルーズベルトの就任式の日、このわずか一日の間に、すべての農場
の20％、町の不動産15％を含む、ミシシッピの不動産の４分の１が税金の支払い
のために競売にかけられた。

　多くの人々と同様、僕たち一家もすべてを失った。僕の年上の兄弟姉妹は笑いな
がら、『レイが生まれるまで、暮らしは良かったのに！』と冗談を言う。

　次々と生まれる兄弟に新しい仲間が２人加わる。九番目の妹ボニーと十番目末っ
子ジェリーの２人の小さな女の子が家族の一員となった。彼女の本当の名前はジェ
ラルディンだが、その話は後で彼女に任せよう。

　僕は1946年から故郷を離れて州外で暮らすようになったため必然的に家族とあ
まり連絡を取らなくなったので、その間に僕たちの兄弟姉妹に起こったことは全て
末っ子のジェリーが教えてくれた。

　アメリカ南部の子どもたちの多くと同様、適年齢になるとすぐに、僕たちは軍隊
に入隊した。多くはないが、北部の連中も適齢期になると入隊する。バディは陸軍
航空隊に所属していたが、彼の足はまだ少し曲がっていたので本当は徴兵検査の際
に４F（身体障害のため不向き）と言われ、入隊を断られてもおかしくなかった。
ヒューはというと、陸軍に入隊して太平洋戦を戦った。

僕が空挺部隊に入隊した日、母は窓際に４つの赤い星がついた小さな旗を立てた。人々は自宅の正面窓にこのような小さな旗を立てて自分の息子が何人従軍しているかを示した。母は彼女の４つの星を大変誇りに思っていた。金色の星は、戦死した息子を意味した。太平洋のタラワ戦の後、ジェームズはオーストラリアの病院に送られた。母は「私たちは何て幸運なの！ジェームズの星は赤だわ。」と言った。

　12月日曜日の早朝、日本が真珠湾攻撃を仕掛けたその時、ジェームズは真珠湾にいた。彼の任務は終了していたが、ジェームズはまだ基地にいた。後に彼はその時のことを「日本の戦闘機から槍のように跳んでくる弾を避けて、僕とレス・アイリッシュは一本の電柱の陰に２人して隠れようとした」と語る。

　戦争が続き、ジェームズはタラワの戦いから病院に送られた。「オーストラリアの病院はいいぞ、看護婦たちが皆とびっきりべっぴんだ」と彼は後に教えてくれた。

　僕たちが親しみを込めてベティと呼ぶエリザベスは、北部の男と結婚して北部に引っ越した。ジェリーも同様、北部の人と結婚し北部に引っ越した。よりにもよって、北部の男だ！僕たちはとうとう最近になってこの二人を許したが、かれこれ約30年も経ってしまった。

　「なんちゃってね。そこまではないけども、本当、確かに時間はかかったさ！」

　ジェリーより２歳年上のボニーは、ミシシッピに残っている。ボニーと彼女の夫モンクは幸せな南部の家庭を築き上げた。

　歳月が過ぎ、僕の兄や姉たちはもはやこの地球上にいない。残された僕と妹ジェリーだけが、ネル・ハイという若く美しい大規模農場一族の令嬢と駆け落ちして結婚した、ミシシッピの山奥からやって来たヘンリー・ヒュー・ペインという大胆な男の物語を語り伝えることが出来る。

満ち足りた人生の旅路には、常に障害がつきものだ。しかしそれらは前進するために必要である。水の流れは、絶え間ない土壌の抵抗に負けることなく土壌を侵略しようとするからこそ、停滞することがないのである。反骨の精神は人生の賢明さに付きものである。

ラビンドラナート・タゴール

　ジェリーと僕は、僕が今現在も住み続けている沖縄で何年か共に過ごし、アメリカでも出来るだけお互いを訪ね合うようにしている。僕は若くして米国を遠く離れてから、70年以上になる。それでも故郷であるミシシッピに帰ると、僕はこんな風に話す。

「みなぁ、元気か？」（南部の訛りで：How y'all ah doin'?）
「母ちゃんと、家族のみなぁ元気か？」（南部の訛りで：How's yo' mama nem?）
南部人は南部を出ても、心は南部。

ジェリーは素晴らしい記憶力の持ち主で、僕が長い間忘れていた多くのことについて教えてくれる。ジェリーと僕はミシシッピ州のリー郡で育った幼少時代の思い出を語りあうのが好きである。テューペロはリー郡の中心地だ。この本には彼女の描写的な表現が活かされている。ミシシッピ州のリー郡で過ごした幸せな日々の物語を完成させるために、ジェリーと彼女の記憶力にどれだけ助けられたか感謝に堪えない。

僕たち南部人は、代々引き継がれてきた南部の文化伝統を大いに誇りに思っており、誇らしくそれを語りあう。もし南部の州を訪れる機会があれば、きっとどこの郡庁舎に行っても、必ず南軍の兵士像が飾られていることに気付くだろう。南部のプライドは僕たちの心に深く刻まれている。南部の人々は世代を超えて、物語、習慣、伝統などを次の世代へと繋いできたから、南部の作家たちはこの豊富な文化のおかげで、執筆の材料に困ることはなく、自分たちの家族に伝わるとっておきの話と合わせて、伝統を語り継ぐ。

鳥は答えがあるから歌うのではない。歌があるから歌うのだ。

中国の諺

パルメット
大きくて小さな世界

パルメットの夏は夢のように素敵だった。ゆったりとした丘陵があり、渓谷には緑が生い茂り、澄んだ川では魚が飛び跳ねていた。野原には美しい野生の花が咲き乱れ、ゴムの木と樫の茂る深い森に囲まれていた。鷹が高い鳴き声を上げながら、白くて柔らかい雲の下を旋回している。蒸し暑い夜にはセイヨウスイカズラの香りが漂い、ホーホーという柔らかいフクロウの鳴き声は夜の闇をはるか遠くまで響き渡る。

林にはピカンナッツ、ヒッコリーナッツ、栗、柿、ブラックベリー、大きくて黄色い西洋すもも、夏ブドウにポッサムブドウ、南部のマスカダイングレープが賑やかに茂り、田舎にはいたるところにスイカ畑が広がり、大きくて甘美なスイカがそ

こら中にゴロゴロと早朝の光を浴びて光る。土地の向こう側には果てしなく続く綿畑。フォークソングを歌いながら、綿畑に向かって歩く黒人たちはこう歌う。

静かに揺れる　いとしい馬車
故郷へと運んでおくれ
静かに揺れる　いとしい馬車
故郷へと運んでおくれ
ヨルダン河を見渡した
見えたものは何だったのか
故郷へと運んでおくれ
僕の後ろについて来る天使の群れ
故郷へと運んでおくれ
元気な時もあれば、落ち込んでいる時もある。
故郷へと運んでおくれ
僕の魂は天国と繋がっている
故郷へと運んでおくれ
僕にとって最も素晴らしい日
故郷へと運んでおくれ
イエスが僕の罪を洗い流した時
故郷へと運んでおくれ
僕が先にそこに着いたら
故郷へと運んでおくれ
僕は穴を開けて、あなたを引き入れるだろう。
故郷へと運んでおくれ
友だちすべてに僕もすぐに行くと伝えてほしい。
故郷へと運んでおくれ

アメリカ黒人霊歌

　8歳でテューペロに引っ越す前に僕たち家族がパルメットで住んでいた家をどれも鮮明に覚えている。僕が生まれた古い木造の家屋はまだそこにある。土台がレンガで作られた白い壁の家だった。
　次に僕たちが住んでいた家は、パルメットの小さな家で、前庭に桃の木があった。母は僕たちに「もし、おばあちゃん牛を牧草地から納屋の中に入れたら、乳搾

りをして、それで桃のアイスクリームを作ってあげる。」と言ったものだ。

　それで僕は一日中かけてばあちゃん牛を納屋に追い込もうとしたものだった。母は僕に「なんて可笑しな光景だ事！」と必死に牛を追う僕を見て笑ったものだ。母が作る桃のアイスクリームはおいしかった。

　もう一軒、僕がよく覚えている別の家は二階建てであった。兄のジムとバディのヤギが二階に上がってきた日を覚えている。母はベッドで上に下にジャンプするヤギを見つけた時、それはもうカンカンに怒った。

　「あんたたち！今すぐヤギをベッドから下ろしなさい！１階に追いやって、家の外に出しなさい。さもなければ、おしりを叩くわよ！ただじゃおかないから！」

　これを聞いて僕は、この後どんな事態が待ち受けているか胸をワクワクさせる。兄ちゃんたちがお尻を叩かれたら、もう笑い転げて変な顔してやるんだから！さあ来た、これはおもしろいことになってきたぞ。野次馬の僕は何も見逃したくなかったから、階段の下に立って事の展開を見つめた。

　間もなく突然、大慌てのヤギと兄たちが階段から文字通り転がり落ちてきた。その先に立つのは、一連の事件を逃さず見届けていた大喜びの観客、僕。我先にともつれあいながら落っこちてくるヤギと兄たちに見事に踏みつけにされ、打撲を負った僕は母に同感だ。「もう２階にヤギは立ち入り禁止！」

　社会経済は止まることなく僕たち家族を圧迫していった。僕たちはパルメットの小さな木造の小屋に引っ越した。小屋の両側にある古い塗装されていない木の板は風雨にさらされ痛んでいた。トタン屋根も負けるものかと言わんばかりに更に劣化し、錆びきっていた。

　僕たちの小さな家は泥道の傍にあった。家の後ろには水深の浅い小川が流れていた。僕たちはよくその小川でザリガニ（南部：Crawdaddy）を捕まえた。北部の連中はザリガニを『クレイフィッシュ（北部：Crayfish）』と呼ぶのだと父が教えてくれた。

　裏庭には古い錆びた汲み上げ式水ポンプがあった。汲み上げポンプのハンドルは藁を束ねるときに使うワイヤーで固定されていた。ハンドルを押し下げて汲み上げた水が、僕たちの飲み水になり、料理の水になり、衣服を洗ったり、土曜日恒例の沐浴に使う水となった。

　家の玄関から近い部分を僕たちは『リビングルーム』と呼んでいた。僕たちの『リビングルーム』にはベッドが二台あった。僕たちは寒い冬の夜を暖かく過ごすため、ひとつのだるまストーブを家族で囲んで過ごした。

　僕たちの服にアイロンをかけるため、母はストーブの上にフラットアイロンを置いて温かくする。店で買うようなちゃんとした服こそ僕たちは持っていなかった

が、それで母は必ず僕たちがきちんとアイロンのかかった清潔な服を着れるようにしてくれた。寒い冬の夜には、僕たち子どもが寝る時間になると、母は加熱したアイロンを古着で包み、僕たちの足元に置いてくれた。寝る前には僕たち家族はストーブを囲み寄り添い、ストーブの上で香ばしいピーナッツを炒りながら、おしゃべりを楽しんだ。僕たちの住む唯一無二のこの世界、ミシシッピ州リー郡の世界情勢を話し合った。

リビングルームに隣接して、二台のベッドがある小さな部屋があった。この部屋には壁に直接釘付けされた木製のはしごがあり、そこからよじ登るとリビングの真上に位置する屋根裏部分に通じるようになっていた。そこで僕のような小さな子供が眠るのだが、屋根裏は屋根との距離がとても近く、小さな子供が這って毛布の中に入るのがやっとの広さだった。トタン屋根に落ちる雨音はぴちゃぴちゃと、眠りに落ちる僕たちの耳に心地よく、穏やかな滝の流れのように聞こえた。

小さな我が家の裏側には、木製のストーブが設置された、既存の壁に寄せかけて作られた簡素な小さな台所があった。木製のベンチといくつかの椅子が周りに並べられたテーブルがあり、僕たち家族はそこで僅かばかりのご飯を仲良く食べたものだ。冬のことであった。

ちょうど大恐慌の真っただ中に育った僕たち子どもは、いかに当時の経済が破綻していたのか全く持って感じ取れなった。僕たちの生まれ育ったこの環境こそ普通の世界だと思っていた。

僕たちが学校に行くことができる日には、母は僕たちの弁当にと手作りのビスケットを焼いてくれた。母はビスケットを真ん中から切ると、ビスケットの間にミルクのように甘く白いグレービーソースを挟み、スパイスに少しだけ黒コショウを振りかけてくれた。この小さな木造の小屋で暮らす間、僕たち家族は数々の困難を耐え抜いてきた。

ある日、父は貧しい人々のために寄付された古着と古靴の入った大きな箱を二つ持って帰ってきた。自分のサイズに合う服を探そうと僕たち子どもは箱の中をかきあさった。僕には少し大きめだったが、古い茶色の靴を見つけた。右足にも左足にも靴底に大きな穴がある靴であった。学校に行くことが出来る日にはその靴を履き、校庭で皆と遊ぶときは靴底にぽっかり空いた穴を隠すために踵をあげることなく足の裏が地面にペタッとくっつくようにして走った。靴底に合わせてカットした段ボールを底に敷いてみたりもした。これはなかなか良かった…　雨が降るまでは。大恐慌時に僕たち一家は農場を失った。僕たちはこの時代、お互いを気遣う心と愛とを除き、他の全てを失った。

ミシシッピの長く暑い夏のおかげで、母の小さな野菜畑では野菜がよく育ってい

た。近くの森では、野生の木苺、プラム、夏ブドウにポッサムブドウ、甘くて小さな柿を採ったものだった。僕たちは皆、素足で走り回っていた。僕たちの衣服は至ってシンプルだ。小さい男の子たちはお下がりのつなぎを着て、女の子たちはお下がりの綿のワンピースを着た。

　この時代、仕事を見つけるのは大変なものだった。父と母はテューペロの雇用対策局でどうにか小さな仕事を見つけた。家族全員がミシシッピの暑い太陽の下、コットン摘みをすることもあった。このお金で服を買い、9月に再び始まる恐怖の学校に備えることができた。

　学校は通常9月の始め、一年の後半期に始まるので、子供たちは家族のコットン摘みを手伝うことができた。学校が始まる時期までにコットン摘みが終わっていない場合は、父も母も僕たちを学校に行かせてくれなかった。僕にとってのミシシッピの夏は、友達と遊びまわった思い出と、そして、もっと大きくなったころには…お金を稼ぐという楽しみでいっぱいだった！

　コットン畑に行く時には、いつも重い生地で出来た袋を持たされた。母は生地を買って、それで僕たちのために袋を作った。3フィート（約90センチ）から12フィート（約366センチ）または15フィート（約457センチ）までの様々な長さがあった。袋の口には頑丈なストラップがついていて、そこに首を通して袋を片一方の肩にかけ、長い袋を引きずりながら綿畑を歩きながらコットンを積んではその袋に入れるようになっていた。

　幼い子供たちは小さめの袋を使い、年上の男の子と女の子は大きい袋を使った。積んだコットンで一杯になると、袋はとても重くなった。小さな袋を使う兄のヒューと僕はいっぱいになった袋を担いで、又は引きずって秤まで持って行ったものだ。僕たちはいつもどれだけ多くのコットンを集めきれたかを見て興奮した。稼いだお金は新しい服を買ってもらえるよう母に渡した。

　昼食は皆と一緒にコットン畑で食べた。畑が家からそんなに遠くない時には、『ディナー』を食べに家まで歩くこともあった。コットンの詰まった袋は、ご飯を食べるときにちょうど良い椅子となり、コットン摘みに戻る前の短い昼寝時間の際には快適なベッドとなった。母は時々火を焚き、大人と大きな子供のために、バケツや大きな鍋でコーヒーを沸かした。

　ワゴンの陰には水のバケツがあり、ふちの方に柄杓がぶら下がっていた。のどが乾いたら柄杓でそこから水をすくっては飲み、バケツが空になったら子供の一人が水を汲み足しに行った。コットン摘みがない日には、両親は仕事を探すために2人だけでテューペロに行った。街で両親は店に立ち寄り、僕たちが心待ちにする夕食の材料を買って戻って来るのだった。

日没前の黄昏時になると、僕たち子供は8人とも道沿いの庭に座る。父と母が帰ってくるのを待ちながら、父が山で過ごした子供時代に歌ったという歌を一緒に歌った。

おまえのお庭はどうやって育つの？
おまえのお庭はどうやって育つの？
銀の鈴、ザル貝
一列に並んだ美しい娘たち

おまえのお庭はどうやって育つの？
おまえのお庭はどうやって育つの？
銀の鈴、ザル貝
一列に並んだ美しい娘たち

歌う時、兄弟たちと僕は姉妹の方を指さす。姉妹は、横を向いてくすくすと笑う。女の子は変なものだ、何を見てもクスクス笑う。

日が暮れると、僕たち兄弟姉妹は道路に目を凝らし、父と母の運転する古びた車のライトが遠くに見えるのを今か今かと待つ。食べ物を運んで帰ってくる両親を待つ僕たちは、まるで親鳥が巣に戻るのを待つヒナのようである。

信念という名の鳥は、まだ暗いうちから光を感じ、歌う鳥だ。

ラビンドラナート・タゴール

僕たちは道路の側に座って両親の帰りを待ちながら、僕たちを待つ気楽で幸せな明日に想像を膨らませてとても幸せだった。特に、僕たちが一番心待ちにしていたのは、来る日曜日にパルメットメソジスト教会に行くことだった。僕たちにとっても、隣人にとっても、それは素晴らしい一日になるだろう。その日はたくさんの人が集い、地面に座り込んで一日中歌ったり食事を楽しめる、一年で最も楽しい日だ。

一日中歌って地面で食事

チャウチャウは甘辛いアメリカの漬物である

　美しい夏の日曜日。穏やかな風が柳の葉をくすぐり、小さな子供たちは暖かい太陽の下でロンドンブリッジをして遊ぶ。パルメットにある僕たちの教会は恒例の『一日中歌って地べたに座ってで食事』という、ピクニックのような催しをした。

　北部人の為に念のため説明しよう。僕たち南部人は朝食をBreakfast、昼食をDinner、夜食をSupperという。この日はBreakfast（朝食）とDinner（昼食）とSupper（夕食）を一日中地面でくつろぎながら楽しむ、いわゆる一日がかりのピクニックだ。言うまでもなく、誰もが楽しみにする日であるが、特に子供たちはこの日を待ち望み大興奮する。僕たち家族はパルメットのメソジスト教会墓地に行く。僕たちは神、家族、良い隣人であることを大切にしている、至って素朴な人間である。男は自分の言葉に責任を持ち、握手は紳士協定が成立したことを意味する。男の言葉と握手は金と同じ不変の価値があるという所以である。家族の面倒を見ることが出来るのは神が与えてくださった約束。これが、ミシシッピの小さな町で生きる南部人の生活だ。

　母はいくら貧しくても、常に僕たちが清潔な身だしなみをするようにしてくれた。僕たち家族は土曜の夜には裏庭の浴槽で体を洗い、いつも恥ずかしくないきちんとした格好をしていた。僕の姉妹は母手作りの軽い綿のワンピースを着ていた。僕たち兄弟は洗濯されたシャツを着て、店から買ったオーバーオールを着た。兄のヒューと僕は上の兄たちからのお下がりを着る。お下がりの服は僕がもらう頃には既に擦り切れている。僕のオーバーオールの上ボタンはとれてしまっているが、何個か小さな釘があればまだ着れる。僕はかつて金属ボタンがあった穴に釘を差し込み、背中から前にストラップを持ってくる。金具はストラップの先端についた金属リングにうまいことはまる。僕はカッコよく決めている…　と母は言ってくれる。墓地に向かう僕たちは素足で楽しく歩きながら、楽しいお祭りに興奮する。

　母はお手製のアマルガメーションケーキをいくつか持参する。（このケーキは南部の伝統的なもので特にミシシッピ州北東部の田舎に伝わる。）

　この日、女たちはそれぞれ自慢の手料理を振る舞う。暑い夏の日差しの下で男性は帽子を、女性は手作りのボンネットを被る。ボンネットは何ともかわいらしい。女性たちは競って色とりどりのリボンやデザインでおしゃれする。

　年の始めに、男たちは今生きる家族、先祖、そして続く後世のために墓地を掃除する。牧師は僕たちの魂を救うために、もうほとんど朝中ずっと説教してくれる。

ジョン叔父さんのようにギターやバイオリンを持ってきた人たちは、皆に親しまれ
た賛美歌を一緒になって演奏する。皆が起立してこう歌う。

ワイルドウッドの谷の側に教会がある
デールにはここよりすてきな場所はない
子供の頃、最も大事だったところ
谷の小さくて茶色い教会
ワイルドウッドの教会においでよ
ああ、デールの教会においでよ
子供の頃、最も大事だったところ
谷の中の小さくて茶色い教会

さわやかに晴れた安息日の朝
透き通った鐘の音
その音色はとても甘美なもの
ああ、谷の中の教会においでよ
そこには、谷の中の教会の近くに
僕がとても好きだった者が眠る
彼女は眠る、静かに眠る　柳の下に
谷の中の彼女の眠りを邪魔しないでほしい

愛する人の側近く、そこには
野生の花咲く木々
お別れの賛歌が唱われる時
僕は墓の中の彼女の側で眠りにつくだろう

ワイルドウッドのそばの谷の教会から、
日が暮れて夜になると
子供のころから親しんだこの場所から
あの光に満ちた場所に向かっていく
ワイルドウッドの教会においでよ
ああ、谷の中の教会においでよ
子供の頃、最も大事だったところ
谷の中の小さくて茶色い教会

さあ、昼食（Dinner）の時間だ。北部人は昼食をLunchと呼んでいるらしいが。女たちは色鮮やかなキルトの敷物を地面に広げ、見たこともないくらいとても美味しそうな、南部の家庭料理を盛ったオードブルを出す。鉄製のフライパンで揚げた鶏肉の唐揚げはとても柔らかくて肉が簡単に骨から落ちる。ポークチョップ、オクラの揚げ物、グリーントマトの揚げ物、カントリーハムもキルトの上のオードブルに並ぶ。チャウチャウは甘辛いアメリカの漬物である。サケのパテやナマズとよく合う味だ。大きな甘いスイカは僕の等身大ほど大きく見える。だんだんお腹が空いてきた。

　コーンブレッド、ビスケット、とろりと甘いミルクグレイビー、黒目豆と豚肉の煮物、エンドウ豆、ライマメ、夏の緑野菜、とうもろこしプリン、それに、思わずよだれがでそうな桃の甘煮…　それに引けを取らない甘美な南部のデザートと母のアマルガメーションケーキ。他の女性はココナッツケーキ、チョコレートケーキ、ピーカンパイ、スイートポテトパイ、レモンメレンゲパイ、チョコレートクリームパイ、ココナッツパイなどほっぺたが落ちそうなデザートを持参して、僕はもちろんの事、どれもこれもたっぷりのスイートティーと共に次々と胃袋に流し込んだ。

　上機嫌なジョン叔父さんはバイオリンを弾きながら足を鳴らして、もう止まらない。夕食（Supper）をつまみに、テイターヒル密造酒を飲み過ぎてしまっているようだ！

　母が皿を集め始めたら、もう午後も遅い時間であることが分かる。僕たちはバスケットの中に荷物を片付けたり、敷物を畳むのを手伝ったりする。一日中大いに歌い、遊び、食べた僕たちはこの頃には皆疲れている。

　僕たちが帰る支度ができた頃、ちらとジョン叔父さんを見ると、叔父さんは松の木の下でバイオリンを小脇に抱え、ほとんど空っぽになったテイターヒル密造酒のボトルをしっかりとつかんだまま、いびきをかいて寝ていた。

　あぜ道をゆっくりと歩いて帰りながら、幸せで満たされた心とお腹を抱え、また墓地で『一日中歌って地面で食事』をするのが待ち遠しくてたまらない！

　暑い夏になると、母の南部の温かい家庭料理を無性に食べたくなる。僕は特に母のアマルガメーションケーキを楽しみにしていた。古き良き南部の家庭料理が今無性に食べたくなった人がいるだろうから、ここに母のレシピを公開しよう。

　このミシシッピ北東部伝統のアマルガメーションケーキを、大胆にも作ってみようと思っている人はいるだろうか。

母のアマルガメーションケーキ
レシピと父の補足

　誇るべき南部アマルガメーションケーキは、南部地方の中心地、ミシシッピ州北東部を元祖とする。このケーキには沢山の美味しい材料が入っていて、準備にも時間がかかる。このケーキを完璧に作るには多くの手順を追わなければならない。そういうわけで父は「このケーキを本当においしく作るためにはな、優しさと愛情が必要なんだよ。ちょっとリラックスするために、少しばかり補足も必要だな。」と言う。

　母のアマルガメーションケーキを作りたい諸君に以下のレシピを捧げよう。

ケーキのレシピ

密造酒１瓶（できればアンダーソン・リーカントリー産）
　（父の補足、其の一）
籐製のロッキングチェアまたは同様のもの１つ。
　（父の補足、其の二）
父曰く「これ、この椅子が密造酒にぴったり合うなあ。」

まず先に白砂糖２カップ
　（ここでもう一度密造酒を味見して、きび砂糖も試してみても良い。）
バターを１と1/2カップ（無塩バターは北部人しか使わない）
バターミルクを１カップ
父曰く「バターミルクを飲んだら北部人は腰をぬかすだろうなあ。」

重曹、ティースプーン１さじ
中力粉、４カップ
刻んだクルミ、１カップ
刻んだピーカンナッツ、１カップ
シェリー酒に浸したレーズン、１カップ（父の追補、其の三）
ココナッツフレーク１カップ
粉末クローブ、ティースプーン１さじ
粉末シナモン、ティースプーン１さじ

フルーツジャム（好みの味で）２カップ（ブラックチェリージャムが僕のお気に入りだ）
卵白４個分

　母は以下のように美味しい*南部アマルガメーションケーキ*を作る。
オーブンを325°F（165℃）に予熱しておく。
３×８インチのケーキ型に油を塗って小麦粉をふる。
小麦粉、重曹、クローブ、シナモンを混ぜる。
レーズン１カップ、クルミ１カップ、ピーカンナッツ１カップ、ココナッツ１カップを加える。
　ピーカンナッツ、クルミ、レーズン、ココナッツ、２滴の密造酒をうまく混ざり合うまでかき混ぜ続ける。
　美味しそうになってきたこのミックスを脇に置いておく。
　２カップの砂糖と１と1/2カップのバターをクリーム状になるまで混ぜる。
　ジャムを加え混ぜる。
　バターミルクを小麦粉のミックスに徐々に加える。すべてが入り切るまでスプーンで少しずつ加えながら混ぜ込む。
　別のボールで卵白を角が立つまで泡立てる。
　それを生地に折るようにして練り込んでいく。準備しておいたケーキの型に生地を注ぐ。約30分焼き、中央を軽く指で触れたときに弾力があることを確認できるまで焼く。ケーキを取り出し、アンダーソン・リーカントリーの密造酒をちびちび飲みながら、ワイヤーラックの上でケーキを冷やす。

アイシング
白砂糖、２カップ
卵黄、４個分
バター1/2カップ
刻んだクルミ２カップ
レーズン２カップ
練乳１と1/2カップ
フレークココナッツ２カップ

　４つの卵黄を滑らかになるまで混ぜる。
　1/2カップの練乳を加え、卵黄とよく混ざるまで混ぜる。

練乳の残り、砂糖2カップ、バター1/2カップを加える。

粘度が出るまで熱し火から下ろす。

ナッツ2カップ、レーズン2カップ、ココナッツ2カップを混ぜる。

ミックスをスプーンで泡立てるように混ぜながら軽く冷やす。

冷めたケーキの上にアイシングを広げる。

父が言う「あとはケーキが冷めるのをのんびり待とうじゃないか。ロッキングチェアに座って、密造酒をちょっくら飲みながら待てば、美味しいケーキの出来上がり！」

頑張って！

全くやらないより、失敗してもとにかくやってみることだ。

プライベート・ペイン

これが母のアマルガメーションケーキについての父の補足だ。続けて母が嫌がっていた父の悪癖、テーブルでのマナーをお伝えしよう。

父のテーブルマナー
僕の父は、大きな心を持った素晴らしい男であり、
子供が持ち得る最高の父だ

母はいつも父にテーブルマナーをしつけようと躍起になっているが、父は右から左で聞く耳を持たないので、母がいくら騒いでも無駄なようである。

父は、コーヒーを、濃い目のブラックで、熱々で飲むのがお気に入りだ。父はコーヒーを煎れる時には、使い古しのグレーのエナメルのコーヒーポットに、お湯を煮えたぎるまで沸かす。お湯がいい具合に沸いたところで、父は、ポットにコーヒーをほうりこむ。僕は、父のそばに座り、目をまん丸くして、口を開けて、その様子をジーッと見ていたものだった。僕は、こげ茶色の泡から湯気が立ち上るのを見たり、コーヒーの芳しいアロマを嗅いだりするのに、すっかり夢中になっていた。僕は、このコーヒー『ショー』の展開を待ちきれず心を躍らせる。父は、熱々のコーヒーを、カップに注ぐと、今度はカップから、少量のコーヒーを受け皿に注ぎ、その受け皿を口元に運んで、熱々のコーヒーをゆっくりとすする。

これを見た母はカンカンに怒りはじめる。僕には、コーヒーを受け皿に注ぐ意味がいまだに謎だが、おそらく、コーヒーを少し冷ます目的なのか、あるいは、カップの下に溜まったコーヒーの粉を飲まなくて済むようにするのが目的なのであろうか。

いや、たぶん、父は、ただ母の怒った顔が見たいだけなのだ。父は母に叱られた後、必ず僕の耳元でこう囁くからである。「なあ、母ちゃんの怒った顔って、本当に可愛いな！」

妹のジェリーはこう言う「熱いコーヒーを、受け皿に入れて飲むのは、イギリス人の習慣だったの。イギリス人は、熱い紅茶を、受け皿で飲むわ。あの時代の受け皿は、今とは違ってたわ。まるでお茶碗みたいに、深かったの。世紀の変わり目には、イギリス人はまだ食卓用ナイフとお茶碗みたいに深い受け皿で食事していたのよ。」

父は受け皿からもう一口すると僕を見てニッコリ微笑む。とにもかくにも、母がどんなに頑張ってみても、父にコーヒーをカップから飲むようにさせることは絶対に出来なかった。

父は食事のとき、食卓用ナイフでしか食べなかった。食卓用ナイフがどんなものか知らない人ために説明すると、それは先が丸くなったナイフのことである。

ジェリーは説明を続ける「あのね、これは昔のイギリス流の食べ方なの。ペイン家の祖先はイギリス人よ。この食習慣は、前の世代から受け継がれたものなの。食卓用ナイフが『ケースナイフ』と呼ばれるのは、何年も何年も前にはね、イギリスの富裕な貴族は旅行の時に、食器をケースに入れて持ち運びしていたからなの。彼らはよく友人や家族を訪ね合って、時には数か月も滞在したの。それでナイフは『ケースナイフ』と呼ばれてたってわけ。」

父はフォークでさえも使わない！山の住人はそんな食べ方をする。父は豆粒でさえ、その平べったいナイフですくって食べていた。

僕はいつも目をまん丸くして、父が食べるのを見ていた。僕も、父と同じやり方で食べたいのだが、母の一瞥が全てを物語る… 『そんなこと考えてもみなさい、ただじゃおかないんだから！』母は歯ぎしりするだけである。実際にそうだった、父には父の食べ方があり、母は母のやり方でそれを許していた。そう、母は本当に父のことを愛しているのだ。

僕たちの父、ヒュー・ペインは、世界大恐慌の時代に、僕たち一家を支え、育ててきた。僕たちは時には学校に通うための靴さえ無い、厳しい冬を何度も乗り切っていかなければならなかったが、いかなる時も、父は家族が食べる物だけは、きちんと確保してくれた。父は、大きな心を持った素晴らしい父であり、子供が持ち得る最高の父である。父は、僕たちペイン家の子供達にとって、世界に一人だけの大

事な父なのだ。

　世界大恐慌は、人間の精神が試された時代だった。当時の人達は、どうやったら家族に食料を持ち帰ることが出来るか、それだけで毎日頭を悩ませたものである。なかには、僕たち家族より、もっと困窮している家族もあった。

モーセ

　パルメットにいた頃、ペイン家の子供たちには素敵な友達がいた。高齢の黒人男性で名前はモーセと言った。僕たちはモーセが大好きだった。彼は僕たちに歌を歌ってくれたし、ブレア・ラビットやタール・ベイビーのようなわくわくする話をしてくれた。僕たち子どもは悪党ブレア・フォックスが嫌いである。こいつはブレア・ラビットを殺そうと企む悪い奴だ。

　ある暖かい晴れた日の午後。僕たちは外にある籐椅子に座って、ジェリーがまだ洗濯桶で入浴していたころの話を笑いながらしていた。その時、モーセがゆっくりと道を歩いて来るのを見つけた。僕たちは籐椅子から飛び起きると、自分が一番先にモーセの手を取って挨拶するんだと一斉に駆け付けた。子供たちはモーセを囲んで歩き家に近づいてくると、母に向かって嬉しそうに叫んだ。

　「ママ、ママ、モーセが来たよ！」

　モーセが訪れると、いつも母は明るい笑みを浮かべ正面玄関から出てきて僕たちの大切な友達を歓迎する。

　「モーセ、来てくれてありがとう。うちの子たち、あなたに会いたくてしょうがないのよ。どうぞここに座って。オパール、モーセにアイスティーを持ってきて。」

　僕たちは大はしゃぎで

　「モーセ、モーセ、僕たちに意地悪ブレア・フォックスのことを早く教えて！フォックスはまたブレア・ラビットを捕まえようとするの？」

　モーセは日陰でくつろぎ冷たい甘い紅茶を飲みながら、母に尋ねる。

　「ペインさん、あなたの庭のキュウリはとってもよく熟れているようだけど、1つもらってもいいかな？私はちょっとお腹が空いてるもんでね。」

　「モーセ、あなたはここで待っていて。休まなくっちゃだめよ。アイスティーを飲んで子供たちに話をしてやって。すぐ戻ってくるから。」

　やがて母は、モーセのためにキュウリ、さやいんげん、白いんげん豆、オクラなどをどっさり詰め込んだ麻袋を抱えて庭から戻ってくる。

「モーセ、うちの庭の野菜を、ぜひあなたの家族に持って行って」

　プランテーション一族出身の母は、他の人たちに対する責任感と心配りを引き継いだ心の広い人だった。

　それからいつものように、モーセは立ち上がり帽子を手にすると

「ありがとう、ペインさん。さて、あなたの可愛い子供たちのためにあの歌を歌おうじゃないか。さあ、ちびっ子たち、ここに来て一緒に歌おう。」

　僕たちはモーセの周りに喜んで集まると手をつないで身体を揺らしながら一緒に歌った。

僕は世界のてっぺんに座っている。

うまく行っているんだ

うまく行っているのさ

落ち込むのなんかやめたんだ

ただ歌うだけ

ただ歌うだけ

サム・ルイス、ジョー・ヤング

　モーセにどうか神のお恵みを。モーセは僕たちに幸せを運び、去るときには僕たちの心の中に歌を残していった。

　大恐慌の時代、辛い生活を送った人も多く、惨めな生活を送った人も多かった。大恐慌の真っ只中でもモーセは自分らしく、うまく生き抜いていた。

いつでも人生は困難になり得る。いつでも人生は簡単になり得る。すべては人生にどのように適応していくか、つまりあなた次第。

モラルジー・デーサーイー

　この頃生活は少し楽になり、僕たちはパルメットの田舎からテューペロに引っ越すことにした。僕は母にテューペロの人口は何人か聞いてみると、彼女は約6000人と言った。僕は「それは大変だ、きっと世界の人口の半分じゃないか！そんなに沢山！」と驚いたものだ。

　間もなくして僕は、テューペロという場所も皆が知り合い同士のような、思ったより小さな世界であることがわかり、お金を稼ぐ道を探して街に出歩くようになると毎年のように、知り合いが増え続けた。

妹ジェリーの入浴

　このような困難な時代にあっては、多くの人々にとって生きていくことは簡単なことではない。しかし、僕たちの母親にはたまに洗濯やアイロンの手助けをしてくれる人達がいた。大人たちが洗い桶を準備している間に妹のジェリーは庭で遊ぶ。これはジェリーの記憶である。

　「皆がその日をどうにかしのぐために必死な時代にも、ママとパパは常に人を助け、少ししかないものでも分け合って生きてきたわ…。だからこそ、ママの手伝いによく来ていた黒人の女性達は、皆の力になれることならなんだってしてくれるの。」

　「ママにはよく洗濯やアイロンの手伝いをしてくれる人がいたわ。小さな私がただ歩き回ってぺちゃくちゃお話ししている間に、彼らは洗い桶を準備してくれたわ。私が外で泥にまみれて遊んでいたから、黒人の女性が私を拾い上げて『あらま、汚い赤ちゃんだこと！』と言ったわ！

　彼女は最後のすすぎ水が入っている桶に私をザブと入れて、ママに入浴させて良いかどうか尋ねることはないの。当然、大丈夫だって分かるから。リー郡の黒人の人々は、家族の一員のようなものなの！」

　ジェリーは思い出しながら語る

　「私が幼かった頃、テューペロへ引っ越して、ママとダウンタウンを一緒に歩いていたのを覚えているわ。母はいつもフレンドリーで、よくパルメットから来た黒人達と立ち止まって話をしていたわ。黒人たちは『私のこと覚えているかい？あなたがまだ小さな赤ん坊だった頃お世話していたのよ』と言ったものよ。

　ママはいつもリー郡の黒人に耳を傾けることを大事にしていたわ。ママはこの困難な時代に立ち向かう彼らを心底気にかけていたの。だから彼女は何であれ、出来ることがあれば手伝うように心がけていたわ。黒人の人々もお返しに、私たちのことを気にかけてくれて、困ったときには手を差し伸べてくれたり、勇気づける言葉をくれたわ。私たちの両親はだれに対しても常に尊敬や親切心を表すことの大切さを教えてくれたわ。だから私たちは人生を通してその教訓を大切にしてきたわ。」

私たちは自分が考える通りの人に成る。

釈迦

　僕はジェリーに聞いてみる。

　「イーストテューペロのカナルストリートにある家を覚えているかい？今は黒人

の家族がそこに住んでいるんだ。あれから何年も後になって、カナルストリートにある僕たちの思い出の家に行ってみたんだ。そこに住んでいる新しい家族に、僕は昔この家に住んでいたんですって伝えたら、玄関に招き入れてくれて椅子をすすめられたんだ。僕は『すんぐ戻るから、ちょっと待っていてくれ！』（南部の訛りで：Y'all wait hea' I'll be back in two whoops and ah holler!）って言って、お店に走って行ってね、そしてフライドチキンとワイルドターキー（バーボンウイスキー）を1本買って来たんだ。それからはこの家族とリー郡で育った思い出話に浸って、大いに笑い、大いに話しながら素晴らしい午後の時間を過ごしたよ。もちろん、南部必須のチキンとウイスキーを頬張りながら。この黒人たちと僕はお互いにどこか通じ合っているところがあるんだよ。気持ちの良い南部の午後に、いろいろはなしてお互いのことを知り合うことができたんだ。やっぱり僕たちは同じ南部人だなと思ったよ。」

87年前、我々の先祖は、自由の精神にはぐくまれ、人はみな平等に創られているという信条にささげられた新しい国家を、この大陸に誕生させた。

アブラハムリンカーン

2つの異なる世界（妹ジェリーによる回顧録）

シェイクラグ

シェイクラグはテューペロの北端の高台に位置している。

密集するように茂った木々を切り倒すと、最も裕福な住宅地と言っても過言ではない、白人のみが住む町、ハイランドサークルが見える。近くて遠い、2つの異なる世界だ。

ジェリー曰く「シェイクラグはリー郡でも一番多くの黒人たちが住む住宅地の1つなの。」

テューペロには公共交通機関がないため、裕福な家庭や、ちょっと余裕のある家庭は、自分の家政婦が徒歩圏内に住んでいることを望んでいた。タクシーにはメーターがなく、テューペロ市内のどこまで走っても運賃は10セントだった。これが重なると毎月かなりの出費になるから、黒人にはとてもではないが払いきれない、そもそもそんなお金などなかった。家族にとって最も重要だったのは、子供たちのための食べ物と牛乳だ。ミルクは高価なものになってしまった。甘い牛乳は1ℓ

で10セント、バターミルクは５セント。パンも一斤で５セントまで値上がりした。ハンバーガーの肉は１ポンドにつき10セント。そもそも牛肉は大抵１ポンドで15セントであれば最安値だ。ジャガイモ10ポンドは10セントもする。卵は１ダースで18セントとばかげた価格にまで上昇した。

シルビアは嘆いた

「どんどん値段が上がり続けるばかりだよ！あたしたち、どうやって生活していったらいいのさ？この世の中はどうなってしまうんだい？」

シェイクラグの女性は皆、白人家庭で家政婦やコックとして働いていた。彼らは白人の大金持ち、小金持ちの家で洗濯とアイロンがけをしてお金を稼ぐ。シェイクラグの男性は、大抵テューペロのレストランやホテルのコックとして働く。彼らは家族を支える為ならば、どんな仕事も引き受ける。

移動手段が限られているため、シェイクラグの人々は徒歩で仕事に向かい、テューペロの郊外で仕事をする人はほとんどいない。町の周辺では男たちが倉庫、建設、精綿工場などでの重労働に携わる。

ここの黒人女性に最も多い仕事の一つは、白人家庭の子供の面倒をみることである。黒人女性は、何を任せても実に上手くこなすものだ。

私たちの家政婦はシルヴィア・ジョンソンという名の黒人女性で、コートアンドグリーンストリートにある私たちの家に来ては、よく面倒を見てくれた。姉のボニーは私よりも２歳年上で学校に通い、私達の母はグリーンストリートの向かいの病院で働いていた。

ある日、いつものようにふざけて遊んでいると私の長い髪の毛にガムがくっついてしまった。取ろうとガムを引っ張れば引っ張るほど余計にくっついて離れない。シルビアも手伝ってくれたが彼女でもどうすることもできず、チャンスを見た私はすかさず腹からの大声で泣きわめきだしたの。そうしたら、シルビアが私の手を引いて、母の働く病院に連れて行ってくれる事を知っていたの。やった！

看護師が数名がかりでじたばたする私を押さえるなか、母や他の看護師は包帯鋏を取り出して、私の髪の毛からガムを切り離す。母は私の手を握り落ち着かせようとするが、私は病院中に響き渡るくらいの大音量でわめき続ける… 看護師の一人が私に大きなペロペロキャンディを手渡すと、何事もなかったかのように小さな嵐が去ったわ。

お昼の後はいつも、シルヴィアが私を散歩に連れて行ってくれた。私たちはメインアンドチャーチストリートの角にある裕福な白人のお屋敷まで歩く。家にはベンチがいくつも並ぶ大きな庭があり、そこの白人の子供達のお世話をする家政婦たち

が見える。私たち白人の子供たちが一緒に遊ぶあいだ、黒人の家政婦達も互いに時間を過ごすの。

黒人の子供たちは、幼いうちから独り立ちし、お互い支え合うことを学ぶ。
プライベート・ペイン

　グリーンストリートからシェイクラグへ向かう時、シルビアは紙袋を持っていく。彼女はちょうどいい丘の中腹を見つけて、そこの土を掘ると、「これを食べて」と私にくれる。私は自分が土を食べてるなんて信じられないが、正直全く美味しくないわけでもないの。私の体調を想って与えてくれたのでしょう。私には知る由もなかったが、黒人たちはこの土に予防薬の効果があると信じていたみたい。

　母は時たま夜でも病院で働く。そんな時はシルビアが来て、ボニーと私と一緒に夜を過ごしてくれた。彼女は私のために誕生日ケーキも焼いてくれたわ。シルビアは自分が苦労して稼いだ貴重な10セント硬貨を取り出し、それをワックス紙で包んでケーキの型の底に置き、生地を注ぎこむ。その工程を見届けながら私は心を躍らせた。彼女は私にこう言ったの。

　「ジェリーお嬢ちゃん、1ダイムが入ったケーキの1切れを当てた人は、とってもラッキーだよ。たくさんの幸運が舞い込んでくるわ。」

　私はその1ダイム入りの一切れが自分に当たりますようにと心の中で願った。もし1ダイムが当たったら、シルビアと私で丸ごと一つづつ食べれるよう、大きなムーンパイを2つも買うの。

　シルビアはシェイクラグの端の方、私たちの家からそれほど遠くないところに住んでいる。彼女にはジェスという名前の夫がいる。ジェスは鉄道で働き、なんとも歌がうまい！彼が歌を歌いながら私たちの家に向かってくるのが聞こえる。私は彼の歌が大好きだった。

おいらの仕事は線路工夫
朝から晩まで線路敷く
おいらの仕事は線路工夫
時間をつぶすのさ
汽笛の響きがきこえるかい？
朝も早くに起きている
親方の怒鳴り声が聞こえるかい？
ダイナ、汽笛を鳴らせ！

シルビアを探して（妹ジェリーによる回顧録）

彼女はやさしい光を放つシーリングライトをつけてくれた。一目で部屋が小奇麗に片付けられていることがわかった。

　それから何年も経ち、ジェリーはこう語る。

　「ある寒い冬の日、テューペロのダウンタウンでのことなんだけどね。午後ももう遅い時間で、雨がしとしとと降り始めていたわ。息子のジョニー・ペインがまだ赤ちゃんの頃で、私の腕の中で疲れて眠りたがっていたから、一刻も早く家に帰りたくて、先を急いでいたの。」

　車を駐車した場所に向かって歩いていると、途中で黒人女性に「ちょっと」と止められたわ。

　「今晩は、お嬢さん。あたし、あなた様に会ったことがありますよ。ひょっとして、あのシルビアのお友達の、ジェリー・ペインさんじゃあないですか？　あなた様がまだオチビちゃんだったとき、シルビアはあなたのお世話をしたんですよ。あたしの名前はノーラ。ノーラ・バーンズですよ。とても悲しいお知らせがあるの。ジェリー様はご存じないでしょ、シルビアは重い病気にかかっていて、残された時間はそれほど長くないんです。彼女は重度の癌にかかってしまったの。ジェリー様、もしシルビアに会いたいなら、フロントストリートの近くにあるシェイクラグという街にある家にいますよ。シルビアは友達と一緒に住んでいるわ。ね、知ってるでしょ、シルビアには子供がいないから。」

　お世話になったシルビアに時間があまり残されていないことを突然聞いて、私は悲しみとショックでいっぱいになった。うなだれ、目を閉じて消え入るように言った。

　「なんてことなの…　私、全然知らなかったわ。ノーラさん、ありがとう。教えてくれてありがとう。すぐ彼女に会いに行かなきゃ！」

　私はノーラの手を優しくぎゅっと握りしめて、腕に触れながらさよならを言った。ノーラは少しの間私の手を取って、悲しみを分かち合うように目を見つめながら頷くと、ゆっくりと歩き去った。私は目に涙をためたまま車へと急いだ。

　シルビアを探し出さなきゃ。私の大好きな、あのやさしい女性。車へと急ぐ中、雨がしとしとと車道に降り始めた。そろそろ暗くなるはずだ。私は慌てて車に入り、助手席に小さなジョニー・ペインを乗せると、シルビアのお見舞いに持っていく果物を買おうと急いでお店に向かった。外はさらに暗く、ぱらぱらと降っていた

雨脚が強くなってきた。でも私は、どうしてもシルビアに会いたくて、直ぐに彼女を探し始めた。

　フロントストリートに着くと、ノーラが教えてくれた所に車を止めた。最初に目に入った家に歩いて行って、躊躇うことなく階段を上ってドアを叩いた。すると奥から黒人男性が現れた。彼は私の突然の登場に驚いているようだったので、急いで自己紹介をした。

　「私はジェリー・ペインと言います。病気のシルビア・ジョンソンの友人です。私はシルビアをどうしても見つけなければならないのです。シルビアはここに住んでいませんか？もし住んでいないなら、どこに住んでいるか、どうぞ教えて頂けませんか？」

　「悪いね、お嬢さん。おれはシルビアのことは知らねえです。あきらめないで訪ね歩いたら、きっと、誰かが彼女を知っているはずです。」

　彼はとても礼儀正しく、私を励ましてくれた。私が行こうとすると、彼はこう声をかけてくれた。

　「お嬢さん、階段に気をつけてくだせい。濡れていて滑りやすくなっているから。シルビアが早く見つかるように祈っていますよ。」

　そして私は一軒ごとにしらみつぶしに訪ねて回った。もういくつのドアを叩いたかは覚えていないけど、雨の夜、たくさんの家々を回ったのを覚えている。やっとの事で、ドアがまた一つ開いて、尋ねた。

　「シルビアを知っていますか？」

　女性は玄関の階段を下りてくると、通りの向こうの家を指差した。

　「あの向こうの家。あそこにシルビアがいるよ。」

　私は彼女に感謝して、すぐに車に戻りその家に向かった。ジョニー・ペインはまだ車の中で眠っていた。私はシェイクラグの街で、寝ている我が子を鍵のかかっていない車に残すことを怖いとは思わなかった。

　その小さな家はシェイクラグの大概の家がそうであるように、塗装がされておらず、狭い玄関を入るとすぐ居間があった。この当時、多くの家では居間でラジオが鳴っていた。電話はもちろんない。この厳しい時代、生活スタイルは簡素だった。家の奥には１つか２つの小さな寝室と小さな台所があり、家の裏には屋外トイレがある。

　ドアの前に立ちノックをするためにすっと手を伸ばしたけど、緊張が体の中から湧き出てくるのを感じて、一旦動きを止めた。それからそっと、ドアを叩いた。私は頭を低くしたまま、固唾をのんで待った。ドアノブが回って、ついにドアがゆっくりと動き、開いた。そこに立つのは、灰色の部屋着を着た女性。女性の顔には驚

きの表情が広がった。お互いに見つめ合ったまま言葉が出なかった。私の頭はシルビアのことをひたすら考えていた。この女性は間違いなくこう考えていたはずだ。

「こんなに寒い雨の夜に、うちの正面玄関で白人女性のあなたがいったい何をしているの？」

二人の頭に次々と浮かぶ疑問に割り込むように、私は口を開く。

「夜分遅くに本当にすいません。シルビアを探しているのです。私はジェリー・ペインと言います。」

「ジェリー・ペインですって？」

「はい、私はジェリーです。私が幼かった頃、シルビアにはとてもお世話になりました。」

「シルビアからあなた様のことはたくさん聞いているわ。あたしはサラ・カルホーン。あなた様に会えてうれしいです。さあさあ入って。シルビアはあなた様がここに来たことを知ったら本当に喜ぶわ。さあ、お嬢さん、あたしと一緒に来てください。彼女の部屋に連れて行ってあげますから。」

彼女は私をシルビアの部屋まで案内すると、やさしい光を放つシーリングライトをつけた。部屋が小奇麗に片付けられていることが一目でわかった。清潔できちんとしわの伸ばされたベッドの上に、カラフルな自家製のキルトに包まれてシルビアが横たわっていた。彼女がよい看護を受けている様子が伺えた。サラは椅子を運んで来ると、シルビアのベッドの側に置いてくれた。

私は座って彼女の手を取ると優しく言った。

「シルビア、私よ、ジェリーよ。私のことを覚えている？まだ小さかった頃に私のお世話をしてくれたこと、覚えている？」

シルビアがゆっくりとこちらを向いた。覚えているという風に、嬉しそうにうなずいてくれたのがわかった。彼女の目は輝いていた。微笑もうとしているようだった。私は彼女の肩に頭を置き、抱きしめた。シルビアは横になったままで、話すことはできなかった。私は彼女を包むその美しくて暖かいキルトがとても似合うと伝えた。外の空気は冷たく湿っていた。私がどれ程シルビアを愛しているかを伝え、幾度も懐かしく想い出していたことも伝え、子供の頃どれほどお世話になった事かと感謝した。シルビアはひどく疲れ、衰弱しているのがわかった。彼女は眠りに落ち、私は身を乗り出して彼女の頬にキスをし、灯りを消して部屋を出た。サラはリビングルームで私を待っていてくれた。シルビアと二人だけで過ごす時間をくれたのだった。私はサラにシルビアの面倒をみてくれてありがとうと感謝してシルビアの住む家を後にした。

私が車に戻ったとき、ジョニー・ペインはまだ眠っていた。ハンドルを握りなが

ら、キルトに包まれて横たわっているシルビアのことを想った。しとしと降り続く雨の中、長くて悲しい帰り道だった。一週間後、私は再びシルビアに会いに行った。

サラ・カルフーンは私を家の中に招き入れてくれた。

「お嬢ちゃん、お入りなさい。台所に座って、おいしいコーヒーを飲みましょう。話したいことがあるの。」

私は最悪の事態を感じ取った。一緒に熱いコーヒーをすすりながら、サラは優しく言った。

「お嬢ちゃん、シルビアはもうあたしたちと一緒にいないんですよ。今はシルビアは神様のところにいるわ。」

シェイクラグの街から遠ざかっていく車の中で、ラジオのアナウンサーが話すのを遠くに聞く。

「ミシシッピ州北東部で気象警報が発令されました」

運転しながらシルビアを失ってしまった悲しみと共に子供の頃の記憶がよみがえる。1936年の恐ろしい竜巻が静かで小さな街ミシシッピ州テューペロに大惨事をもたらし、多くの人が愛する人をなくした時代。

短い葦は突風に押されて頭を垂れ、嵐が通り過ぎると直ぐに、すくと立ち直った。

イソップ

テューペロの竜巻
1936年、子の年

ジェリーはテューペロを襲った竜巻をこう振り返る。

「あの竜巻の日をよく覚えているわ…」

私たち子どもがパパの運転する古びた車に乗って、イーストテューペロ近くの町に住んでいる従兄弟を訪ねた帰りの事だったわ。パパはガソリンを入れるためにスタンドに車を入れた。

車を乗り入れると同時にスタンドの男の人が歩いてきた。

「いらっしゃい。ガソリン、どれだけ入れたいかい？」

パパは答える。

「大体10ガロンくらいは入れたいね。1ガロンいくらだい？」

「今日は1ガロン当たり19セントだよ。でも明日は、1ガロン20セントを超える

かもしれないって聞くよ。」

　やり取りを聞きながら、ポンプの上にあるガラス容器から流れてくるガソリンを眺めていると、パパが言ったわ。

　「なんてこった！ガソリン10ガロンで１ドル90セント！俺が一週間働き通して稼ぐ金額だ。いったいこの世の中はどうなったってんだ？そんな大金、コットンの300ポンドは摘まなきゃ無理だ！」

　パパは男の人に支払いを済ませると、空を見上げて雲を指差した。私たちも車の窓から頭を突き出して見上げると、月と星が大きな暗い雲に吸い込まれていくのが見えた。

　「さあ行こう」パパは言った。

　「こっちにやって来るあの暗い雲はちょっと良くないぞ。ひどい嵐が来るかもしれない。急いで家に帰るのが賢明だ。」

　黒い雲に追いかけられるように、パパの運転する車で皆無事に家に到着すると、転がるように車から飛び出て、一目散に台所に向かったわ。恐ろしい風の轟が家を震えさせた。台所への裏戸はバン！！と激しい音を立てて開いた。戸が開かないよう抑えておくために、バディとジェームズとパパは古いアイスボックスをドアに押し当てた。

　私たち子どもは小屋の外で鳴り響く激しい風の音を聞きながらベッドに入れられたわ。お姉ちゃん達もお兄ちゃん達も子供たちみんな８人とも、前方の部屋の２つのベッドで一緒に寝たの、覚えているかしら。私たちはキルトをかぶって、体を寄せ合いお互いにしがみついたわ。荒れ狂う風はまるで、高速で動く列車の音か、幽霊の唸りのような凄まじい響きを上げて、私たちの小さな家を揺すり、家は悲鳴をあげたわ。私たちは励まし合い、年長の子供たちは幼い私たちを落ち着かせようとしてくれた。

　ママは２つのベッドの間に椅子を引っ張ってきて

　「心配しないで。もうすぐ終わるから。神様にお祈りしましょう。」と勇気づけてくれたわ。

　ママの言う通りたちまち竜巻は去って行き、不気味なほどの静けさが小屋を取り巻いた。この大災難のあと、私たち家族は何度も自分たち自身に問いかけたわ。なぜ周りの人がたくさん亡くなったのに、私たち家族は救われたのかって。これは全くもって奇跡としか言えない出来事だったわ。竜巻が私たちの小さな木造小屋をまるで避けるみたいに横切ったからこそ、私たち家族は無傷で竜巻を乗り切ることができたの。でもリー郡に住む人々のほとんどが、私たちみたいな奇跡には恵まれなかった。

翌朝パパは早起きして、近隣に住む白人、黒人、死亡者、負傷者の全てを救出搬送するために、捜索隊に参加したわ。たくさんの命を失ったパルメットの小さな町にとって、竜巻の痛手は想像を絶するものだった。パパはその日、一日中帰ってこなかった。

人生で最も永続的かつより重要な課題は「あなたは他人のために何をしているか？」である。

マーティン・ルーサー・キング・ジュニア

テューペロは酷い打撃を受け、時速260マイル（418キロメートル）の風が吹いたというわ。多くの家屋が破壊されて、家族全員が亡くなった世帯も多かった。嵐の実際の犠牲者数は誰にもわからないわ。シェイクラグは一番被害が大きかった。たくさんの家々が全壊して、あのガム池は家々を丸ごと飲み込んだ。竜巻の後、池から多くの黒人たちの遺体が見つかったわ。新聞は白人の犠牲者だけを報道していたから、実際にどれだけ多くの人が命を失ったかは分かっていないの。それでも、テューペロ竜巻がアメリカ史上最も致命的な竜巻だとしてもおかしくないわ。

「ガム池で浮かぶマットレスの上に黒人の赤ん坊が乗っかっていたって聞いたよ。すごい奇跡で嬉しいよ。」とレイ。

私は微笑んで、「そうね、レイ。私もとても嬉しいわ。竜巻が私たちの町を引き裂いた、その次の朝、池に浮くマットレスの上に赤ちゃんが発見されたのよ…」

グレース叔母さんも私たちがこうやって生き残れたのは奇跡だと言っていたわ。

グレースおばちゃん
だから、私は今ここにいる！

夏の間、僕は、グレースおばさんと彼女の家族と夏を一緒に過ごすため、パルメットを時々訪れた。トーマスおじさんとグレースおばさんには、子供が一人しかいない。彼女の名前は、メアリー・エディス。僕と同い年だ。ジェリーと妹のボニーも時々、メアリー・エディスがあんまり寂しい思いをしなくてすむように、彼女と遊ぶために田舎へ行った。

ジェリーが僕に尋ねる。「ねえ、レイ、覚えてる？」

「ママが、ボニーお姉ちゃんと私を、ミルクトラックに乗せて、パルメットに行かせてくれたこと。まず私たちは、カーネーション・プラントまで歩いていくんだけど、ママは、私たちが乗っけてもらうミルクトラックの運転手さんの名前を教えてくれるの。運転手さんも、私たちが誰でどこへ行くのか、ちゃんと知ってる。私たちがトラックの助手席に腰かけてると、ミルクの配達で家々に立ち寄りながら、運転手さんが私たちとお喋りしてくれたわよね。グレースおばちゃんは私たちが来ることは、大体判ってるから、道端で私たちが来るのを待ってるの。運転手さんに回収してもらうミルクの缶の横でね。私たちの時代には、町との往復とか農場と農場の往復の時に、ミルクトラックに乗せてもらうのは、よくある事だったわ。その道すがら出会うみんながお互いを知っているのよ。」

「グレースおばちゃんは、私とボニーに、本当に親切にしてくれたわ。彼女は特に買うものなんて無いのに、わざわざ私たちを田舎のお店にお使いに行かせてくれたわ。おばちゃんは、棒付きキャンデーを買うためのお駄賃を私たちに、1ペニーずつくれたわ。クリスマスの時期に、グレースおばちゃんの農場に行くのはとても楽しみだったわ。それから、学校が夏休みの時もね。

ママは、こう言ったわ。『あなた達、そろそろ、メアリー・エディスと遊びにパルメットに行く頃よ。』って。ボニーと私は一緒に遊べるけど、メアリー・エディスには、遊び相手が誰ももいないって、ママはちゃんと判ってるからね。」

「寒いミシシッピの冬には、雪が降るんだけど、グレースおばちゃんは、私たちが、雪の中でも遊び回れるように、手に厚手のソックスをはめてくれたの。そして寒さで凍ったプールに私たちを連れて行って、キッチンの椅子をソリ代わりにして私たちを遊ばせてくれたわ。私たちは、プールに出来たスケートリンクをめいっぱい使ってソリ遊びを楽しんだの。メアリー・エディスが、私たちと一緒にソリ滑りをした光景が今でも目に見えるようだわ！みんな大喜びだったし、私たちと一緒に遊べて、メアリー・エディスも本当に嬉しそうだった。」

ジェリーは続ける

「レイ、母方のおばさんのなかでもグレースおばちゃんは特別よね。私が生まれた夜のことをおばちゃんから聞いたの。おばちゃんは出産に立ち会ったんだけど、死産が免れない状態だったらしくて、みんなは私が息をするように一生懸命頑張ってくれたらしいわ。その部屋にいた誰もが、私が絶対助かるように、ありとあらゆる手を尽くし続けたんだって…。

私を助けようと、みんなは、私をお湯と冷水に交互に入れるショック療法を試み

たの。グレースおばちゃんは、私が本当に死んじゃうんじゃないかって、凄く怖かったって。私は息をしようともがいていたらしいんだけど、意識を取り戻させるのに、なにひとつ成功しそうになかった…。でも、私の命をなんとしても助けるんだって、出来ることは、なんだってした。みんなの必死の努力のお蔭で、私は、今ここにいるのよ！」

思考者は、「避けられないもの」を受け容れない。彼らは、自らの努力によって、「避けられないもの」を「避けられるもの」へと変化させる。

パラマハンサ・ヨガナンダ

おばさんのおかげで、今ジェリーと僕は二人とも元気に溢れ、人生に対する共通の熱意を分かち合っている。僕は、ジェリーが生まれた夜、彼女の尊い小さないのちを救うために必死の努力をしてくれたグレースおばさんに心から感謝している。

グレースおばさんが、僕を呼ぶ声が聞こえてくるようだ。おばさんは、製粉所でトウモロコシの粉を挽いてもらいたいから、ドリーに乗ってってくれないかと言っている。おばさんはその粉で、夕ご飯にコーンブレッドを焼いてくれる。僕は、これを聞くと喜んだものだ

「だって、僕、コーンブレッドとミルクが大好きだし、それにドリーにも乗れるんだもの！」

ビジネス取引
1937年初期 – 丑年

僕たちが、パルメットからテューペロの町へと越してきてから迎える、満開の綿花が咲く美しいリー郡のこの景色は、今年で8回目になる。僕たち家族には、引っ越しの時も荷物がほとんど無かった。テューペロへの引越しは、僕にお金を稼ぐ機会を沢山与えてくれた。わずか8歳で、僕はビジネスマン顔負けに取引する交渉術を身に着けた。パルメットにあるグレースおばさんの農場に遊びに行ったとき、僕が小さなオスのBantyを手に入れた時の話をしよう。Bantyがわからない北部人のために説明するが、Banty（南部の呼び方）とはBantam（北部の呼び方、つまりチャボの事だ）。

ある日の午後、グレースおばさんは、僕を呼んでこう言った。

「レイ坊や、ここにトウモロコシの袋があるでしょ。ほら、ドリーに乗るのを、手伝ってあげるから、ミラーさんの製粉所に行って、このトウモロコシを挽いてもらってきてくれないかい？そしたら、今晩のご飯にコーンブレッドを焼いてあげるから。」

　おばさんは、優しく微笑むと、こう付け加えた。

　「ほら、お駄賃に１セントあげる。これで、あの、おっきな棒付きキャンデーを買っておいで。」

　僕はトウモロコシの袋を鞍に乗せたドリーに乗って、ミラーさんの製粉所に出発する。ドリーは、大きなひづめを持つ働き馬だ。僕はすっかりゴキゲンだ。僕はドリーがてくてく歩く歩調に合わせて短い歌を口ずさんだ。ドリーもゴキゲンみたいだ。

広いベランダの白に
消えていくパープルの光の中で
主人が座っている。
太陽が、ゆっくりと燃えているあいだ；
彼の夢見る思いは、かき消された
柔らかく流れる音の中で
野良仕事人のトウモロコシの歌
ゆっくりと戻っていく
おお、僕たちは、早朝から、くわでトウモロコシを耕し
いま、沈みゆく太陽が
一日は終わったという

　製粉所の入り口に立つミラーさんが、庭で走り回っている小さなチャボ達にトウモロコシの餌を撒いているのが見えた。僕の目に、白黒のシッポをした小さな可愛い赤ん坊のチャボが飛び込んできた。僕は、どうしてもこの子が欲しい！僕とその小さなチャボは、まるで運命の出会いかのように、お互いをじっと見つめ合った。

　僕は木の切り株にドリーを乗り付けると、ドリーのたてがみにつかまって、鞍からひょいと飛び降りた。

　「ねえ、ミラーさん、あそこにちっちゃくて不格好なチャボがいるでしょ、あれいくらで僕に売ってくれる？」

　すると、小さなチャボは、あたかもミラーさんでさえ知らない何かを知っている

かのように、振り返って僕を見た。さて、僕が推測するに、ミラーさんは、あの小さなチャボを、値段が付くかぎり、いくらでだって手放すだろう。値が付く額が儲け値だ。ミラーさんは、答えた。

「坊や、あれは、すこぶるカッコいい小さなニワトリじゃないか。あの鳴き声を聞いてごらん。ほら、可愛いだろう？坊やに、たったの５セントで譲ってあげるよ。」

ミラーさんはニッコリ微笑むと、僕の頭を撫でようとして手を伸ばす。僕はさっと後ずさりして、彼の手をかわすとこう言った。

「ええーっ！なんてことだい、５セントだって！ミラーさん、５セントあったら、おっきなムーンパイが買えるんだよ。ねえ、ミラーさん、あの小さなチャボは、僕が今まで見たなかで、いっちばん不格好なニワトリじゃないか。それに、あいつの鳴き声は、金切り声のフクロウみたいだよ！」

「ミラーさん」

僕は、躊躇してるふりをして、脇に目を逸らして言った。

「僕は、５セントなんて持っちゃいないよ。僕が持ってるのは、１ペニーだけ。それだって、今日使うつもりじゃなかったんだ。チューペロに行って、おっきな棒付きキャンデーを買うつもりだったからね。」

ミラーさんが思わず息を止め、目を細めているのがわかった。ミラーさんはせっかくの客が逃げかけていると感じているのだ。よし、あともうひと押しだ。僕はもうちょっと大胆に出ることにした。

「ミラーさん、あのタカの目のちっちゃなチャボは、おじさんのトウモロコシを食べるばっかりで、卵のひとつも産みはしない。もひとつおまけに、大したブサイクときた！」

驚くことに、このチャボはこちらに振り向くと、意地の悪そうなタカの目付きで僕をにらみ、怒り狂ったように地面を突っつき始めた。

ミラーさんは言った。

「判った、判った。坊や、あの小さなニワトリがどうしても欲しいんだね。まあ、棒付きキャンデーは、君の歯にも良くないわけだし。いいだろう。あの小さなニワトリを、１ペニーと交換しようじゃないか。」

ミラーさんは、一杯喰わされたと言わんばかりの表情で、あっけにとられて僕を見ると、面白そうに僕に聞いたものだ。

「坊や、まだこんな年で、こんな交渉術を、一体全体どこで身に着けたんだね！」

この世界では、交渉事で大胆になることを学ばない人間は、交渉の面白さを往々にして逃す羽目になる。

プライベート・ペイン

　こうして、僕はこの小さなチャボを手に入れた。僕は彼に、ビディ（ヒヨコの意味）と名付けた。なぜって、彼はホントに小さいからだ。僕のビディは、小さいけどタフなチャボだ。ビディは、僕の商取引の成功の中でも、今まで手に入れた中で最も貴重な勲章の一つなのだ。

　「そう！ビディが、頭の良い小さな赤ちゃんチャボだってことに、君は最後の1ドルを賭けても大丈夫さ。多分ビディは、賢明であればチキン鍋にほうりこまれるのを免れるって、そう思ってるかもしれないね。」

ビディが空を飛ぶ

人生は、しばし過酷な試練でありながら、最高のエンターテインメントでもある

　今は夏も真っ盛りで、うだるような暑さ。『この暑さじゃ、北部人とハエしか動かない』とは、トーマスおじさんのセリフ！　僕は、グレースおばさん家の玄関に座り、ピーナッツバターとバナナのサンドイッチをほおばりなら、良く冷えた甘いアイスティーを飲んでいる。うちわで自分を仰ぎながら、ハエ叩きでピシャリピシャリとハエを叩いていた。ハエを叩くたびにビディはハエに駆け寄り、パクリと食べる。そのうちアイデアがひらめいた。そうだ！ビディをハエ叩きに乗せて仕留めたハエめがけて空中に飛ばそう。もしビディがハエ叩きに乗らなければ、ビディはハエにありつけないというルールだ。まず僕がハエを叩く。そこにビディが駆け寄ってくる。僕はハエ叩きでビディの小さな胸を押さえつけてビディが前に進めないようにした。ビディが抵抗するのに疲れてきたらハエ叩きをビディのちいさな足の下にすべりこませ彼を持ち上げ、空中にビディを飛ばした。ちょうど飛行機の翼にスタントパイロットが乗るのと同じ要領で。ビディはハエをめがけて飛んでいき、着地したところでそのハエをパクリと食べられるというわけだ。

　何度か練習した後、ビディは空中へ放たれなければ美味しいハエにありつくことが出来ないと学んだ。今ではビディは空中に飛ばされ、華麗に着地して、ご馳走のハエへと駆け寄るためにハエ叩きに飛び乗るのを待機するようになった。それからというもの、僕は小さなチャボをほぼ生涯を通して育ててきたのだが、全てはこの

ビディから始まったのだ。

　ミシシッピ州チューペロのキング川沿いにある僕たちの小さな細長い家の周りには、いつも沢山のチャボが駆け回っている。

　僕は、ビディに遊び仲間を与えたかった。ビディも遊び仲間を欲しがっていた。ビディは、小さな雌のチャボを欲しがったので、ビディの遊び仲間にメスのチャボを何羽か買い与えた。一緒に小さな雄のチャボも２匹買ったけど、ビディは庭にこれ以上チャボが増えるのを嫌がった。小さな雄のチャボは小さな雌のチャボを奪い合ってヘトヘトになるまで一日中闘い合う。その後、今度は雌のチャボが雄のチャボにヘトヘトにさせられてしまうのだ。僕の言っている意味が分かるだろう。You know what I mean!

　今日にいたるまでここ沖縄にあるローズヒルプランテーションでは、僕のチャボが庭で駆け回っている。アメリカ南部を出てからというもの、チャボは僕の青春の一部となり、後に人生の一部になった。知っているだろうか。小さな母チャボは自分の子供を守り育てることにかけては動物界で一番の母親なのだ。僕は小さな母チャボが赤ちゃんチャボを守るために２羽のハイタカを同時に撃退するのを見たことがある。

　大恐慌の最中、僕たちにはテレビも任天堂もなく、人生はいたってシンプルだった。そして、僕たちの知る唯一の世界、ミシシッピ州リー郡において、人生はしばしば過酷な試練でありながらも、最高のエンターテインメントでもあった。

　ビディ専用に僕が発明した人力スタント飛行機によって、ビディは自分が欲しいものを得るために不可欠である、チームワークというものを学んだ。

　だがある日、事態が起きてしまった。メアリー・エディスと遊んでいたとき、僕は彼女の雄牛フェルディナンドに乗ろうとしたのだ…。

人は、いくらアイディアや革新的な閃きを持っていても、*継続的なチームワークなしには、それらを実現することは出来ない。*

スタン・シー

ドリーと雄牛のフェルディナンド

フェルディナンドは、小さな竜巻だ！

　トーマスおじさんのとこの大きな雌馬のドリーは、小さな僕を乗せるのが大好きだった。僕は、メアリー・エディスとドリーに逢いに行くために、出来るだけ頻繁にパルメットのグレースおばさんの農場に遊びに行くことにしていた。僕はドリーにまたがって家の周りをぐるりと歩き、センダンの古木の下をくぐるのが好きだった。木の真下に来たところで、僕は枝に飛び移り、ドリーから降りる。ドリーの方は、そのまま家の周りを歩き続ける。ドリーが一周して木の下に戻って来た時に、僕はタイミングよく木から飛び降りてドリーにまたがり、また一緒に家の周りをてくてく歩く。ドリーはこの遊びが好きなようだったし、もちろん僕も大好きだった。

　トーマスおじさんのところには、幼い赤牛もいる。僕とメアリー・エディスは彼にフェルディナンドと名前を付けた。フェルディナンドは僕たちの手のひらから塩をなめている間、身体を撫でさせてくれる。フェルディナンドは優しい小さな雄牛だった… ある日、僕がメアリー・エディスにこう言うまでは。

　「ねえ、その端綱を引いて、あの木の切り株までフェルディナンドを連れて行ってくれよ。僕がフェルディナンドに飛び乗って、彼を乗りこなすから。」

　「まあ、なんですって！フェルディナンドに乗るつもりなの？」

　メアリー・エディスはフェルディナンドを切り株まで連れて行きながら僕に言った。

　フェルディナンドには確かに乗れた… ほんの20秒だけ！あの小さな雄牛は結局のところ、そんなに優しくはなかった。全く彼は小さな竜巻だ！僕が飛び乗った瞬間、フェルディナンドは、駆け出し、ジャンプして、また跳ね上がり、左右に身体をひねった。僕は振り落とされないように、必死になって彼にしがみついた。彼がまた勢いよく跳ね上がって、素早く身体をひねった瞬間… 僕は村の果てまで投げ飛ばされてしまったと、その時思ったほどだ。僕は無様に背中から着地し、尾骶骨周りの打撲は酷く、痛みは一週間ほど続いた。フェルディナンドもきっと僕と同感だろう。僕は、もう二度とこの遊びはしないと、心に誓った。

　さておき、もっと心躍るような出来事が始まろうとしていた。

　「信じられる？僕、結婚式に行くんだ！」

従兄弟エルバートの結婚式

音楽は早く、ヴァイオリンが高く鳴っている。
そして、クーンドッグはもっともっと吠え始める！

　「レイ坊、俺の従兄弟エルバート・ペインが結婚するぞ。従兄弟のエルバートは、あの、ローレン・ミッギリカディと結婚するってよ！こんりゃすごいパーティーになること間違いなしだ。お前も従兄弟たちに会えるように、俺が連れて行ってやる。」と父が言う。

　曲がりくねった細い泥道が僕らを丘の上へ上へと導く。道路の側にはハナミズキが赤と紫にほのかに色づく。赤く小さな野イチゴを食べながら、おしゃべりなリス達が枝から枝へと走りまわる。そして、ペンキが塗られていない木造の小さな家や丸太小屋の煙突からひとすじの煙が秋の空に上がって行く光景がときどき景色に混ざる。

　永遠に続くかと思ったあぜ道を通って、ついに僕たちは従兄弟エルバートの家にたどり着いた。馬車には馬が準備されており、ラバ達は木に繋がれていた。古いモデルＴオープンカーやトラックやらが、何台も道路の脇に乱雑にとめられている。

　ギターとヴァイオリン、洗濯板で構成された音楽隊が演奏できるように、玄関にあった揺りいすをどけてステージが出来上がっていた。ここでは珍しく、店で新調した麦わら帽子を被った男もいる。男は使い古したサスペンダーで引っ張り上げたぶかぶかのズボンをはいて、のこぎりを小枝で叩きながらカンカンと高く鳴り響くリズムをとる。真赤なボンネットを頭にのせたふくよかな女がいる。ムーンシャイン（密造酒）をちょっとばかし味見しすぎたように見える彼女は、トウモロコシの穂軸で作ったパイプを吸いながら、リズムに合わせて大きなスプーンで自分の膝や手を叩いてリズムをとる。年季の入った長いヒゲをはやした年配の男は高鳴るヴァイオリンにあわせて洗濯板を激しく掻き鳴らす。僕は玄関の端に座って新鮮な焼きトウモロコシをほおばりながら、一連の光景に目が皿のようになる！

　音楽が速い滝のように流れ、ヴァイオリンが高く鳴っている。従兄弟エルバートと父、他の皆は、今、音楽隊の前で踊っている。女達はくるくる回りながら手を打ち鳴らす。従兄弟エルバートの猟犬達は、お座りして鼻を空に向けて、いかれたように遠吠えする。男達は夏の熱いトタン屋根に上がった猫のように飛び跳ねたり足を鳴らしたり。皆が音楽の渦の中に一体になる。玄関に立っている年配の男は足を大きく踏み鳴らしながら、遠吠えするみたいに歌を歌っている。そう、マウンテンデュー（密造酒）の歌を。

この道路を降りたところ
くぼみのある古い木がある
そこに１ドルや２ドルを入れるのさ
マグカップの口を閉じて入れば、
君のジョッキにいっぱい注いでくれる
マウンテンデューを
いつもの上等なマウンテンデュー
遠慮する奴なんてほとんどいない
君は先の角を曲がって去る
そして君はまた戻って来る
その恋しいウイスキーのために。

バスコム・ラマル・ランスフォード

　父は皆と、もろこし酒のジョッキを回しながらがぶ飲みしている。大人たちのお祭り騒ぎが大きくなれば大きくなるほど、玄関に立つ年配の男もこれでもかと大声で叫ぶように歌いまくり、ヴァイオリンは早く高く鳴り響く。皆が踊れば踊るほど、クーンドッグ（猟犬）はもっともっと吠え始める！

だれからも見られていないかのように、踊りなさい。だれからも聞かれていないかのように、歌いなさい。これが最後の日のように、生きなさい。
ーアイルランドの諺

　大家族に生まれると遊び仲間に困ることはない。結婚式の一週間後、僕は従兄弟の二人と釣りに行った。

この素晴らしき世界
彼女のお気に入りの噛み煙草はストレートショットだと言う・・・ハエにしてみれば迷惑な事だ！

　僕たち世界恐慌時に育った子供は、自分の世界に生きていた。それは試練と貧困

の世界であり、空想とごっこ遊びの世界であった。だが僕たちはそんな生活にも自ら幸せを見出す強さがあった。創造力をいっぱいに使って、どんな可能性をもものにする。

　パルメットにいるとき、僕は従兄弟のバディとビリー・アンダーソンを引き連れて、よく釣りに出かけたものだった。から揚げにしたら美味しい、元気で新鮮な魚を釣り、すぐそばの土手で揚げたての熱々をほおばるのだ。僕たちの釣り竿は簡素な物だったが、それを上手く使いこなしていた。細い竹、糸、酢の瓶のコルクと釣り針で作った釣り竿だった。店で釣り針を買えなかったら、自分でピンを曲げてそれを釣り針にしていた。重りに小さな鉛をぶら下げたら、準備完了だ。

　釣りには竿の他に、小さなフライパン、唐揚げ用のラード（釣りが終わってからラードのことは説明しよう）、塩、胡椒とトウモロコシ粉を持って行く。僕たちはパーチ（スズキ目ペルカ科）とブリーム（タイ）を釣るのが得意である。十分に釣れたら、魚のはらわたを取り、池の水でさっと濯いできれいにし、塩、胡椒とトウモロコシ粉をふりかける。そしたら池の土手で小さな火を起こし、釣りたての魚を揚げる。釣りたてでサクサクの魚は、店で買ったムーンパイとRCコーラと一緒に食べると、とても美味しい。

　唐揚げ用に使うこのラードだが、１ガロン又はその半分量が大きなブリキのバケツで売られていた。ラードを使い切ったら、バケツの蓋は僕らの車輪遊びに生まれ変わる。僕たちは小さなブリキをハンマーを使って平らに伸ばし、上向きになった二つのハネを作る。それを細長い木の棒の端に釘で打ちつける。これを使って砂利道に転がしたラードの蓋を、遠くに遠くに走らせるのだ。僕たちはよく、誰が一番遠くまでラードの車輪を無くさずに転がせられるか競争したものだ。

　他にも、僕たちは蓋が風に乗るよう端を下に向けて空に投げ、誰が一番高く遠くまで投げられるか競争したりもした。空に投げたお互いの宇宙船をぶつけ落として、宇宙戦争ごっこもした。子供ながらの面白い想像力を使って、僕たちは宇宙を駆けまわり戦うバック・ラジャーズとフラッシュ・ゴードンになったものだった。

モーターがなくても飛ぶことは出来る。だが知識と技術なしでは不可能だ。

ウィルバー・ライト

　ラードは蝋を引いた厚紙で作った小さな箱でも売られていた。その箱を上手く使い、グライダーの本体と後部を切り出す僕たちの知識と技術は、全く尊敬に値するものである。グライダーの本体、翼と方向舵のパーツを切り取り、グライダーの本

体に切り取った翼と方向舵を付けた。空中に放り投げるとグライダーは空高く素敵に飛ぶ。木のてっぺんの高さまで飛んで行く様子は、僕たちの心に喜びをくれたものだった。

自分のみを頼りとし、自分以外の他人に助けを求めない者こそが、一番の高みへたどり着ける者である。

ブッダ

　ところで僕には、舌を後ろに引っ込めて噛み煙草の汁を勢いよく30フィート先まで飛ばす事の出来る叔母がいる。器用な叔母はこの技で、こっちに向けたラバの尻に止まっている青尾蝿を、スナイパーのごとく一撃必殺することもできる…　それも目を凝らすことなく！彼女のお気に入りはストレートショットという銘柄だが、ハエには恐怖のストレートショットであろう。

　噛み煙草は小さな缶や四角い茶色のガラス瓶で売られていた。マッチは持ち運び用の小さな箱の『1セント箱』と家庭用の大きい『5セント箱』があった。僕らは噛み煙草の瓶を布切れで縛って、それをトラクターにした。そして、そのトラクターに空の5セントマッチ箱を付けると、マッチ箱は僕たちの荷馬車になった。砂利道に溝を引き、道を作って遊び、こうして僕たちは知らないうちに若い創造力を遊びの中で育てていたのだ。

　いやはや、僕たち子供が噛み煙草を食べることはなかった。噛み煙草は少数派の大人のみが嗜むものであったが、今のプロ野球選手など見ていても、明らかにその影響は次世代に受け継がれているようである。

　兄のバディは、レッドミュールという銘柄が好きであった。バディは運転するときいつも車の窓を全開にする。運転席の窓から噛み煙草の汁をペッと吐き出すものだから、僕はすぐに兄の車に乗るときは後部座席の窓を閉めることを学んだ。

　僕たちはこうやって、自らの創造力を巧みに使い自分で玩具を作った。この時代、人は自らの知恵と工夫に頼らざるを得なかった。遠くにいるヌママムシ（毒蛇）の頭を狙えるほどのパチンコを作るには、ちょっとした技術が必要である。

ワイルド・ワイルド・ウェスト

カウボーイとインディアン

　お金を貯めて銃を買うことのできる年齢になるまでは、僕たちは手作りのパチンコで夕食のハトやウサギを仕留めた。中古車のタイヤのゴムチューブがあちこちに放置されていたものだから、僕たち子供は誰でも簡単に、使い勝手の良いパチンコを作ることが出来た。近くに落ちている二股に分かれた木の枝を見つけ、根元から２インチくらいのところで、ちょうど手に握りやすいサイズに切る。

　そしたら、二股に分かれた枝の両端に小さく細かい刻み目を作り、そこの溝にタイヤから取ったゴム紐の端を一つづつ固定し、そのままそれを紐で巻き付けていく。ゴム紐のちょうど真ん中あたりには、小石を入れられる大きさの、楕円型に切った革を括り付ける。その革のホルダーに石を入れて、ゴム紐を強く後ろに引っ張って、手首を回転させながらホルダーを放すと、石は空気を切って勢いよく遠くに飛んで行く。

　僕たちの作るパチンコの性能の良さは百発百中皆を驚かせるほどの正確さであった。このパチンコでヌママムシ（毒蛇）に意地悪するものだから、ヌママムシは大激怒するのだが、この話は後で続けるとしよう。

　パチンコで狙ったものを正確に仕留められるだけでなく、他の狩りの仕方も僕たちは知っていた。手作りの弓矢である。僕たちは弓を作るために木の枝を切った。各端に紐を付けて引っ張るとちゃんとしなる強い枝を切る。ほっそりとした葦で作った矢の先には小さな鉄をハンマーで叩きつけ、弓のサイズに合うように調節した小さなハネを反対側の端につける。僕たちの手作りの矢はウサギ狩りや浅い小川にいる魚を射るのにふさわしい素晴らしい精度を備えていた。ロビンフッドだって僕たちの事を誇りに思ったことだろう。

　そうしていつの間にか僕たちはその弓矢をもっと面白いことに使い始める…　カウボーイとインディアンごっこだ！僕たちは手作りの弓矢、手作りの拳銃と得意の想像力を駆使して子供の遊びにリアルさを引き出した。

　時たま、父は僕たち子どもを牛の牧草地に連れ出してくれた。そこでは誰かが牧草地にスクリーンとプロジェクターを設置してくれていた。これこそドライブインシアターの始まりではなかろうか？僕たちが一番気に入っていた映画はもちろんの事、カウボーイとインディアンの映画であった。

　僕は正義の味方が馬に乗ってピックアップトラックに乗る悪人を追い駆けまわるのをワクワクして見たものだ。ヒーローの乗る馬はトラックよりも早く走り、舞い

上がってトラックの後部に飛び乗る。

　「こりゃあ何ともすごい馬だ！この映画監督はきっとワイルドな想像力があるんだろうなぁ！」

　カウボーイとインディアンごっこをするために、僕たちは自分で銃を作った。家のキッチンナイフを使い、ちょっと曲がった小さな木の枝を切り落とす。曲がった部分がピストルのグリップとなり、長い部分が銃身となる。

　僕たちはカウボーイとなり、未開拓の辺境を駆けまわった。銀行強盗を追いかけ、インディアン達を追いかけ、逆に追いかけられて、馬と見立てた自分の太腿を叩きながら子供たちは雄たけびを上げた。素晴らしい想像力を持ち合わせた僕たちは西部の辺境な開拓地を走り抜く。

誰もが心の中に、小さなカウボーイ、小さな開拓者がいる。

ルイ・ラモール

　年齢を重ねて行くにつれ、僕たちはゴムの銃を作り、ゴム銃戦争をするようになった。僕たちはノコギリで銃身に見立てた木を1.5フィートか少し長めに切る。反対側はピストルのグリップとなるように削る。それに頑丈な木の洗濯ばさみを付け、洗濯ばさみの一面をゴム紐でグリップ部分に括り付ける。自動車はどれも内側にゴムチューブのあるタイヤを使っていたから、材料は豊富にそこらの道端にでも落ちていて、僕たちはタイヤからいくつも細いゴムひもを作り出したものだ。細いゴム紐を結んで大きな輪を作り、それを銃身の端からグリップについた洗濯ばさみまで引っ張る。洗濯ばさみをぎゅっとつまんだらゴム紐が発射され、すごい距離を飛んで体にみみず腫れができる程の勢いで当たる。

　ゴム銃戦争は楽しくワイルドで、僕たちは『敵』を倒そうと、お互いを追いかけ回った。僕は友人のボビー・ベッグスにそっと背後から近づいて、洗濯ばさみをつまんだ。ゴム銃の発射した紐は勢いよく飛んで、ちょうど彼の首の後ろにビシャリと当たる。彼は想像も絶する痛みを感じたに違いない。僕は大声で叫ぶボビーに家まで追いかけられた。僕は庭の桃の木によじ登った。これで彼をもう一度狙うことができる。結局、ボビーはわんわんと泣き喚きながら家に帰り、壮絶なゴム銃戦争が終わりを告げた…　今日のところは。

未知の目的地

君とジョエル・ラケストローに僕のカッコ良い荷車をあげよう。きっとスリル満点だ！

　成長するにつれて、僕たちは手作りで荷車も作れるようになった。作るのはさほど難しいことではないが、乗るのは決して容易なことではなく、危険が伴った。時たま、肘や膝にあざや擦りむき傷などを創ったが、もっとひどい結果をもたらすこともあった。

　荷馬車の車体は、長さ約４フィート、４×４の一つの木材から切り出して作った。後車軸は２×４の角材で作られていて、４×４の角材にボルトで固定されている。後ろの車軸の上には座席用に小さな板を釘付けしてある。前の車軸は２×４の角材で、その中心をボルトが貫いている。これが４×４の角材の上で回転することで進む方向を変えられるようになっている。

　僕たちの車輪は、小さな切株からほぼ同じくらいの円周に切り取られたものだ。車輪の中心に車軸のための穴をドリルであける。車軸は金属棒で、２×４の角材の下に大きな馬蹄用の釘で取り付けられている。自転車のタイヤを車輪の底に合うよう切り取って屋根止め鋲で釘付けした。荷車を左右に操るためのロープが前車軸の端に結び付けられている。

　僕たちは荷車の木の座席に座ると、ロープをきつく引っ張りながら、同時に前車軸に置いた足を、しっかりと前方に突っ張る。こうすることで、興奮に満ちた無謀な僕たちを乗せて丘を疾走する荷車を、幾らかは安定させられるのだ。僕たちは未知の目的地へ向けて、スリルに満ちた旅に出る…　僕たちの荷車にはブレーキがなかった。そう、ブレーキなし！

　その日はほとんど事故もなく、無事に荷車を走らせることが出来た。だが、最後の最後に、僕たちは助走をつけて荷車に飛び乗り、丘を降りてみることにした。最初の小さなカーブはうまく通過したが、２番目のカーブで僕たちはコントロールを失い、丘の上から茂みに転がり落ちて行った。打撲と傷だらけになり、僕たちはそのまま道の脇に倒れこんだ。少しして起き上がると、肘に痛みを感じる。腕が動かない…　ヒューと僕はよろよろと家に帰った。

　母は、僕を病院に連れて行きながら心配そうに言った。

　「また別の腕まで怪我しちゃって。これで二度目よ。次は一体何をしでかすつもり？」

　医者に腕をギプスで固定してもらい、ようやく家に帰った僕はひとり呟いた。

　「なんて一日だ！」

僕はヒューを見て首を振り、腕を指さして言った。

「ヒュー、僕の荷車の所有権を君に譲ることにするよ。僕はもう荷車なんかこりごりだ！」

僕の腕を見て彼は言った。

「バカ言え、おまえ、頭も打ったのか？僕だって、あの荷車は金輪際御免だよ！」

翌朝、僕は荷車をウィリーJのところに運んで行って、彼にこう言った。

「ウィリー・J、あのチャボの件は、本当にすまなかった。君とジョエル・ラケストローに僕のカッコ良い荷車をあげよう。きっとスリル満点だ！」

人生とは、未知の目的地へと向かう興奮に満ちた旅である。

プライベート・ペイン

僕たち少年は手作りの荷車を大いに楽しんだが、何人かは遊びながらもちゃんと、日曜日の教会には出席していた。少なくとも僕もその一人で、日曜日になると熱心な僕は、たくさんの教会に出席したものだった。

熱心な信者

テューペロに来てからというもの、僕は熱心な信者になった。毎週日曜日には欠かさず教会に行くようになり、町中すべての教会を巡った。あのカトリック教会にはもう二度と行かないが。

正直、僕ほど多く教会に行く信者は誰もいないであろうと自負する。教会に行くことにかけては、町の子どもたちの中でも僕は一番の優等生であった。大切なのは、タイミングだ。まず家の近くのメソジスト教会に行き、次々と近い順から教会を巡る。先ほど言った通り、タイミングが何より大切だ。小さな食べ物をつかみ取り、ポケットに詰め込み、口の中に詰め込み、飲み物を飲めるだけ飲むと、全速力で次の教会に走る。

教会の日曜学校は大体どこも同じ時間に終わるから、どの教会にも遅れてはいけない。もし日曜学校が終わる頃に遅れて行くと、欲張りな子どもたちに全部食べられてしまって、食べる物も飲める物も無くなってしまうので、間違っても教会に遅れることはできない。

僕は普段決して遅れることはない。他の子どもが「あの子がまた来た！」と叫ぶ

のが聞こえる。

　先ほども言ったように、もうカトリック教会には行かないと決めたから、カトリック教徒は心配ご無用だ。カトリック教会では他の子どもたちと一列に並ばなければならなかった。あそこの人たちは誰も微笑んでいなかった。僕は日曜日なのに、なぜ誰も微笑んでいないのか不思議でならなかった。僕はいつも日曜日になると、清く幸せな気持ちで教会に行く。

　僕の前に並んでいる子が、行儀よく食べ物を飲み込んで歩き去った。ついに僕の番だ。ここの教会は1人につき1つのクッキーしかくれないようだ。非常にケチだからクッキーはとても小さくて、配られる飲み物もミニサイズだ。男が
「さあ、お口を開けなさい」と言う。

　いかに小さなクッキーか分かるので、口を開くことは全く難しくない。彼は僕の口の中に小さなクッキーを入れると、何か外国語でぶつぶつと唱えて、僕にこれまた小さな銀のカップに入った飲み物を飲むように言った。僕は言われたとおりにした。

　僕は口を開けたままごくんと飲み込むと、しっかり3回瞬きして、ふらふらと立ち去った。先ほども言ったように、もうあの教会には二度と行かない。クッキーとクールエイドがあっても。こんな仕打ちを受けなきゃならないなんて、僕が一体何をしたというのだ？お祈りの時に忘れずに神様に尋ねなければならない。

　この日曜日の夜、ベッドに入ると、僕は天を見上げて神に尋ねた。
「神様、僕が一体何をしたというのですか？」
　すると、天の声が答えた。
「一晩そこらでは、とても話し終えることが出来ないのだよ。」
　なんてこった…　もしや神様は僕の学校生活を知っているのだろうか？

物覚えの悪い子

　僕の教育の妨げになったものは、ADD（注意欠陥障害）なのか、それともキングクリークに伝わる摩訶不思議なミステリーだろうか。

　僕は6月、7月、8月が好きだ。5月の終わりはいつも僕の人生の中で最も幸せな時期である。学校が休みに入るのだ！僕はこれから3か月間、遊びまわり、お金稼ぎに勤しむことができる。なんて素晴らしい日々であろう！

やりたいことが沢山あった。魚釣り、カエル捕り、ウサギ狩りに川泳ぎ、そして何といっても一番の楽しみは… お金を稼ぐこと！

僕は牛の牧草地から摘んできた花を売ったり、ブラックベリーを摘んで町の女性たちに売るのが大好きだった。この町の女性たちはブラックベリーですばらしい南部風ブラックベリーパイを作る。

空き瓶を集めてお金を稼ぐこともした。ソフトドリンクの空き瓶はそれぞれ2セントの値で売れ、牛乳瓶は5セントになった。一番苦手だったのは暑いミシシッピの炎天下でコットンを摘み取る仕事だった。1930年代から1940年代初め頃、ミシシッピの田舎、リー郡にあるキングクリーク沿いの町テューペロで過ごした僕の日々は、トム・ソーヤとハックルベリー・フィンの冒険話に出てくる場面にとよく似ている。時代は少し違うが、静かな環境はほぼ同じだ。

長い夏の日が次第に短くなり、秋の空気に代わり始めると、僕の気分は変わり始める。僕は憂鬱になり、学校が始まる日が迫りくるのを恐れる。学校への恐怖感はひどいものであった。僕は学校で他の子供たちについていくことができないことを恐れていた。僕は窓の外を見ながら空想にふけっていて叱られることを思うと、すこぶるいやな気持ちになった。そんな時は罰として放課後学校に残されて『僕はこれから授業に集中します』と100回書くまでは帰れなかった。

学校の鐘が鳴り、チャーリー・マッカーティが叫ぶ。

「おい、レイ！一緒に川に魚を捕まえにいこう！」

ボビー・ベッグは言う。

「僕、新しい釣り竿があるぞ。」

「行こう行こう！」

エド・ディッカーソンは叫ぶ。

がっかりした顔で僕は答える。

「僕は行けないんだ。先生に放課後居残りしなさいと言われたんだ。」

この罰はたまったものではなかった。僕の友だちが暗くなる前に急いでキングクリークに行って釣りをしようとする間、僕は学校に残り『僕はこれから授業に集中します。』と100回書かなければならないのだ。そのうち僕は賢い方法を発見した。ポケットから釣り糸を取り出し、3本の鉛筆を一つの束に結び、一度に3行を書く。

先生は一度に3行書いてはいけないとは言わなかった。みんな一度試してみるべきだ！まるで1行ずつ書いたかのように見えるのだ。僕はインチキなどしない。ただ生産性を3倍に増やしただけだ。後で僕は父に僕の方法をどう思うか意見を尋ねると、父はこう言う。

「ああ、我が息子よ！あのヘンリー・フォードだって、お前の生産ラインをたいそう誇りに思うぞ。」

先生は

「この子は学習速度は遅いが、鉛筆を持たせるとすこぶる早いな」

と首をかしげていただろう。

先生は効率化された僕の生産ラインを知らない。僕は日が暮れる前に釣り遊びが出来るようキング川に慌てて飛んで行く。

「おい、みんなぁ待ってろよ！」

僕の教育の妨げになったものは、ADD（注意欠陥障害）なのか、それともキングクリークに伝わる摩訶不思議なミステリーだろうか。

時々、友人と話をしている最中に、一人がもう一人の肘をつつき

「みて、あいつ全然聞いていないみたいだぞ」と言う。

そんな時、確かに僕は心ここに在らずだ。当時、自身がADDであるなど知る由もなかった。ただ気づいていたのは、僕が物覚えの悪い、夢見がちな子とみなされていたことだ。僕は自分が遅いと感じたことは一度もなく、独創的だと思っていた。僕は足りない能力を補うため、日常の実用的な思慮分別に頼ることを学んだ。

何ができるかより、何ができないのかを発見することの方が大切なこともある。

リン・ユータン

マッキンリー先生

アナベル・リー

僕は何年生まできちんと終了したか、はっきり覚えていない。妹のジェリーは僕が７年生までは終了したと思っている。もし僕の記憶が正しいのであれば、僕は２年生を２回、４年生を２回、７年生は特別夏期クラスに通ったはずだ。夏期クラスは僕にとってまるで刑務所のようだった。僕はこの学校を離れてから、二度と学校教育には戻っていない！

僕は学校教育に僕の教育の邪魔をさせたことは一度もない。

マーク・トウェイン

僕が今まで学校で唯一楽しんだのは５年生の頃だったように思う。担任はマッキンリー先生だった。散文と詩を教えてくれたので、僕はマッキンリー先生が好きだった。僕は詩が好きだったので、暗唱したヘンリー・ワーズワース・ロングフェロー、ウォルト・ホイットマン、エドガー・アラン・ポーなどの詩を先生に披露した。

　マッキンリー先生の目はまるで涙が溢れるかのようにひかり、遠くを見つめる。彼女はこの教室からはるか遠くにいる。先生は何を考えているのだろうか…　僕はエドガー・アラン・ポーの『アナベル・リー』を暗唱しながら首をかしげる。

昔々のそのまた昔
海のほとりの王国に
一人の娘が住んでいた
その子の名前はアナベル・リー
少女の胸を満ち満たす
愛し愛され　愛への想い
僕も子供で　あの娘も子供
海のほとりの王国で
愛し愛して愛以上
僕と愛しいアナベル・リー
翼あるあの天使さえ
僕とあの娘を羨んだ　これは昔の物語
海のほとりの王国で
風は雲居を吹き飛ばし　冷たい空気が吹き付ける
愛しく可憐なアナベル・リー
あの娘の気高き血族が
僕からあの娘を連れ去った
黄泉の湿った暗がりに　あの娘をひしと閉じ込めた
海のほとりの王国で
だからお空の天使でも　全く楽しく謳えずに
僕とあの娘を羨んだ
嗚呼！そのせいで
風は曇りを吹き飛ばし　夜空を凍らす風が吹く
冷たく崩れるアナベル・リー
けれども僕らの愛という至上の想いの塊は

老いぼれどもの身よりも固く
賢き者の知恵より深い
だからお空の天使でも
海の底棲む怪物も
僕とあの娘の魂を　別つことさえ出来はしまい
清く麗しアナベル・リー
月輝かず、僕の夢は来たらず
嗚呼　愛しいアナベル・リー
星は煌めくこともなく　僕のまなこに浮かぶのは　あの娘の煌めく瞳だけ
嗚呼　愛しいアナベル・リー
夜の帳が降りる中　あの娘の傍に寄り添おう
嗚呼　僕の愛しい人　僕の愛　僕の命　僕の花嫁
海のほとりの黄泉の国
海のほとりの石の下

エドガー・アラン・ポー

　僕は自分の詩もいくつか書いたりしたので、マッキンリー先生は僕を褒めてくれた。彼女は僕の詩がとても好きだと言ってくれたので、僕はとても勇気づけられた。教室での短くとも素晴らしい時間、マッキンリー先生は僕に喜びと、それまでの学校教育で感じることのなかった、学びの意欲を与えてくれた。

詩は心をリラックスさせる。幸せに満ちた白昼夢のようなもの。
プライベート・ペイン

　僕は５年生でミス・マッキンリーに会うまで、読書についてあまり知らなかった。マッキンリー先生は忍耐強く僕に本を読むことを教えてくれた。今では僕は手に入る限りのありとあらゆるものを読むようになった。夜になるとよく母に「レイ、もう朝２時よ！朝には学校に行かなきゃいけないのに大丈夫なの？」と言われたほどだ。
　読むことを身に着けたことで、今まで知らなかった新しい世界への道が開かれた。そしてこの可能性に満ちた世界で僕は沢山の発見をした。

　マッキンリー先生に、神様の祝福がありますように！

雌ヤギ
絶交だ！

　読書を楽しむことを学んだので、僕の前には全く新しい世界が開いた。たくさんの新しいこと、素晴らしいことを発見した。お気に入りの題材は動物についてである。僕は動物が大好きだから！馬、ヘビ、ハト、ニワトリ、ヤギについて読み、この新しい友達について学ぶ機会を大いに楽しんだ。そして今僕は、僕のお気に入りの雌ヤギ、ウィリーJの斜視の雌ヤギの事を考えている。

　ミシシッピ州のどこを探しても、ウィリーJの雌ヤギほどに可愛い斜視の雌ヤギはいなかった。このヤギは今まで見た中で、一番いいヤギだ。ウィリーJは、このヤギは本当に何でも食べるから、手がかからないと僕に言った。

　「へえ！ママが気に入りそうなヤギだな。」

　何より、僕はその雌ヤギが欲しいので、この朝僕はウィリーJの家に交渉に行く事にしていた。

　「ウィリーJ、僕のチャボがすごく欲しかったんだろ？君のヤギ一頭と引き換えにうちのチャボを６羽あげるよ。きれいな色した３組のチャボをその年老いたヤギ一頭と交換してやるよ。この３組のチャボで、後からもっともっとかわいいチャボを増やす事だって出来るぞ。僕みたいにね！」

　「そうだな、レイ、君は僕の雌ヤギが欲しくてたまらないみたいだし、僕のママはもうこのヤギはどこかにやっちゃいなさいと言うしさ。取り引き成立としようじゃないか！僕も君みたいにチャボがたくさん欲しいなぁ！」

　「ウィリーJ、じゃあ今日の午後、３組の素敵な色のチャボを連れて来るよ。」

　ウィリーJの家を出た後、僕はこの取り引きについて頭を悩ました。誰もが僕のチャボを気に入る。誰か競争相手が出てきてチャボを育てられたら困るぞ。何とかしなくちゃ。レイ、考えるんだ。

　「ウィリーJ、約束どおり、ここには３組のかわいいチャボ、黒のペア、白のペア、赤のペアを連れて来たよ。これでもう可愛い小さなチャボがどんどん増えるね！３組で十二分だよ、もうこれ以上必要ないはずさ。さあ、うちのママが僕を探しに来る前にヤギをおくれ。もうすぐ夕飯の時間だから！」

　その後、友だちのピート・グースマンに、ウィリーJはもう僕と絶交したと告げられた。

　「なぁ、おまえ。ウィリーJが言ってたよ？彼はもうおまえさんのことが嫌いだし、３組のチャボももう嫌だって。ウィリーが言ってたよ。６羽のチャボのうち３

羽は尾羽を切られていたんだって！尾羽を切られているから雌のように見えるけど、鳴くし卵は産まないし、実はみんな雄だったんだよ！」

　僕は新しいヤギをナニー（雌ヤギの意味）と名付けた。彼女の本名は何て良い名前だろうとしばし思う。本名はナニー？ナニーは少し老いているから、ミルクを出さない。彼女の左の耳は垂れたままだ。歯はかなり抜けている。先ほど言った通り、目は少し斜視である…　なんて愛らしいヤギじゃないか！

　母は僕のヤギを気にしていないようだった。母によると、ナニーは家の周りの芝や雑草を食べるので、まるで我が家に自動草刈り機が来たかのようらしい。でもそんな日も終わりを告げる。ある日ナニーが後ろ脚立ちになって、物干し竿にかけてあった、母のお気に入りの黄色いよそ行きドレスを食べてしまったのだ。そのドレスは母の特別なドレスだっだのだ。ドレスには緑のフリルがついていた。考えてみると、何となく、そのフリルは芝のように見えた。僕のいっていることわかるだろ！ You know what I mean! ともかく、母はもう僕のヤギが嫌いになった。彼女は叫ぶ

　「もうこのヤギはどこかにやっちゃいなさい！」

　そんなわけだから僕はジョニー・ラケストローのところに行き、僕の雌ヤギと彼の自転車とを交換した。ジョエルも僕の友だちだ。正確に言うと、雌ヤギを僕と交換するまでは、友達だった！

　ちょうど、妹のジェリーの小さな赤いスポーツカーを勝手に売ってしまい、彼女に申し訳なく思っていたから、僕の物となった素敵な自転車をジェリーにあげることにした。ちょっとした部品が足りないだけの、良い自転車だ。

　ジェリーはまだ僕に怒っている。彼女は僕に喚く。

　「どうやってこの自転車に乗れと言うの？ハンドルバーがないのよ！」

　僕は喚き返す。

　「ジョエル・ラケストローとの公正な取り引きなんだ。あの雌ヤギにだって、角がなかったんだ！いいかい、あのヤギがジョエルのママのドレスを食べるまで待つんだ！ヤギはきっと戻って来て、ジェリーのものになるんだから！」

　ウィリーJとジョエル・ラケストローは、手ぐすね引いて仕返しを企んでいることだろう。

マッキンリー先生のバンド

ビリー・ジョーは、フルートをお姉さんに習ったから、本当に上手だ

　ミシシッピのテューペロの小さな町にはたくさんのことが起きていた。少なくとも僕はそうだと思うが、ご想像の通り、この町テューペロで起こることは誰の耳にも入る。恒例のフットボールについての話以外で、今町中の話題となっているのは、近日開催される学習発表会だ。町全体が興奮してにぎやかになり、僕たちミラム中学校の生徒に次々と質問が浴びせかけられる。町の人たちはお互いに、演奏のタイトルが「ストライク・アップ・ザ・バンド！」響け子供バンドに決まったことを知っているかと噂し合う。

　町中の人々が僕たちの演奏を見に来るはずだ！市長も来ると聞いたし、なんと僕もバンドの一員として出場することになった！マッキンリー先生の5年生のクラスは、発表会でバンド演奏を披露する。マッキンリー先生は、演奏で使う自分の楽器を週末に作って来るようにと言った。

　マッキンリー先生は、誰がどの楽器を作り、演奏するかも提案してくれた。先生は僕に、木琴を作ることができるか尋ねた。僕は彼女に尋ね返す。「先生、すいません。モッキンですか？」

　マッキンリー先生は僕に木琴がどんなものかを説明し、観衆を驚かせて楽しませるような、素晴らしい木琴を作るヒントをくれた。あなた方なら、彼女の言っていることが分かるであろう。だが、僕にはまだ意味不明だった。でも大丈夫、後からどうせわかることさ！

　月曜日、バンド演奏の練習のため、僕たちは手作りの楽器を学校に持って来た。アール・ムーディーは手ぶらで、頭をちょっと傾げ、考え深げな顔をしてマッキンリー先生を見上げる。マッキンリー先生は手を広げてジェスチャーを交えながら優しい口調で言う。

　「アール、あなたは牛鈴を鳴らしてもいいわよ。」

　ビリー・ジョー・ストーカーが、演劇のスターとしてフルートをカッコよく吹くはずであった。しかし、ジョエル・ラケストローがドラムセットで主役の座を奪ってしまった。

　ジョエルは亜鉛メッキの洗濯用のたらい1つを母親から借り、水バケツ2つと彼のおじいさんのおまるを持ってきた。彼はそれらをすべて逆さまにして、籐椅子に置いた板の上にセットした。彼は端にこぶのついた小さな木の枝を2本切って、ドラムのスティックにした。ジョエルはどうだと言わんばかりに自慢のドラムを叩い

て見せる。

　彼は自分のことをジーン・クルパ（アメリカ合衆国のジャズ奏者）だと思っているに違いない。母親から借りてきた２つの鍋の蓋を打ち鳴らしているのはシンバルのつもりだ。正にジョエルは音楽の天才ではないか！

　エドはジョエルのドラムに合わせ洗濯板を上下にこする。ボビーは彼のジュース・ハープ（口琴）（Juice harp/Jew's harp）を持って来た。チャーリーは得意のハーモニカでメロディーを鳴らし、マッキンリー先生はアールが演奏できるように牛鈴を渡す。メアリー・ベル・ストーカーの妹、ビリー・ジョーは、自分で短い竹から切り出して作ったフルートを演奏した。

　ビリー・ジョーは、フルートをお姉さんに習ったから、本当に上手だ。僕の言ってる意味がわかるだろう。Y'all know what I mean?

　僕たち全員が、ミラム中学校のステージの立ち位置につき、とうとう、素晴らしいパフォーマンスショーの夜が幕を開けた！

　「ストライク・アップ・ザ・バンド！音楽よ、響け！」マッキンリー先生のバンド！

　僕の手作りの素敵な木琴が観客の目を引き付けたものだから、もうジョエルのドラムセットがうらやましかったことなど毛頭にもない。僕は自分の木琴が自慢でならない。さまざまなサイズの空き瓶を見つけるのは、そんなに大変なことではなかった。ガロンジョッキ１瓶、クオーターミルク瓶１瓶、小さな酢瓶数本、そして未亡人ホーキンス婦人のごみ缶から拾ってきたオールドクロウウィスキーの空瓶２本。僕は聴衆に目を向ける。彼らが楽しんでいるのが見て取れた。僕も観客のために、自慢の木琴を鳴らす瞬間を待つ。準備は出来ている。

　空き瓶は横に並べて配置され、紐で繋いで垂直に立ててある。瓶にはそれぞれ違う分量の水が入っている。

　練習中、僕は短く切ったほうきの柄でやさしくそっと木琴を叩くと、木琴は素敵で柔らかな音色を出した。

　事の発端は先週、ウィリーＪが鍵がなくなっている古いローラースケートと、ビー玉いくつかと、店で買ったかっこいい駒を、信じられるだろうか、なんと僕のチャボ３組と交換したいと言ってきた。僕は彼をまっすぐ見ると、そんなの嫌だと言い放った！続けて僕は言う

　「でも、君の斜視の老いぼれヤギとなら、僕の可愛いチャボを６羽交換してあげても良いぞ。」

　そして交渉は成立した。ウィリーＪはこれが不満で仕方がない！

　そしたら、さあ、何が起きたと思う？信じられないが、マッキンリー先生は、

ウィリーJを僕たちのオーケストラのリーダーにしたのだ！　彼は誇らしげにステージの中心まで歩き、聴衆にお辞儀をすると、くるりと回って僕たちに向き合った。

　僕たちがステージ上に立つと、誰かが灯りを落とし、僕たちマッキンリー先生のバンドにスポットライトが当てられた。僕は、僕たちを見つめる600組もの目を確認するために観客席に目を向ける。僕は少し緊張した…　アールが変なタイミングで牛鈴を鳴らしたらどうしよう？アールならやりかねないぞ！

　僕たちの指揮者、重々しくステージの中央に立つウィリーJは、ゆっくりと両手を頭上にあげると、そのまま右手に持った指揮棒を更に高く高く上げ…　僕に向けて振り下ろした。

　この動きでアールにスイッチが入ってしまった。アールはひとりで牛鈴を鳴らし始める！偉大な指揮者、ウィリーJは僕をまっすぐ見つめる。彼は僕に睨みをきらし、さっとジョエル・ラケストローを見やると、頷き、叫ぶ。「今だ！」この合図で、ジョエルは彼の洗濯たらいを激しく叩く。

　僕は飛び上がってしまって、どぎまぎして、ほうきの柄で僕の木琴にある一番大きい空き瓶、ガロンジョッキを力尽くで叩いてしまう。水はジョッキから溢れ出し、舞台をびしょ濡れにしてしまった。僕は足元に出来た水たまりを、口をぽかんと開けて見つめる。

　聴衆は水を打ったような静けさに包まれた。永遠に続くかと思われるような長い静寂、教会のネズミが忍び足で歩くのでも聞こえるほど静かだった。前列に座る、紫色の帽子をかぶった、太った女性が笑い始めた！他の聴衆も皆彼女に続いて笑い出し、会場は笑い声と大きな拍手に包まれた。

　アールは満面の笑顔を浮かべて、さぞ楽しそうに牛鈴を鳴らす！僕はうつむいていた頭を上げて観客を見渡す。僕は嬉しくなり、笑顔で、前列の太った女性に投げキッスをしながら、残っている木琴をやさしく叩き始めた。僕たちのバンド、マッキンリー先生のバンド…　演奏開始！

戦地を目指して
ティピーとインディアン攻撃

　デイビッド・ナッシュはシャツ工場を降りてテューペロの南側、キングクリークの北側、ハイウェイ45号線下を流れる川を降りたところに住む。父親が配管業者

なので、彼の家族は少し金持ちだ。

　キングクリークの下流部では下水配管の問題がない。屋外トイレがあるから。僕たちは屋外トイレが発する匂いが気にならない。何となく川に沿って咲くハナミズキの花のようだから。でも夏暑くなり始めたら、洗濯バサミを準備するのが賢明である。こんなわけだから、デイビッドの父親は僕たち屋外トイレの家庭には営業できないようである。デイビッドの父親はデイビッドのためにインディアンのテント、ティピーを建てた後、どこかへ出掛けて居ない。ティピーにはクマとバッファローと、ワシが裏にも表にも絵描かれている。僕たちはそのティピーでインディアン遊びをしたかったのだが、デイビッドは彼のティピーで遊ばせてくれない。なので僕たちは部族戦争評議会を開き、僕たちチカソーインディアンは決議を発表した。戦争だ！

　「ボビー、ムーアさんのところに寄って、落ちている七面鳥の尻尾の羽を取って来てくれ。」

　ボビーは

　「うーん、もし落ちてなかったらどうする？」

　僕は怒鳴る。

　「ほら、そこに七面鳥がいるだろう？七面鳥には尻尾の羽が生えているというのが分かるだろう？ボビー、なぜ神様が君にその大きな足と手というものを与えたのかわかっているかい？さあ、七面鳥の羽を取ってくるんだ！チャーリー、君はママの赤い口紅を持って来て。」

　「レイ、お前のオツムとやらは、いかれちまったのかい？ママの赤い口紅をつけたりしたら、僕はママに殺されるよ！」

　「馬鹿なことを言うんじゃない。チャーリー、僕たちは白雪姫じゃなくて、インディアンになるんだよ！チャーリー、パパの黒い靴磨きも持ってくるんだ。アール、君はパパのコーンパイプを持ってきて。

　僕は川沿いの野原でウサギ煙草の草を採って来る。」

　そうして、僕たちは戦地を目指す勇敢なチカソーインディアンになった！僕たちはあぐらをかいて座り、出陣化粧をした。僕は左目の周りに赤い〇と右目の周りに黒い〇を描き、続けて額に赤いＸを描き、両頬には黒いＸを描いた。僕たちインディアン戦士は獰猛たるいで立ちで、ウサギ煙草の戦闘パイプを回し、一人づつ吸い始める。獰猛な戦士であったはずの僕たちはゲホゲホと顔を真っ白にしながらむせ始める。真っ白な顔になっちゃだめだ！僕たちは真っ赤な出陣化粧をした戦地を目指す勇敢なチカソーインディアンなのだ。

　太陽が柳の中に低く沈み始めた頃、敵地を目指す僕たちインディアンはキング川

の南岸から静かに忍び寄る。僕たちはインディアンなので、手作りの弓と矢を手にしている。僕たちは矢の先端を灯油、北部人がケロシンと呼ぶものに浸した。僕たちはマッチを擦り、弓を引っ張る。そして火の矢は空を切る。デイビッド・ナッシュのティピーが炎上した。僕たちは本物の戦闘中のチカソーインディアンのように叫び声を挙げ、上下に跳ねながら踊った…　ナッシュさん家の玄関がものすごい勢いで開くまでは。散弾銃の音が空気を切り裂き空に鳴り響き、僕たちインディアン戦士は大慌てでとうもろこし畑を一目散に走り抜け撤退した。めらめらと炎に崩れるティピーとナッシュさんのショットガンが、チカソーインディアン戦争の終わりを告げた!!

　数年前、ジェリーと僕はナッシュ家を訪問した。僕はデイビッドの父親が作ったティピーに昔、インディアン攻撃を仕掛けたことを謝罪した。ナッシュさんは最近この世を去ってしまった。ナッシュ家はインディアンがデイビッドのティピーを攻撃した話を聞いて楽しんでくれた。

　出陣化粧を塗り、燃える矢を放つ事はとても楽しくワクワクした。でも、もっとすごい興奮が僕たちの町テューペロに来る日が近づいている。果たしてどんなお祭りごとになるか想像できるだろうか！この日は子供にとって特別な日である。妹のジェリーもぴょんぴょん飛び跳ねて言う。

「私はメリーゴーランドに乗るの！」
「みんなはロケットに乗るの？私、ロケットは怖いわ！」

ミシシッピ・アラバマ合同夏祭りと家畜ショー
ジェリーの思い出

　夏祭りは、クリスマスよりも大掛かりだった。子どもたちは一年中待ちわびて、お祭りが近付くと皆一生懸命働いてお金を貯めたものだわ。「子どもの日」以外は入場するのにお金が必要だったからね。

　リングリング・ブラザーズのサーカス団が日曜の夜までに列車で到着して、月曜には設営がすべて終わっていた。そして今日、火曜日が、待ちに待った子どもの日。みんなで学校で待ち合わせして、会場へ向かった。テューペロハイスクールの吹奏楽団の後を追うように、メイン通りを歩いてお祭りにいくのは、本当に楽しかったわ！

　色んな出し物や乗り物がトラックで運ばれて来る中で一番楽しみにしてたのは、

月曜日にサーカス団が到着して準備するところを見ることだった。

　月曜の朝早くに、サーカス団がやって来るところを見に、パパが私を連れて行ってくれた。団員たちが列車から降りて、ポニーや象を連れて会場へ向かって行った。私達は獰猛そうな虎やライオン、熊等の大きい動物が檻や箱から出されて、農業用のトラクターに引かれて行く様子を圧倒されながら見届けた。

　サーカス団の人たちは朝と午後に会場のステージでショーの練習をした。曲芸師が空中ブランコに乗って、お互いに身を投げ出したり受け止めたりしているのが見えた。練習では下にネットを張るけど本番では使わないから、実際のショーでネットのない状態で高いところの綱の上を歩く人を見るのはどきどきした。女の団員さんがポニーや象に乗ってるのも面白かったし、ライオンや虎も吠えると怖いけど見るのは楽しかった。練習風景は本番さながらで、しかもただで観られるから最高だったわ！

　お祭りの中心地には乗り物やサーカス以外の出し物もあった。見世物小屋や小さい人たちが歌って踊る小人ショーなんかもやっていて、本当に盛りだくさんのお祭りだった！

　私はまだ学校に上がる前の年齢だったから、子どもの日に行く事が出来なくて、パパが連れて行ってくれたわ。綿あめやホットドッグ、ハンバーガーの匂いがあたりを満たし、メリーゴーランドから流れてくるのは今まで聞いたことないくらいすてきな音楽。パパにメリーゴーランドの馬に乗せてもらって、風を感じながらぐるぐる回るのは本当に楽しかった。

　お祭りの中心地は、まだ小さな私には乗れない楽しそうな乗り物やゲームに興じる人々で賑わっていた。

　すると客引きのお兄さんが「寄ってらっしゃい！」と声をかけて来た。

　「パフォーマーがテントの前のステージでショーの予告をするから、お客さんはそれを観て気に入ったらテントに入ってショーを観てってね！最初のが気に入らなくても次々予告が流れるよ。」

　パパと私がテントの前で足を止めると、イブニングドレスを着たきれいな女の人たちが踊りながら出てきた。

　「寄ってらっしゃい！ご存知サリー・ランド・ショーだよ！」と男が言う。

　太陽のようにうっとりするほど美しいサリー・ランドが先頭に立つと、たくさんの観客が集まって来た。パパは従兄弟たち（みんな男の人！）と何か話していたけど、私は野外ステージで長いドレスをひるがえして踊るダンサーに夢中になっていたわ。予告のショーは突然終わって、観客はテントの中へ動き出した。私はパパと手をつなぎ、パパの従兄弟たちと一緒に中へ入っていった。

テントの中では、パパと私、従兄弟たちは隣同士で座った。私はてっきり、また
シルクやサテンのドレスを着たきれいな女の人たちが踊るのを観るものだと思って
いた。男の観客は興奮してヒューヒューと掛け声をかけたり指笛を吹きはじめた
わ。そしたらパパまで「お嬢ちゃん、扇を落としな！」って叫んだの！

　家に帰るとママが

「お祭りでパパと何見てきたの？」と聞いてきたから、私は笑いながら

「ママ、パパがね、『お嬢ちゃん、扇を落としな！』って言ったの！」と言って、
ママに説明するためにパパを真似して「お嬢ちゃん、扇を落としな！」って叫びな
がら家中を走り回った。でもママはパパを叱らなかったわ。二人が暴言を吐いて言
い合っているのを見たことは、一度たりとも無いわ。

　お父さんは最初からあのショーを観るつもりだった訳じゃなくて、たまたま従兄
弟に会って、成り行きで観ることになって刺激的なショーに我を忘れただけなんだ
と思うわ。でも、みんな楽しそうだった。その時は、あのショーがかの有名なバー
レスク・ダンサーのサリー・ランドのショーだったなんて知る由もなかったわ！

　びっくりハウスでは、お化けみたいなのがおどかして来たり、魔法の鏡に映る私
たちを見て笑ったり、とっても楽しかった。ふざけ合って楽しんだけれど、その小
屋には出口が一つしかなかったわ。出口には隠れたボタンがあって、それを踏むと
下から空気が噴き出てきた。私たちはスカートを押さえながら叫び笑い転げたこと
よ。この地点を通過せずにはびっくりハウスを出られなかったの。

　バイクに乗った男の人たちが高速で大きくカーブのついた木の壁を伝ってぐるぐ
る回るショーは、とっても刺激的だった。あんなに早いスピードで横向きに運転す
るから落ちてしまうのではと冷や冷やしたけど、決して落ちることはなかったの。

　メリーゴーランドの他にも乗り物はたくさんあって、芋虫ジェットコースターや
観覧車もとても楽しくて私たちは始終キャーキャげらげら笑っていたわ。スリル満
点のゴーカートや、ロケットも！ずっとロケットには怖くて乗れなかったけど、あ
る時勇気を出して「私には何にも怖いものはないわ！」乗る宣言をしちゃったわ。

　他の人と一緒になって喚き叫び、終わって降りるころには笑っているほど楽しん
だわ。

　お祭り会場にはゲームの屋台が立ち並んでいた。1セントのコインをお皿に投げ
入れたり、水に浮かぶプラスチックの魚を取ることで景品がもらえた。ひげを生や
した変なおじさんが年齢と体重を当ててくる屋台もあった。私はその屋台で、クッ
ションボタンを大きな木のハンマーで力任せに叩いて、鉄のボールを上に飛ばし、
景品を意味するてっぺんのベルを鳴らすゲームもやってみた。

　屋台のおじさんは、もしベルを鳴らせたら景品をあげると言ったから、私はこう

言い返したわ。

「おじちゃん、私みたいなちっさい子どもが、そんなベルを鳴らせると思ってるの？」

メキシコ風の帽子や杖、傘、バトンや陶器でできた犬や猫の置物などの色んなお土産が売っている屋台もあった。楽しいお祭りとスリル満点の乗り物を満喫できるよう、長いことかけて頑張ってお金を貯めたものだわ！

お祭り会場のちょうど真ん中あたりには、美味しそうな屋台がずらと立ち並んでいた。棒つきのアイスキャンデー全体にチョコレートをとろりとかけて、その上からふんだんにナッツをまぶしたものが私のお気に入りだった。綿あめやホットドッグ、アメリカンドッグ、ハンバーガー、ピーナッツやポップコーンを売るカラフルな屋台がお祭り会場を突っ切るように並んでいたわ。私はハンバーガーを売る屋台の人が歌う歌を聴くのが好きだった。

ハンバーガー、ハンバーガーはいかが
出来たて熱々、おいしいよ
真ん中に玉ねぎ、てっぺんにピクルス
ハンバーガー、ハンバーガーはいかが

お金が無くなると、私はテューペロのレンガ工場で造られたレンガでできた展示会場のある建物へ行った。テューペロの民家はレンガ造りが主流だったの。

展示会場ではフラワーアレンジメントや、色んなものが展示されていた。展示品の周りには審査員がそばに立って、一等賞から三等賞までのリボンを付けていた。ブルーのリボンが一等賞で、農家の人たちがミシシッピやアラバマの周辺各地から集めてきた家畜や自家製の商品を運んで来ていた。ミシシッピ・アラバマ合同夏祭りと家畜ショーの名前は、ここから来ているのだと思う。

展示会場の一角で、賞をとった牛を見ることができた。ミシシッピの人たちは優れた酪農家だから、乳牛の賞を決めるのは大変だったに違いないわ。別の場所では農業青年クラブの人たちが育てた子牛やヤギ、ヒツジ、豚が展示されていた。ブルーのリボンで囲まれているブースのそばには飼い主が誇らしげに立っていたわ。

隣の建物ではニワトリやアヒル、ガチョウ、七面鳥、その他の家禽がまるで農場オーケストラごとく、コーラスで鳴いていたわ。中にはかわいい小さなチャボもいたわ。きっとレイが喜ぶと思ったものよ。

私は農家の奥さんたちが自家製の瓶詰を持ってくるブースが好きだった。たくさんの瓶に入ったカラフルなフルーツや野菜、思わず手を伸ばさずにはいられないピ

クルスの瓶が所狭しと並んでいたわ。農家の女の人たちは冬の間の食料をぜんぶ缶詰にするのだそう。

他にも手作りのキルトやテーブルクロス、かわいらしい刺繍やかぎ針編みのドレスも展示されていた。農家の奥さんの多くは自分たちが着る洋服は全て手作りしていたのよ。どれも本当にきれいで、ゆっくりと展示を見て歩いたわ。

テーブルの上には旬の野菜や、庭で採れた新鮮な花を使ったフラワーアレンジメントも置かれていた。あのすてきな展示は、一生忘れないわ。

お姉ちゃんのベティーはその頃ちょうど10代だったから、同じように10代のいとこたちとお祭りを待ち望んでいたわ。男の人と知り合うチャンスだったからじゃないかしら。

「仕事が無かったら、代わりに何かしらのお手伝いをしないといけません」とママは言って、ママが病院で夜勤のお仕事している間、ベティーに私の面倒を見させていたんだけど、その日は土曜で、お祭りの最終日だった。ベティーは私の世話をしながら、同時にお祭りを楽しむために、作戦を立てたわ。なんて作戦だ事！ベティーと私たちの従姉妹、フランシス・ルース・ホールとベアトリース・ベーツは早めにお祭りに行って、私を活動写真館に置いて自分たちは遊びに行ったの。何も知らない私は大喜びしたわ。

ストランド劇場はメインストリートにあって、お祭りの会場とさほど離れていなかった。その時上映していた映画はポーキー・ピッグのアニメ映画、ワールドニュース、連続映画のフラッシュ・ゴードン、とカウボーイ映画二編、ロイ・ロジャース主演の『テキサスの黄色いバラ』、とジーン・オートリー主演の『キャロライナの月』だった。

ロイ・ロジャースの馬の名前はトリガー、ジーン・オートリーの馬はチャンピオンといって、この二人の俳優は私のお気に入りだったわ。ベティーと従姉妹たちが思った通り、私は活動写真が見れてご機嫌だったわ。お姉ちゃんたちは私を喜ばせるためにポップコーンまで買ってくれたの！

けれども私は二本目の活動写真の途中で寝てしまって、起きた時には館内は真っ暗！活動写真が終わったあと、大きなネズミが出てきてポップコーンを探し回るっていう噂を聞いたことがあったから、とたんに怖くなった。暗闇の中、ゆっくり通路を歩いて、やっと正面の入り口までたどり着いたけど、そしたらドアが閉まって開かないの！辺りを見回しても何も見えなくて、本当に心細くなったわ。

ストランド劇場にはフレンチドアがあって、全面ガラス入りの格子状のドアに、鼻を押し付けるようにして外を覗くと、お祭り会場のわき道を行き交う人たちが見えた。ドアを叩いて助けを求めたけど、誰一人、私に気が付かなくて、このまま活

動写真館に閉じ込められたらどうしようと思って、私は泣き出してしまった。

　すると涙でぼやけた視界に、ベティーと従姉妹たちが心配した表情でわき道を歩きまわっているのが見えて、私は大声で泣き叫びながらドアを叩き続けた。あらまあなんてこと。お姉ちゃんたちはやっと私に気づいたようで、駆けつけて来てくれたわ。ベティーはドアの外で待機してくれて、その間に従姉妹たちがお巡りさんと活動写真館の館長を連れて来てくれたわ。そしてカギを開けてくれて、ようやく外に出られたの！そしたら私、怖かったこともけろっと忘れて

　「お姉ちゃんたち、ロケットには乗った？」ですって。

バターカップと活動写真とピーナッツ

僕は誰かの庭に咲いてた花を摘んだ

　「お姉さん、僕のお花を買ってくれませんか。とてもきれいなバターカップですよ。今朝摘んだばかりの新鮮なお花が、一束たったの５セント。そしてこのバターカップも奇麗だけれど、お姉さん、今朝の貴方は一段と奇麗ですね！お姉さんだけ特別…　二束９セントにまけちゃいます！」

　「あらまあ坊や、もちろん二束買わせていただくわ。」

　僕は大きなハグをしてもらった。

　女性は花が好きだということ、そして特に南部の女性は褒められることとハグが好きだということを僕は幼くして学んだ。お姉さん、今朝の貴方は一段と奇麗ですね！

　春になると、キングクリークの西の牧草地では、野生のバターカップが花開く。北部人はラッパ水仙と呼んでいるそうだ。僕はバターカップで小さな花束を作り、テューペロの町で事務員などして働く女性に売っていた。段ボール箱を切って両端にひもをくくりつけ、首から下げて、花が入った箱がちょうどおなかの前に来るようにした。こうすれば腕が自由に使えて、お客さんに花を渡したり、ハグしたり、そしてもちろん、お金を受け取ったりできるからだ。

　「ごめんなさいね、坊や、ぜひとも買わせてもらいたいんだけど、あいにく花を活けるものが無くってね。」

　収益がちょっとのところで指をすり抜けていったショックが、僕にマーケティングというものを教えてくれた！

　テューペロにはクーンズという雑貨屋があり、僕はそこへ行って花瓶を買うこと

にした。クーンズでは僕がまさしく探していたものが見つかった。一つ５セント
の、小さくきれいな花瓶である。それ以降、花束の入った箱に花瓶もいくつか一緒
に入れて持ち歩くようになった。花瓶の仕入れ値は一つ５セントである。あなたは、
僕がその花瓶を果たしていくらで売ったか想像できるだろうか？ 10セント？ 15セン
ト？

　いいや、僕は５セントぽっきりで売った。花瓶は原価そのままで売って、お客さ
んに安いと思ってもらえるようにした。繰り返し買ってもらうことで、より大きな
利益につながる。リリック劇場で活動写真が無料で観られたのも、この手法のおか
げだ。

　幼い頃の自分は知る由も無かったが、これが後に東アジアでビジネスを行う際に
貴重な教訓となるのだった。

　リリック劇場は、僕の家からまっすぐ行ってコート通りとブロードウェイの角に
ある活動写真館だ。ジョージ・ダグラスのきれいな叔母さんがチケットの販売員を
していた。

　活動写真館は人種によって隔離されていて、黒人は劇場の左側の通用口から入っ
て階段をのぼり、バルコニーで鑑賞した。

　学校が終わると僕は活動写真館まで走っていき、ダグラスさんに何か欲しいもの
はないか聞いた。仕事中はチケットブースを離れてお店に行ったりできないから
だ。すると彼女はきらきらした瞳とテューペロ産のはちみつのように甘く優しい笑
顔で

　「ああ、レイ、あなたって本当に優しい子ね。いつも私のこと気にかけてくれて。」

　ダグラスさんがこうやって話すとき、自分が大人の男だったらいいのにと思った
ものだ。

　「ありがとうございます、ダグラスさん。僕にできることなら何でもしますか
ら。」

　「じゃあ、この５セントでお店に行ってムーンパイを買ってきてくれるかしら」

　「はい、もちろん。すぐ戻ります！ところでダグラスさん、友達が、ピノキオの
活動写真がとっても面白くて、嘘をついてる時、鼻が伸び続けるんだって！」僕は
そう言って唾をのんだ。

　欲しいものに関しては…　僕より素早く動く子供はテューペロ中を探してもいな
いだろう。

　「戻りました、ダグラスさん。できるだけ速く走って息が切れそうだったけど、
ダグラスさんの為に頑張りました！」

　「お疲れさま。ありがとう。とても早かったわ。さあ、劇場に入ってピノキオを

観てもいいわよ。」

　しかし、楽しいことはいつまでも続かないものだ。信じられるだろうか！僕が放課後ビー玉撃ちやコマ遊びに加わらずに、学校が終わるなり教室を飛び出て校庭を全力疾走して行く理由を、友達がとうとう嗅ぎつけてしまったのだ。

　もう僕の秘密は秘密でなくなってしまった。今やリリック劇場に最初に駆け付け、ダグラスさんに御用聞きをし、ただで活動写真を観るのは、競争になってしまった。僕が競争に負けるときは決まって、居残りで『今後は授業に集中します』と100回書き取りをさせられるときである。

　そろそろ新たな策を練らなければならなかった。

1941年、蛇年

　学校から活動写真館まで走って向かう途中、僕は誰かの庭に咲いていた花を摘んだ。あらゆる色の花々が咲き誇る、美しい庭だった。ライバルに見られて真似されないよう、僕は摘んだ花を紙袋に入れた。

　「どうぞ、ダグラスさん。あなたのために摘んで来ました。」

　「あら、どうもありがとう！とてもきれいな花ね。じゃあ、ムーンパイを買ってきてくれるかしら？」

　「ええもちろんです、すぐに戻ります！」お店までダッシュし、瞬きする間に戻ってきた！

　「坊や、ありがとう！まあ、バナナ味！私のお気に入りのムーンパイだわ。中に入って映画を観て良いわよ。明日も待ってるわ…　あなただけのためにね！」

　「ありがとうございます、ダグラスさん。たまに学校が長引く日がありますが、必ず来ます！」主導権は僕に戻った！このサービスは誰にも知らせまい。

成功へのカギは上質なサービスである！

プライベート・ペイン

　僕が人生でたった一度だけ野球の試合に行ったのは、ピーナッツを売るためだった。

　テューペロのメインストリートとフロントストリートの一角で、体の不自由なおじいさんが柵で囲まれた赤い小さなワゴンでピーナッツやお菓子を売っていた。早朝誰かがワゴンに乗ったおじいさんを街角まで連れて行き、夕方になると僕たち町の子どもの誰かが頼まれてワゴンをおじいさんの家まで引っ張って行った。

おじいさんの売るピーナッツは一袋5セントで、ぱんぱんに詰められてまん丸になった袋はソフトボールのようだった。ある日おじいさんは、僕に
「今日はお祭り会場で野球の試合があるから、お前さんは友達2人連れてこのピーナッツを5セントで売って来なさい。わしは一袋当たり3セント貰って、残りの2セントはお前さんらにやるから。」
と持ち掛けた。
「もちろんです、喜んで！」
　ピーナッツの袋はぎっちり詰められて今にもはち切れそうだった。そこで僕はくしゃとつぶれた袋の端を緩めながらピーナッツが均等に袋の端にも行きわたるように、出来るだけ平らに袋を整えた。袋は前よりも二倍大きく見えた。
　僕は友達のボビー・ベッグスとアール・ムーディーを誘って試合に行った。
「ピーナッツを売りに行こう！」
　ピーナッツは売れに売れ、一気に完売した！
「ピーナッツ10セント！ピーナッツ10セントだよ！」

　僕は幼くして、『市場が許容できる限りの高い値段で売れ』という知恵を学んだのだった。

イーストテューペロ
マーティン市長と市役所

　戦時中のイーストテューペロでの暮らしは楽じゃない。母は毎朝、その日ありったけのお金で買える物で朝食を作る。大体いつもサーモンの缶詰だ…　それでも高くて、なんと一缶9セントもする！母はそのサーモンに小麦粉を混ぜてパテを作るのだが、たまにサーモンより小麦粉の方が多く入っている日がある。そんな朝食を食べて、イーストテューペロスクールに出発だ。
　学校ではたまに昼食がタダで食べられることがある。その日はお皿にライスが盛り付けられた。家で米など出されることがない僕は、慣れないライスを目の前に、食べるのを嫌がった。
「先生、僕、ライスなんて絶対食べないから！」
　そう言って皿を突き返した。腹が減っても構わないから、とにかくライスは拒絶した。

これを見かねた学校は、僕にライスを食べさせるため、グレービーソースを作ってライスにかけ、塩とコショウをふりかけたものを出してくれた。それは家で、マッシュポテトにグレービーソースをかけて食べるのとちょうど同じに見えた。

秘密はソースにあったのさ！

プライベート・ペイン

　イーストテューペロスクールは、1年生から12年生まで様々な年齢の生徒がいる。イーストテューペロは、テューペロの一部ではなく、独立した一つの市である。テューペロから東に車を走らせてイーストテューペロに入る時、市の境界線にこんな看板が立っているのが見える。

ミシシッピ州イーストテューペロ
非合併都市

　僕たちの市長、マーティン市長は食料品店を所有している。そのため僕がイーストテューペロ中を駆けずり回ってコカコーラや他の炭酸飲料の空き瓶を集めてくる僕の仕事ぶりをひどく評価してくれた。一瓶あたり2セントもらうことが出来た。他にも、マーティン市長は、僕の市役所職員としての仕事ぶりも評価してくれていたから、良い報酬を払ってくれた。車に轢かれた犬の死体を片付けると5セントだ。
　この作業はコーラの瓶よりも単価は高いが、瓶の方がもっと簡単に沢山見つけることができる。そりゃ当然だ。だから道の脇で犬を見つけると、僕はその反対側の道に立って、車道を猛スピードで走る車が来るのを見計らって、車が来たら道の反対側にいる犬に向かって骨をかざして「ほらほら、こっちだよ、ワンちゃん！おいで、ワンちゃん、ほら！」って、そんな事する訳ないじゃないか！もちろんただの冗談である。
　犬の死骸にロープをくくり付けて、近くの小川まで引きずって行って埋めるのが、僕の市役所職員としての仕事であった。政府から任命されたので、僕は立派な政治任用者である。時々、マーティン市長からは、僕の市役所職員としての献身的な仕事への特別ボーナスとして、大好物のムーンパイを頂いた。僕はイーストテューペロ公認の死亡犬捕獲人であると、誇りを持っていた。
　コカコーラの瓶を集めたり、犬の死骸を道路から取り除いて貰うお金は、常に空腹の僕にとって、お腹を満たす貴重な収入源となった。働いていないときは大体学校にいたが、夏の暖かな日差しの誘惑に耐え切れずキング・クリークに釣りに行っ

てしまうこともあった。

　ところで僕の妹のジェリーは、最近学校で友達が出来たそうだ。名前はエルヴィス・プレスリーというらしい。

恥ずかしがり屋のエルヴィス
キャンプ先生とケンタッキーの青い月

　僕の通う学校に、エルヴィス・プレスリーというシャイな男の子がいた。僕の妹ジェリーと同じクラスで、ジェリーのことをいい友達と思っていたようだ。年上の僕はクラスが違うため、エルヴィスに会うことはあまり無かったが、たまに見かけるときには、彼はジェリーと一緒に遊んでいた。テューペロのミランジュニアハイスクール6年生の集合写真で、エルヴィスは男の子の中で、一人だけオーバーオールを着ていた。

　後年になってジェリーは僕に教えてくれた。

　「その日は集合写真を撮ることを誰も知らされてなかったの。学校の正式なのじゃなくって、キャンプ先生が自分のコダックのデジカメを使って撮影したのよ」

　僕はジェリーに、エルヴィスについてもっと教えて欲しいと頼んだ。

　「初めてエルヴィスに会ったのは、たしかイーストテューペロスクール（後のローホーンスクール）だったわ。私はその時2年生で、午後の授業が終わるチャイムが鳴ったから廊下でぶらぶらしてたの。

　外に出たらみんな下校した後だったんだけど、あまり話したことない男の子が一人でブランコに乗って私のことを見ててね、そしたらその子が、

　『見て、僕はおサルさん！』って言うと、黄色い鉛筆を口にくわえてブランコをこぎだしたの。本当にバナナをくわえたサルに見えて、笑っちゃったわ。そしたらその子はブランコから降りて、私と並んで歩き始めたの。まるで私のことを待ってたみたいだった。

　後になって分かったんだけど、エルヴィスはとても恥ずかしがり屋でよく他の子にからかわれてたみたい。毎日私と一緒に下校したのは、私が正義感が強くていじめっ子は容赦しない性格だったかったからに違いないわ。私はお兄ちゃんたちを見て育ったから、誰であろうと人をなめたようなまねは許さないわ。エルヴィスにもお兄ちゃんたちみたいな兄弟がいたら良かったのにね。

　私は学校でケンカしたことは無かったけど、止めたことなら何回かあったわ。そ

れもあって毎日終業のベルが鳴ると、エルヴィスは外で待っていて、私たちは一緒に下校したんだけど、エルヴィスは途中で道を引き返して、私の家と逆の方向に歩いて行ったから、結局どこに住んでたのか分からなかったわ。何年も経ってから、エルヴィスのお父さんはその時刑務所にいて、エルヴィスは家族や親戚と、私たちの家から遠く離れたカナルストリートに住んでいたことを知ったわ。」

ジェリーは話を続けた。

「エルヴィスのことを知ってるって言う人に何人も会ったけど、エルヴィスについてちょっと質問してみたら、彼の事なんて全然分かっちゃいないってすぐに分かるの。前に、エルヴィスのいとこだって言う人と会ったんだけど、『じゃあエルヴィスの母の名前は？』って聞いたら答えられなかったわ。

いつかの日曜の朝、テレビで特番を観てたらエルヴィスと同じ教会に行ってたって言う女の人が出てきたんだけど、これも嘘よ。私、小さい頃その人と友達だったけど、エルヴィスとは違う教会に行ってたこと知ってるもの。

私たち家族はカナルストリートのガスおじさんのお店の隣に住んでて、私が2年生の途中だった頃に家族でテューペロに戻ってきたのよね。私はチャーチストリート小学校に戻って来れたのが嬉しくって、一緒に下校してた男の子のことはすぐに忘れちゃった。そしたらミランジュニアハイスクールに上がって学校の初日、見覚えのある子が校庭にいて、それがエルヴィスだったの。他の男の子たちと違って、髪の毛一本も飛び出ないほど、きれいに櫛で梳かしてサイドで分けた髪形をしてたわ。

その時私たちは6年生で、デューイ・キャンプ先生のクラスだった。みんなには怖がられてたけど、私のお気に入りの先生だったわ。貧乏だから、お金持ちだからって理由で生徒をえこひいきしないし、出席を取るとき聖書の一節を暗唱させられたけれど全く苦じゃなかった。それにキャンプ先生は、私がジェラルディーンっていう自分の名前が嫌いなのを知ってて唯一ジェリーって呼んでくれたの。

私に居残りさせたのもキャンプ先生だけだわ。授業中、後ろの席の男の子が私をつついて何か言おうとしたから、振り向いたら、先生に授業中におしゃべりしてはいけませんって言われちゃったの。私は一言も喋ってなかったんだけどね。だから放課後、『今後、二度と授業中お喋りしません』って100回黒板に書き取りさせられたの。でも出来るだけきれいな字や筆遣いで書くように頑張ったおかげで先生と仲良くなれたから、楽しかった。先生が意地悪だって評判がどこから来たのか分からないけど、金持ちの子が広めたに違いないわ。先生は誰でも平等に扱ったし、お気に入りの生徒も作らなかったから。

キャンプ先生のクラスのちょっとした出し物はいつも楽しかった。今にも先生が

『さあ、エルヴィスがクラスのためにギターと歌を披露してくれます』って言うのが聞こえるようだわ。

　でも同時に、私が『もう、またあの子？』って言うのもね！

　今ではカントリーミュージックって言うけど、当時はヒルベリーミュージックって呼ばれてて、私はあんまり好きじゃなかったの。お姉ちゃんたちがラジオを流しながらジルバを踊るときの、人気のバンド音楽が好きだったわ。

　校庭でドッジボールや他の遊びをしてる時、振り返るとエルヴィスが私の傍にぴったりくっついて立ってたものだわ。転校を繰り返す子は多かったけど、エルヴィスもその一人だった。当時は仕事を探しにメンフィスに移り住む人がいたけど、エルヴィスの家族もそれでメンフィスに引っ越していたとは夢にも思わなかったわ。お父さんがそれまでには出所してたのかしらね。以前のように、一緒に校庭を出るとエルヴィスのお母さんが彼を迎えに来ていたわ。一度、ジョニー・ティロットソンにエルヴィスのこと知っているかどうか聞いてみたら、知らないって言ってた。私はジョニーに、エルヴィスがあんなに若くして亡くなるとは思わなかったけど、いつか連絡を取って、会って昔の思い出話でもしたいと思っていたのよって言ったわ。エルヴィスは多くの人にすばらしい影響を与えたわ。ステージに上がって大好きな音楽をする時以外は本当にシャイで優しい人だったのよ。

　エルヴィスとは何年も連絡を取ってなかったんだけど、ある朝メンフィスのラジオを聞いたわ。

　ミシシッピ州テューペロより、エルヴィス・プレスリーで『ケンタッキーの青い月』をお届けします！

　その日の午後友達の家に寄ったら、『今朝のエルヴィス・プレスリーの曲、聴いた？』って言われたわ。

　『ええ、聴いたわよ。』

　『本当にあの、私たちが知ってるエルヴィス・プレスリーだと思う？』

　『そうだと思うわ。』

　その後エルヴィスはスターになって、私は追っかけをしたりするような熱狂的なファンではなかったけど、当時ちょうどメンフィスに住んでいたから、ロウズシアターに『ラブ・ミー・テンダー』の初演を友達と観に行ったわ。最後にエルヴィスと会ったのはメンフィスの空港よ。『ラブ・ミー・テンダー』を撮影するためにハリウッドに戻るところだったらしいの。エルヴィスが、私の大嫌いな名前『ジェラルディーン』って呼びながら歩いてきたの。」

　僕はジェリーに言った。

「エルヴィスはミシシッピ州テューペロの素朴でとても優しい少年だった。歌うこと、ギターを弾くことが大好きだった。貧しい生い立ちから、一世を風靡し世界中の人々の心を動かす人生を送った。エルヴィスはとても思いやりのある、寛容で面倒見の良い男だった。」

アダムが持ちしもの、シーザーが成し得たこと、どちらも誰しも手に入れ、行うことが出来る。よって人は自らの望む人生を構築すべきである。

ラルフ・ワルド・エマーソン

主を讃えよ。弾薬を配布せよ。

戦争勃発中

　僕たち家族はイーストテューペロから、テューペロへと戻ってきた。イーストテューペロ周辺では、あまりお金が稼げないので、僕はこの引っ越しが嬉しかった。芝を刈る子供たちもいるが、僕が芝刈りなんてしないことは誰もが良く知ってる…　僕は肉体労働が嫌いだ！ともかく、イーストテューペロでは、道路から犬の死骸を取り去る作業をしていたが、僕はそれを肉体労働とは呼ばない。僕はビジネスオーナーだった…廃棄ビジネスではあるけど。

　テューペロでは、お金を稼ぐチャンスが山ほど転がっていた。先ほど述べたように、イーストテューペロでは、マーティン市長の犬の死骸を小川まで引きずっていく作業は、肉体労働とは言わない。これはビジネスである。もっとも、匂うビジネスであるが！僕は、もっと良い香りのする、キンポウゲの花やラッパ水仙を売る方が好きだった。

　冬の期間、花々やブラックベリーが摘めない時には、僕は代わりにハードウエアを売った。ハードウェアとは、例えばジュースや牛乳のビン、ワイヤー製のコートハンガー、中でも一番儲かるのが、鉄クズだ。

　おやまあなんてことだ。信じられるだろうか、赤のラジオフライヤーワゴンがゴミ捨て場に捨ててあった！この『新しい』ラジオフライヤーの導入によって、鉄くずを運んで売る僕のビジネスが始まった。ラジオフライヤーを新品で買うと約3ドルもする。僕はハイランドサークルに住む子供達みたいな金持ちじゃないから、これは掘り出し物である。このラジオフライヤーは左後方の車輪がなくなっているだけだ。

この不備も、木片をリールに使うワイヤーで左側の車軸に結び付けることで、程なく解決した。これで、ワゴンに物を乗せてもバランスがとれて安定したし、ワゴンを引けば、みんなはその音で僕がやって来るのに気づくのだ。

「すみません、家の脇に棄ててあるその古い鉄くずを貰ってもいいですか？そんなの、ひとつも役に立っていないでしょうから、片付けるのを、僕が手伝いますよ。なんの価値もない鉄くずですからね！」

冬の冷たい風なんて、ちっとも気にならなかった。お金を稼ぐことを考えているだけで、身体がポカポカ温まるのだ。また、ビジネスを始めてまもなく、銅が一番お金になることも学んだ。

しかしある日、事態は起こってしまった。

鉄くずでお金を稼ぐ僕のビジネスは、終わりを告げた。僕が集めた鉄くずの山は、今や戦争兵器調達のために寄付することになってしまったのだ。

妹のジェリーには大声で怒鳴られる始末である。

「恥を知りなさい、カミソリ野郎！私達子供は皆、おっきいお兄ちゃんたちが闘っている戦争に勝つために、鉄くずを学校に持っていっているのよ！でもおレイ兄ちゃんは、こんな時にも関わらず、相変わらず鉄くずを売り歩いてお金儲けに忙しい！弾薬を作るのに、鉄くずが要るって、知らないの？」

ジェリーは手を腰において仁王立ちになり僕をこっぴどく叱りつける…。

「ジャップ（注：日本人に対する蔑称）が、真珠湾を爆撃したの聞いてないの？」

僕は、ジェリーの話に耳を傾けた。ジェリーは、同年齢の子供にしては、とても常識のある子であった。今ではジェリーは、僕と同じくらい、僕流のビジネスのあれこれを知っている。僕が売るための商品を探していると、よく僕について来て、お金を稼ぐのを手伝ってくれた。これからは、鉄くずを学校に持っていって、他の子供が持ってきた鉄くずの上に積み上げることにするよ。主を讃えよ、僕たちは、戦争のために、自分たちの役割を果たしているのだ。

ジェリーの言葉に説得された僕は固く心に誓った。僕たちは、敵のドイツ人と日本人と戦うのだ。僕たちはみな、自分たちに出来るあらゆる方法で、助け合わなければならない…　僕たちは、この戦争に勝つのだ！

何の目的もなく生きるよりは、何かのために、戦う方が良い。

陸軍士官ジョージ・S・パットン

ある日の朝、校庭に積まれた鉄くずの山を、ほじくっていたら、古い目覚まし時計が出てきた。ネジをまわしてみると、針はまだ動く。他にも、短くて大ぶりな

チェーンが落ちていたので、それを時計にくくりつけて、自分のウエストに巻いてみた。これは僕の特大懐中時計となった！その日は、みんなを笑わせるお調子者になった。子供たちはみんな僕を、面白い奴だと思ったし、僕自身もこれを楽しんだ。でも、授業の最中にそのアラームが突然なりだしてしまう。リリリリーン！リリリリーン！リリリリーン！

　こういうわけでまた、僕は放課後居残りさせられることになった。友達が外でビー玉投げをしたり、コマ遊びをしている間、『僕は、これから良い生徒になります。』と、100回ノートに書かされた。

　放課後、夕方になると、僕たちはよく独占ゲーム、モノポリーをして遊んだものだ。

　妹のジェリーは、モノポリーについてこう語る。

　「私たちが子供の頃、家にはモノポリーがあって、私たち何時間もぶっ続けで遊んだものよ。このゲームは、お金の扱いについて、土地の購入について、刑務所に入所することについて、刑務所から出所することについて、コミュニティへの貢献について、私たちに沢山の事を教えてくれたわ。

　レイ、ゲームをするメンバーでは最年長の子供、つまりあなたがいつも銀行家になってたわね。レイがいつも勝つから、私はずっと銀行家になりたかったの。でも、後で判ったわ。レイが銀行家だから、勝つんじゃないって。数学的に、計算機的にプレーするからだって。」

　僕は、ジェリーの言葉を頭の中で反芻する…『計算機的？　妹は勝手に新しい言葉を生み出したようだが、確かに、理に適っている！　数学が、数学的と言えるわけなんだから、計算機だって、計算機的になってもおかしくないはずではないか？辻褄が合うではないか！

　「ねえ、聞いてる？ウェブスター先生（注：米国の辞書編纂者）、いつになったら辞書が最新の情報に更新されるんでしょうか？　僕たちが話すみたいにさ。僕たちは、『ねえぞ』を使うのをやめねえさ。ウェブスター先生が『じゃねえ』は正式じゃ『ねえぞ』って言ってもね！」

　ここアメリカ南部のミシシッピ州では、英語の流暢な僕たちは日常的に『エイント（ain't）』〜じゃん！、〜じゃねーよを使う。だから、先生の辞書ってやらに、『エイント』を足してくれよ。先生がただ気に入らないからって、僕は、自分や、パパ、おじいちゃんが生まれた時から、ずっと使ってきた言葉を簡単に捨てたりはしねえさ。そうじゃねえって言うんだったらさ、僕の兄弟姉妹、従兄弟にも聞いてみな！」

ウェブスター先生のように、世間には正式な南部英語の話し方をわからない人たちがいる。

さて、ジェリーの回想に話は戻る。

「レイは、買えるお金があれば、絶対に借りるな、お金がないなら、買わないということを私に教えてくれた。もしお金があるなら、公共会社、鉄道等の資産、それか家賃の高い土地を買い占めて、直ぐにそこに家を建てちゃえって。一度建ててしまえば、あとはお金が入るのを待つだけだってね！そうすれば、そのお金を使ってさらに土地を買うことが出来る。レイは、お金が好きで、お金を手に入れる方法と手段を知っている。私は、これからレイが人生という名の旅先々で、お金を生む大冒険を沢山目撃することになるわね。」

僕は毎年クリスマスになると、世界のどこか他にもレイ・ペインがいることを願って、トイズフォートッツ（注：Toys For Totsは貧しい子供たちにクリスマスにおもちゃを贈る慈善事業）に、モノポリーゲームを寄付している。

どこかへ到達する最初のステップは、自分の今いる環境に停滞しないと決心することである。

J・P・モーガン

ジェリーのローストネア

『ローストネア』ここアメリカ南部では若くぷっくらとしたとうもろこしのことをそう呼ぶ。とても柔らかく、まだ若いうちに取って焼いて食べるととても甘い。オーブンから焼き立てを取り出して、出来立ての新鮮なバターをたっぷりと塗って食べるのは格別だ。生きる幸せだ！

南部を知らない北部人のために説明するが、ローストイアー（耳）ではなく、ローストネアだ。

さあ、これはローストネアに関するジェリーの話だ。

ウエストメインストリートに住んでいた時、キングクリークの向こうにとうもろこし畑があったわ。

ある日、母は言ったの。

「ジェリー、川の反対側に行ってローストネアを採ってきてくれないかしら？」

私は川を見て考える。川の土手を降りて、川を泳いで渡り、反対側まで行き、再び川に戻って、腕一杯にローストネアを抱えて土手を上がる…。とてもじゃないけどそんなの無理だから、私はそこの橋を渡り、ハイウェイの横の小さな土手を降りることにしたわ。ローストネアを腕一杯に抱えて、土手を上がるのはなかなかの事だったわ。

母は夏の間ずっと、そのとうもろこし畑を見ていたようで、ちょうど今がローストネアの収穫時期だとわかっていたの。

「若いのを必ず採って来てね。ちゃんとぷっくりと膨らんでいるか確かめてから採るのよ。」

そう言われて、私は橋を渡って、土手を降り、とうもろこし畑に行ったわ。とうもろこしを取るなんて生まれて初めての経験で、葉がチクチクと指に刺さるのを感じながら、とうもろこしの採り方はこれで大丈夫かしらと考えたのを覚えているわ。10歳の子供の腕が支えるのにはずいぶんな重さだったわ。私が腕一杯にとうもろこしを抱え、道路に向かって土手を登っていると車がやって来たの。当時、交通量はあまりなかったのに、車に遭遇するとは運が悪かったわ。車は道路の片側に止まった。車の中の男はドアを開けると身を乗り出して言うの。

「嬢ちゃん、それはわしのとうもろこしだよ！」

彼は意地悪そうなぶっきらぼうな声で私に命令するの。

「そのとうもろこしをわしの車の床に置きな。」

私は彼の言ったとおりにした。怖くて死にそうだった。私は彼の車にとうもろこしを入れると、くると背を向けてお家に一目散に走ったわ。息も絶え絶え家についたら、母に男の事を話したわ。私は震えるほど恐がってたのだけど、母はそんなに反応しなかった。その夜の夕食にローストネアは出なかったわ。

あの後何年経っても、私はローストネアと車のおじさんのことをずっと考えていたわ。何年もしてやっと、とうもろこし畑は彼のものじゃなくて、あのおじさんは小さかった私をからかっていただけだという結論に達したわ。おじさんは私からローストネアを奪って、たぶん、小さな女の子を驚かせたこととローストネアをその子から奪ったことを、一日中笑ったのでしょうね。おじさんの子供たちはその夜の夕食に、ローストネアを食べれたのじゃないかしら。

私がもう少し大人だったら、向こう側から車が来ないか、もっと注意深く見ていただろうと思うわ。いくつかローストネアを取っただけだから何か悪いことなんて思わなかったもの。母はとうもろこし畑の持ち主を知っていて、彼から了解を得

ているから大丈夫なのだと思ったわ。あれからは、とうもろこし畑を見るたびにあの午後の出来事を思い出すわ。

レイが私を呼んでいるわ。

「ジェリー、急いで僕と一緒に来て、ペプシ・コーラのボトルキャップを集めよう… ほら、早く行こう！」

そして私は頭の中で思うの。

「あら、次はどんな冒険？」

ジェリーの赤いスポーツカー
噂によると、彼は5ドル紙幣で煙草に火をつけるそうよ

『かみそり刃』と妹が呼ぶ。僕がとてもやせていたので友達にそう呼ばれていたことがあるが、妹はいまだに僕をかみそり刃と呼ぶ。

これは妹の赤いスポーツカーについての回想だ。よく覚えていて、決して忘れることはないという！

カミソリ刃、あなたがこう言ったの私は覚えてるわ。

「ジェリー、ここのガソリンスタンドに行こう。コールドドリンクボックスがあるから、そこに手を突っ込んでペプシの王冠を取り出そう。僕たちが必要なのはペプシの王冠だけだ。他の人に先を越される前に、素早く次の場所に行って王冠をあるだけ取ってこなくちゃいけない。さあ、行こう。ジェリー、走ろう！」

お店、ガソリンスタンド、街角の食料品店には、今はソーダマシンと呼ばれるドリンクボックスがあったの。私の手はレイの手より小さかった。6歳の私の小さな手は、ボックスの中から王冠を取りだすのにぴったりだった。

「レイ、このペプシの王冠で何をするつもりなの？」

「それは気にしなくていいよ。とにかく急いでもっと集めよう。行くよ、ジェリー！」

ジェリーは続ける。

幼い私は、ペプシコーラ瓶の王冠を収集するコンテストが行われていたことなど全く知らなかったわ。一位になると賞がもらえるのだった。一等賞は何と赤いペダル式のスポーツカーだったから、レイと私は小さなテューペロ中を駆け回って、バケツ一杯のペプシの王冠を集めたわ。

「お兄ちゃんが勝った！お兄ちゃんが勝った！」

私はコンテストの会場を踊り回る。レイは晴れて小さな赤いペダル式のスポーツカーを持って帰り、居間の真ん中に置くと、こう言ったわ。

　「見て、ジェリー、このスポーツカーは僕にはとても小さすぎる。君にあげるよ。」

　心臓がどきどきして、私の物になった新しいスポーツカーに乗るのが待ちきれなかったわ。

　素晴らしいスポーツカーだったわ。私はスポーツカーに乗るとペダルをこいで部屋の中を運転した。私が大喜びで小さな赤いスポーツカーを楽しんでいたら、突然、家の外にペダル式じゃない本物の車が止まった音を聞いたの。窓から外を見てみると、家の前に大きな黒い車が止まっているの。

　背の高い男が車から出てきて、玄関のドアを叩いたわ。私は今まで会ったことがなかったけど、ダグラスさんと呼ばれる人だった。ダグラスさんはとてもお金持ちだと、町の人たちが囁いているのを聞いたことがあるわ。噂によると、彼は5ドル紙幣で煙草に火をつけるそうなの。

　彼はレイに言ったわ。「その車のためにいくら欲しい？」そしてレイお兄ちゃんは私の最初のスポーツカーを、私がまだ乗っている傍からすぐに売り払ってしまった。確か20ドルでそれを売ったと思うわ。これまでの中で生まれて初めて見た、一番大きなお金だった。ダグラスさんは、彼の子供のためにそのスポーツカーを買いたいと言ったわ。私はスポーツカーが彼の子供たちの物になることに満足だった。例え一度でも、私はスポーツカーに乗ることができたわけだから！

　私がとても幸せで誇りに思った一番の理由は、お兄ちゃんが私の助けを借りて一等賞のスポーツカーを獲得したからよ。長年に渡って、私はダグラスの子供たちの事を考えたわ。何もしないで手に入れた赤いスポーツカーを、果たしてどれだけ気に入ったのだろうかと考えるの。世の中には、甘やかされて特に何の仕事もしなくて良い子供たちがいるものよね。

　レイが言う「僕の記憶が正しければ、それはスポーツカーだったね。普通のペダル式よりも大きくて、ホイールの白いタイヤがついた赤いペダル式のスポーツカーだった。

　スポーツカーと呼ぶのが正しいね、確かに、カーブのついたフェンダーがついていたし他の車とは違っていたよ。シャレたダッシュボードがついたスポーツカーだった。街の子供たちのだれもがそのスポーツカーを狙っていたんだよ。ペプシコーラの宣伝として、リリック劇場で商品として授与された。ジェリーと僕でペプシコーラの王冠を集めて何日も町中を走りまわったのを覚えているよ。ジェリー、君は街の誰よりも沢山の王冠を集めて、それを僕に渡してくれたね。たくさんの人がこのコンテストのために活動映画館に来ていたよ。僕と同年齢のお金持ちの子

供、ジョージ・ダグラスもいて、彼もスポーツカーをねらっていたんだ。尊敬出来ないやり方でね！」

　ジェリー、君も知っている通り、ダグラス家の子供たちはすべて養子だったんだ。ジョージとジューンは年齢が少し近かったが、マイケルは少し若かった。ジョージが16歳になった誕生日に、父親は新しいプリムスのオープンカーを彼に贈った。そしたらジョージはその車で家出したのさ！彼は旅行したかっただけだと言ったけどさ、アーカンソー州でガソリンもお金もなくなって警察に発見されたらしいよ。ジョージが言ってたんだけど、結局父親が家に戻ってくるためのガソリン代を送ってくれたんだってさ。

　ダグラスは、ジャクソンストリートの大きな植民地時代風の邸宅に住んでいた。分かるだろうか、あの高級住宅地だ。僕たちが10代前半だった頃、ジョージの姉ジョーンは髪を赤く染めたんだ。ジョージと僕を引き連れて、その真っ赤なヘアスタイルを見せつけるように自慢気に歩くんだ。僕は純粋にこの真っ赤に染められた髪に興味を惹かれて、尋ねた。

　「おやまあなんてこった、全部真っ赤っかかい？」

　すると彼女はドレスの裾をバッと持ち上げた。僕は驚いて目の玉が飛び出すかと思った！

　後年、ダグラス家は生活が苦しくなったようだ。ジョージはニューオーリンズで僕と一緒に海軍に加わった。彼は受け入れられたが、当時、僕の腕は曲がっていたので拒否された。60年代初めには、ジョージは海軍での海外勤務中に沖縄を通過した。僕がジョージを最後に見たのは、60年代後半だった。テューペロのグロスターストリートでバーテンダーをしていた。

　「ジェリー、ダグラスさんと20ドルが家に来る前に、君が少なくとも一度は居間で素敵な新しい赤いオープンカーを楽しめてよかったよ。」

　聞くのをずっと躊躇していた疑問があった。

　「ジェリー、僕が20ドルのためにあの小さな赤いスポーツカーを売った時、僕は幾らかでもそのお金をジェリーと分け合ったっけ、それとも何にもあげないで君の頭を撫でて『いい妹だ』とだけ言ったのかな？」

　「かみそり刃、あなたは私に一銭だってくれなかったわ！ダグラスさんの車にスポーツカーを運ぶのまで手伝わせたくせに！

　お兄ちゃんは、私がダグラスさんの車にキラキラ光る新品の赤いスポーツカーを運ぶのを見届けてから、私が文句言わないように、私を街角のドラッグストアに連れて行って、ハーシーのチョコレートバーを私に買ったわ。」

　「ジェリー、僕がスポーツカーに乗ったレンタル代金を一銭も請求しなかっただ

けでもラッキーだよ！」

　僕が覚えていない幼少時代の思い出も、ジェリーはよく覚えている。彼女が覚えている記憶の中で、父が僕たちに教えてくれた話は特に面白い…

占い師
ほら、あの丸い貯蔵庫が見えるか？
そこを走ったある男は死んだんだよ。

　ジェリーは言う。

　パパが飼っていた白黒の大きなブルドッグは、黄色い大きな雄猫と戦って目を一つなくした片目のブルだったわ。ある日誰かがその犬を盗んだの。パパはパルメットに住む黒人女性の占い師を訪ねたら、彼女は誰が犬を持っているか、そしてどこに行けば見つかるか教えてくれた。

　パパは車に乗って、占い師が教えたその家まで車を走らせた。そうしたら、まさにその家の玄関にお父さんのブルドッグが鎖に繋がれて座っているじゃないの。パパはその家の前で車を止め、口笛を吹いて犬の名前を呼んだわ。犬の耳はそれに反応してピンと立った。ブルドッグはパパを見て大喜びして、繋がれた鎖が外れるまでお父さんのところに戻ろうと引っ張り続けたの。ブルドッグはパパのところに一目散に走ると、車の中に飛び込んだ。そして、パパは、まるで何事もなかったようににブルドッグを車に乗せて家に帰ってきたわ。レイはこの話、覚えてる？パパは私達に良い話をいくつも話してくれたものだわ。

　もう一つ、パパが教えてくれた話。お兄ちゃんたちを訪ねてきた一人の少年がママの結婚指輪を盗んだの。少年はその指輪をテューペロの宝石店に持って行って売り払った。パパはまた、その同じ占い師を訪ねたわ。彼女はパパにいくつか質問をした後、誰が指輪を盗んだのか、指輪が今テューペロのどこにあるか教えてくれた。パパがその宝石店に行くと、確かに母の指輪を見つけて取り戻して来たわ。パパがある日プラムの入った箱と母の指輪を持って帰って来たのを覚えているわ。ジェリーは続けてパパの教えてくれた話を思い出させてくれる。「カミソリ刃、私達子供を車に乗せて砂利道を走っている時、パパが遠くにある丸い貯蔵庫を指さして言ったこと、覚えてる？」

　パパが言うの「ほら、あの丸い貯蔵庫が見えるか？そこを走ったある男は死んだ

98

んだよ。」私たちはすぐ気になって聞いたわ。

「死んじゃったの？パパ、その人はなんで死んじゃったの？」

パパは目をキラと悪戯っぽく光らせて答えたわ。「男は角で小便するために、貯蔵庫の角を見つけようとして、周り、周って死ぬまで周り続けたのさ！」

ジェリーはお気に入りの子供時代の思い出を回想する。「小さい時、テューペロとその周辺の至る所にある茂みから、プラムをもぎ取っては食べていたのは覚えている？子供たちはみんな野生のプラムがどこにあるか全部知っていたわ。春が始まる頃、私たちはまだ緑のプラムを取って、塩を振って食べた。夏が来たら、完熟したプラムをラードのバケツいっぱい売って歩くのよ。町の人たちは何個も買ってくれて、皆それでジャムを作るの！」

「うん、そのプラムジャムはよく覚えているよ、ジェリー。ママはプラムジャムをパンの上に薄くぬってくれたよね。あれは最高なおやつだったな！」

ジェリーの記憶のおかげで、忘れかけていた思い出が鮮明に蘇る。彼女は続ける。「私は茂みから直接ブラックベリーを取って、それを一回だけ売ったような気がする。ママはいつも言ったわ。「ジェリー、ブラックベリーを採ってこない？ママがブラックベリーのコブラーパイを作ってあげるわよ。」

私はウェストメインストリートにある私たちの家から一番近いブラックベリーの茂みまで走って行って、私の小さなバケツ一杯取ってきたものよ。ママのオーブンでこんがりと焼く出来立てパイの香りより素敵なものはないわ。

たまにカーネーション印の缶入り練乳に砂糖を足してクリームを作って、完熟したブラックベリーの上にのせて食べる。美味しかったわ！

他にもお楽しみに、糖蜜を入れる古いアルミのバケツがあった。そこにカーネーション練乳、砂糖と香味料を入れて、氷を入れた鍋に入れて、バケツの取っ手を持って、手首を回してバケツを回し、アイスクリームを作った。

この前の夜、子供の頃クラッカーの上にマシュマロをのっけて、ガスストーブの下の段に入れて焼いていたことを思い出したわ。マシュマロがきれいなきつね色になるまで焼いたわ。これを私はまた最近、思い出しては作るようになったのだけど、変わらず美味しいわ！」

ジェリー、思い出をありがとう！

カエル捕りと北部人

西の丘に太陽がゆっくりと沈む頃、キングクリーク沿いのハヤナギの木々の間からオレンジ色の木漏れ日が光の帯となって流れる。月が東からゆっくりと昇り、遠くにウシガエルの鳴き声が聞こえる。ベリーディープ (*Belly deep*)、ベリーディープ、ベリーディープ！(*Belly*とはお腹、*Deep*とは深いの意味。)

「みんなぁ、早く来いよ。」

エド・ディッカーソンは大声で呼ぶ。

「早くキングクリークに行こう。すぐに暗くなっちゃうから。僕はアセチレンランプを持ったし、ボビーはカエルを入れるズック袋を持っているな。みんな、ギグ（銛）を持ったかい？」

さて、思うのだが。有り金全部賭けて言うが、都会の北部人はカエル釣りが何であるかさえ知らないだろう。北部人はギグが木の棒の先についていることも知らないだろうと思うよ。わかるだろうか、ほうきの柄のような形の、約6フィート（約183cm）の長さの木の棒だ。ギグには3、4本の鋭い先端がついていて、各突起の先端近くの片側がV字型に刻んである。これでウシガエルを突くと、ウシガエルはギグを振り払うことが出来ない。北部人たちは頭陀袋が何であるか知っているかどうかも疑わしい。

僕は言う

「エド、ちょっと待って。僕、急いで家から16ゲージのダブルバレルショットガンを持ってくるよ。僕は近距離用のバードショットを充填して行くよ。コットンマウス（ヌママムシという名の毒蛇）も出てきているだろうよ。わかるだろ、この時期のコットンマウスはとんでもなく厄介だからな。あいつらもカエルを探して出てきてるからな！」

母が台所の裏戸から叫ぶ！

「ほら、みんな、ヘビには気をつけなきゃ駄目よ！聞こえたの！」

「あのカエルを聞いてみなよ、ベリーディープ、ベリーディープ。」

「あんな大声でベリーディープって鳴いてちゃあ、どこにいるかすぐに分かるさ。」

「大口を閉じることを学んだら、フライパン行きにはならないだろうにね！」とボビー。

エドが言う。

「聞いて。あそこにいるぞ！土手の端にある平らな岩の上にいる。大きいぞ。ど

でかいカエルだ。俺が明かりで照らす。レイは逃げられる前にギグで突くんだ！そうだ！明かりをあてているぞ。やった！捕まえたぞ！」

　僕たちはあっという間にウシガエルでズック袋を一杯にした。ウシガエルはまるで袋に入れられた二匹の豚みたいに、袋の中でジタバタと暴れまわっている。

　家に帰ると母が鋳鉄のフライパンにラードを入れて火をつけた。取ってきたカエルにコーンミールをまぶし、塩と胡椒を振りかけて、カエルの脚を揚げ始める。古き良き家庭の味だ。母はグリーントマトの揚げ物とハッシュパピーの入った平たい大皿をテーブルに出す。もちろん甘い紅茶の大きなピッチャーも一緒に。

　「さあ、僕たち、こっちに来てお食べ。先に手を洗うのよ！」

　僕たちはテーブルの中央にある大皿から自分の皿に盛りながら、カウンターに母のココナッツバナナプリンを見つける。僕たちは舌鼓を打って、もりもり食べ、カエルのようにゲロゲロ鳴いてしまうのではないかというまで食べる。母は彼女の南部料理に情熱を持っている。おかげで僕はとても幸せな南部の男の子に育った。

　あなたが情熱を持てるものを見つけて、それに大いに*興味*を持ちなさい。

ジュリア・チャイルド

　さて、大きな問題になる前に、この素晴らしい南部料理を作ってみたいと思う北部人に忠告だ。カエルを丸ごと食べてはいけない！

　至福の南部料理を味わう前に、少し教えておきたいことがある。特に北部の人たちへ。母はまず、カエルの背の下の方から脚を切り、次に足を切り取る。カエルの胴体と足は猫のために裏口から投げ捨てる。近くに猫がいない北部人は、姑に贈り物としてあげると喜ばれるだろう。

　ここで北部人に注意しておこう「カエルの脚がフライパンの中で飛び回っても、怖がらないでいいぞ！噛まれたりはしねえから。熱いラードと混ざると、そうなるのは普通だから。北部のあんた方が、熱いラードに手を出しちゃ、あんた方が飛び回ることになるからよう！」で、思うんだが… 「北部の連中はこんな美味いもの知らないだろうな、もったいないなあ！カエルの脚の唐揚げと母のココナッツバナナプリンに勝る料理はないさ！」

　さて、食卓での話題で北部連中の事を話す時もある。もちろん、忘れちゃいねえさ！僕たちの父親達も話したし、その父親達も話したし、そのまた父親達も話した。南部では忘れられずに語り継がれることが、幾つかあるのだ。そうだ、僕たちは北部の連中について話さずにはいられない。彼らの話し方が面白いからだけではない。別の理由がある。父はそれは北が侵略してきた戦争だと言った。北部の兵士た

ちが僕たちの土地に行列作って行進して来て、作物を盗み、家を焼き払った。彼らが引き起こした酷い戦争を、僕たち南部人はそう簡単には忘れない。そうだ、その通り！サムター要塞でサウスカロライナ州が最初に発砲したことは、南部人も知っているさ。教科書で言われているようにね。しかしそれは自衛の為だった！

「なあ、エド。北部の人たちはカエルの脚はお気に召さないだろうよ！」

エドは笑って答える。

「なあ、レイ。あのカエルがベリーディープと鳴いているのを聞いたら、北部人は、カエルが川に腹の深さまで（Belly deep）浸かれと言っているんだって思うんだろうなぁ！目に浮かぶようだよ。」

テーブルは笑に包まれる。僕たちは北部連中の話で笑うのが好きでたまらない！

僕たちは北部人について面白い冗談を言うことが大好きなんだ。これは絶対に飽きないさ。

キングクリークといえば、他にもうひとつ、ここにはたくさんのコットンマウスがいる。

南部では、ヌママムシをコットンマウス（cottonmouth）と呼ぶ。ここで注意しておくが、コットンマウスは恐ろしいヘビである。人が死に至ることもある！間違っても突ついたり触ったりしてはいけない蛇である。このヘビは怒るととぐろを巻き、頭を上げて、曲がった牙を見せつけるかのように大きな口を開ける。開けた口の中は、クリスマスツリーに飾る綿のように白い。

コットンマウスを見たら、とにかく後ずさりして、近寄らないことである。スニックコットンマウスは、スヌークコットンマウスよりも、もっと攻撃的だ。コットンマウスは放っておかれるのを好むが、臆病者ではない。煩わしくされるのが嫌いだから、運悪くちょうど鉢合わせしてしまえば攻撃してくる。コットンマウスの毒は人間が命を落とすほどに強力であるから、このヘビは攻撃的ではないなんて、誰にも言わせてはいけない。彼らは自らの防衛のために非常に攻撃的になる。一度でも手出しすれば、すぐに分かるだろう。

キングクリークの浅瀬で、川が少し婉曲を描き流れが遅くなるあたりで、川の向かい側の砂の上に巨大なスヌークコットンマウスが横たわって、のどかに日光浴をしていた。

僕はバードショットを充塡した鳩撃ち用の16ゲージのダブルバレルショットガンを持ってきた。僕が川の反対側に立っているので、そのヘビは特に気にもしていないようだ。川のこの地点の浅瀬はかなり広く、16ゲージを使うには少し離れ過ぎている。だがバードショットで日光浴しているヘビを起こすことならできると思う。そして、本当にコットンスヌークが飛び起きたのなんのって！

この距離からは、バードショットは散開して、ヘビにチクチクとした小さな針となってパラパラと当たる。そのヘビは今や怒っている。そして、川の反対側に立っているのが誰だか分かるであろうか。

そうだ。僕だ！

コットンマウスは容赦ない速度で浅瀬を横断して来る。一瞬、水の中にもぐるだけかと思ったが、止まることなくこちらに向かってくる。ヘビは素早くそして一直線に僕に迫りくる。ここまで来たらどうしようもない。僕は16ゲージのもう一本の銃身から見事に頭に食らわせてやった…　わずか数フィート先の危機だった！この一撃でスヌークが向かって来るのを止めたのだ！先ほど申し上げた通り、コットンマウスは攻撃的ではないだなんて、誰にも言わせてはいけない。一度でも手出しすれば、すぐに分かるだろう！もう一つのアドバイスだが、スニックコットンマウスとその住処の間には絶対に立ち入ってはいけない。スニックは水があるところを住処に好む。

ある遅い午後、パルメットで、叔父トーマスと叔母グレースの牧場の牧草地でブラックベリーを摘んでいた。ブラックベリーは良い利益になる。人件費がゼロである！僕は約１時間あればラード用の容量１ガロンのバケツ一杯にブラックベリーを摘むことができる。それをテューペロの主婦たちに１ガロン15セントで売るのだ。ご存じのように、南部の女性たちは、とても美味しいブラックベリー・パイを作るので、その材料となるブラックベリーを売れば、見事にお金持ちだ！

ベリーをたくさん摘んで、家に帰る途中のことだった。右側には、牛と馬の水飲み場があった。僕の目の前、左側に大きなスニックコットンマウスを見つけた。今度ばかりは僕は銃を持っていない。更にこのスニックは非常に不機嫌だった。僕は気づかないうちにこのヘビとヘビの住処である水場の間を歩いていたのだ。

スニックは体を３分の２程地面から起こし、ずしっと体を構え、体を左右に振っている。僕は震えあがりながら思う、昼食に食べた豆が逆走しそうだ。北部人のためにもう一度説明すると、南では、朝食をブレックファスト（Breakfast）、昼食をディナー（Dinner）、夕食はサパー（Supper）と呼ぶ！

北部の君たちは、コットンマウスの雄と雌の見分け方を知っているかい？南部男児は知っているとも！北部人よ。もっとシャーシャーうるさい方が雌のコットンマウスだなんて馬鹿な事言わないでくれ！さて、君たち、オスの鹿はバックと呼ばれ、メスの鹿はドウと呼ばれることを知っているはずだが、ここ南部では、雄のヘビはスヌークと呼ばれ、雌のヘビはスニックと呼ばれていることは多分知らないだろう。

雌ヘビの目が真っすぐに僕を見据える中、僕はゆっくりと後ずさりした。僕は慎

重に、ゆっくりと後ろに下がりながら、回り込み、左端に移動した。スニックは体の3分の2を起こしたまま、攻撃態勢を保つ。僕がゆっくりと遠ざかるにつれて、ヘビは目線を外さずに、そのままゆっくり水場に移動した。スニックとその住処の間には決して立ち入ってはいけないと知っていたから、ゆっくりと後ろに下がって、回り込んだのは大正解であったようだ。

　一週間後、ジェリーの叫び声が飛ぶ。妹は水に濡れた鶏よりも怒り狂っている。

　「この、かみそり刃！何だって私がまたその川に行かなきゃなんないのよ？私絶対行かないんだから。私の事、馬鹿にしてるの？この前、お兄ちゃんが私とお友達を川に連れて行ったおかげで、私たち半分死んだ気分だったのよ！お兄ちゃんは探検ごっこしようなんて言ったけど。探検ね、たいした探検だったわよ！私たちを川の広い所に連れて行って、覚えてる？石から石へ飛び移るように言われたからそのようにしたら、石に飛び乗るたびに、コットンマウスが這い出てきたわ。10匹以上はいたわ。私はもう行かないんだから。ちゃんと聞いてるの？私は行かないんだから！コットンマウスがあまりにもウジャウジャいるわ！亡くなった人もいるのよ、わかってる？そうよ、金輪際御免よ！」

　ジェリーとまた一緒に川に行きたいから、ヘビを減らすために、そして妹がもう川を怖がらないようにするため、僕は戦に出陣する事にした。

難しいのは知ることではなく、行うことである。

中国の諺

停戦

僕たちがみな狂っていることを思い出せば、謎は消え失せ、人生は説明がつく。

マーク・トウェイン

　リー郡での暑い夏のある日、キングクリークに沿って動くものは何もなく、コットンウッド（ハコヤナギ）の葉でさえ動きそうにない。僕は.22口径のライフルと銃弾を準備した。.22ロングライフル弾は長距離での鳩の射撃用で、コットンマウス射撃用には.22のホローポイント弾を使う。この暑い夏の日、何もすることがなくて、僕は気が狂いそうな気持になる。それとも気が狂いそうなのは妹のせいなのだろうか（もちろん暑さのせいだ）。僕はキングクリークのコットンマウスに宣戦

布告した。あまりにもウジャウジャいるからだ。

　僕は、川の水が溜まっている沼地地帯にいた。僕がこれまでに行ったことのない所で、そこでは釣りをしたことさえなかったが、泥ナマズしかいないのは知っている。いくらお腹が空いても泥ナマズを食べるのはかなり馬鹿げている。泥ナマズは泥のような味がする。小さな木々が伸び放題に茂ったこの沼地は、キングクリークでも危険な場所である。枯れた枝が沢山落ちていて、間違いなくコットンマウスも沢山居るだろう！この沼地に入るのは、賢いとは言えない。しかしこの暑い夏の日、僕はちょっと頭がおかしかった。たぶん脳みそを家に忘れてきたのだろうと思う。

　慎重に、僕は周りを確認しながらゆっくりと土手を下り、木々の間を抜けて沼地の水場に向かった。水場の近く、反対側の岸辺の小川を横切って岩の上で日光浴をしているのは… あのスニックコットンマウスだ。僕は.22を持ち上げて、射程にヘビを合わせる。だがその時、また別のスニックが、僕の立つ岸に、目の前に横たわっているのに気づいた。僕はゆっくりと.22を下げ、僕に近い方のスニックを先に射程に入れてから、ライフルを持ち上げて反対側にいるスニックを射程に入れた。右側の方からはサラサラと、穏やかな風がコットンウッドの葉を優しく揺らす音が聞こえる。

　僕の視界の端に、大きなスヌークコットンマウスが途中で切られて枯れた枝の上に横たわっているのが見えた。ちょうど僕の首のあたりの高さの枝に横たわるこのスヌークは、僕が今まで見た中で最大級のスヌークで、僕の首から３フィート（約91センチメートル）もない距離にいる。スヌークはゆっくりととぐろを巻き、攻撃態勢に入る。時間はあまりない。スヌークはいつ攻撃して来てもおかしくなかった。これまでになくゆっくりと慎重に、僕はこのスヌークに向けて.22を構える。同様に蛇も攻撃のためにさらにとぐろを巻いた。

　ヘビの舌がちらついている。距離を測定しているのだ。文字通り目と鼻の先でとぐろを巻くスヌークが僕の首に噛みつくか、銃弾が吹き飛ぶか、致命的な対決である。コットンマウスか僕か！30㎝もない至近距離で銃身を構えると同時に蛇が飛び出す… ホローポイント弾が蛇の大きく開いた口を引き裂いた。

　僕は全身震えあがる。すぐさま左に振り向くと、体勢を低く.22をまっすぐ構え、目の前のスニックコットンマウスの頭を撃った。そのままライフルを川の向こう側にいるコットンマウスに向ける。少しばかり距離があるから、僕はホローポイント弾を体に狙った方が良いことを知っていた。ホローポイント弾はヘビの体に当たり、大きな穴をあけて吹き抜ける。

　コットンマウスは空中に舞い、水の中に落ちた。僕はライフルを下げ、周りを見

回し、慎重に土手へ戻って行った。その日、心臓と心の安らぎのために僕はコットンマウスとの休戦協定を結び、また幸せな日々が戻った。

　せっかくリー郡で面白いニュースがあるのだから、もうあのコットンマウスについての話しは終わりだ。マッカーティさん自慢のミシシッピ州チャンピオン犬、純血のクーンドッグ、ハウラーは同じように純潔のクーンドッグの赤ちゃんをたくさん産んだのだ！

キング川のコットンマウス、スニークもスヌークも、僕に害を与えなければ僕も汝に害を与えないであろう！心の安らぎを探せば、そこには幸せが見つかる。

プライベート・ペイン

　キング川で泳ぎ、魚釣りをし、カエルを捕まえ、僕は夏を謳歌する。しかし、こういったお楽しみはお金にならないので、衣類、チーズ、クラッカー、ムーンパイ、RCコーラ、駒やビー玉を買うのに必要なお金は待っていても入ってこない。プラムやブラックベリーを採って来て町の女性たちに売るのは楽しかったが、僕にはちゃんとした仕事が必要である。ということで、僕はリバティータクシーという会社での仕事に就いた。彼らは僕の積極的な性格が気に入ったようで、ちょうど君のような人材を探していたのだと喜ばれた！

　雇用した時点ではわからなかったのだろうと思うが…　僕は彼らが思っていたような人材ではなかった。何てやつを雇用してしまったのか、まだその時は想像もしていなかっただろう！

　「こんにちは、求人募集を見ましたよ。電話でタクシーの用命が来た時にそれに答える人を探しているんでしょう。僕は電話に答えるのが本当に上手なんです。」

　こうして僕はグレイハウンドバス駅の近くのタクシー乗り場で、電話対応の仕事を得た。結局長くは続かなかったが。タクシーの用命を受けて、電話を切り、聞いた住所をタクシーの運転手に伝えなければならない頃には、すでに番地を忘れてしまっていた。僕は別に自分の注意力欠如障害（A.D.D.）で困ったことなどないが、周りの人は頭を抱えることがあるようだ…　例えば、ここのタクシーの運転手のように。

　ある日、タクシー乗り場で働いているととてもお腹がすいてきたので、通りを下ったことろにあるスーパーで、ムーンパイ、RCコーラ、5セントの箱入りクラッカー、そして5セントの小さな瓶に入ったケチャップらしきものも買った…　そのはずであった！僕はそれまでタバスコを見たことも食べたこともなかった。とてもお腹がすいていたので、瓶が空っぽになるまでケチャップらしきものをたっぷりつ

けて、箱のクラッカーを全部平らげた。耳から煙が出て、目から涙がどっと溢れた。幸いなことにムーンパイとRCコーラを買っていたのでそれで少し落ち着いた。

　僕は煙草を吸ったことはない。でも、こういえば嘘になってしまうので、本当に喫煙したことがないとは言い切れない。僕は嘘をつくのが得意じゃない。僕の元友達、ウィリーJとピート・グースマンに聞いてみたら分かるだろうが、まだ幼かった時、元友人と僕は野原に出かけて、ウサギ煙草と呼ばれる草の枯れ葉を採ってきた。そして父親たちがするように、それをボロボロと細かくして、茶色い紙袋から切り取った小さな紙切れに入れて巻いた。

　ウサギ煙草を一度だけ吸って、満足した。もうこりごりだ！次に僕たちはコーンコブパイプを作り、トウモロコシの毛を燃やして吸った。それも失敗で、ウサギ煙草の時と同様、頭がもうろうとした。ジョージ・ダグラスのお父さんは葉巻がお気に入りのようである。僕たちには葉巻など手に入らないが、乾燥したブドウの枝は何となく葉巻に似ている…　気がする。口にいくつか火傷を負ってようやく、僕たちはもう金輪際、喫煙なんてしないと誓った。以来、僕は本当に一度も煙草を吸ったことがない。タクシー運転手も吸わない方が良いだろうと思う。

　タクシー運転手たちはベンチに座って、モクモクと煙を吹かせるものだから、健康を気遣って、大きな爆竹をベンチの下に置き、煙草の先端が導火線に触るように仕掛けた。その煙草が燃え尽きると導火線に火がつき、大きな爆竹が爆弾のような音を出して爆発するというわけだ！成り行きを見るために現場をうろつくほど、僕は馬鹿ではない。

　後で、僕の父が誰かから聞いた話によると、爆竹がショットガンのごとく爆発し、あまりにも驚いたタクシーの運転手たちが３フィート（約91センチメートル）も空中に浮いたと聞いた。あなたの最後の１ドルを賭けてもいいが、僕が25セントの稼ぎをもらうために会社に戻ることは二度となかった。

　キングクリークで一緒に育った仲間、エド・ディッカーソン、ボビー・ベッグス、チャーリー・マッカーティー、アール・ムーディーと僕は、もっとお金を稼ぐために仕事を探していた。そんな時に、僕たちの今後の人生に大きな影響を与えることになる、町の小さなカフェに、なんと全員揃って雇われることになる…　ウィッツカフェという名のカフェだった。

人は考えた通りの人間になる。

ブッダ

ウィッツカフェとバラード市長

　キングクリークの上流からウエストメインストリートの東へ向かう所にクロスタウンという町がある。ウィットワース氏の経営するウィッツカフェはその町にあった。ハイウェイ45の斜め向かいだ。クロスタウンはテューペロにあるが、それはハイウェイ78とハイウェイ45がクロスするところなのでクロスタウンと呼ばれる。テューペロの人なら誰でも知っていることである。

　ウィッツカフェは、僕がここでのカーホップの経験を通してレストランビジネスを学んだ所だ。ジェームズ・バラード氏がウィッツカフェのマネージャーで、彼は出世してウィット氏の若い娘ヴァネッサと結婚した。

　大きくて平らなグリルは素晴らしいものだ。僕が成長するにつれ、バラード氏はときどき僕を中に入れて、グリルで調理させてくれるようになった。大きなグリルで僕たちは、ステーキ、ハンバーガー、グリル・チーズサンドイッチ、ベーコン、ハム、ソーセージ、卵、パンケーキなど、さまざまなおいしい料理を作る。これで作れば何でも美味しくなる！

　休みなく働くこのグリルは、焼いているものを裏返すときに、何とも甘美な音と匂いを放つ。平らな鉄製のグリルで焼くステーキや他の食べ物が最高に素晴らしい理由は、美味しい肉汁が逃げてしまうことなく、グリルの上で調理している食べ物に混じりながら焼かれるからだと思う。

　その通り。僕はジェームズ・バラード氏の指導の下、ミシシッピのテューペロにあるウィットワース氏の一流レストラン、ウィッツ・カフェでレストラン経営を学んだ。後年、ジェームズ・バラードはミシシッピ州テューペロ市長に就任した。彼はグリル料理以外にも、人生について多くのことを知っていたようだ。

　数年後、キング川から数千マイルも離れた日本で、僕は日本にグリル料理の技術を紹介するアメリカの兵士の一人になった。そのグリル料理とは…　鉄板焼である。

千里の道も一歩から。

中国の諺

　僕たちは皆、ウィッツカフェで働くことになった。車から車に走っては注文を取り、魔法のように何でも美味しくなる大きなスチールの鉄板の上で調理する。ウィッツカフェのカーホッパーたちはいつものようにカフェの外に出て、大きな車

が次々と来るのを待つ。寒い冬の風があのヤンキーのいる北部から南部に向かって吹いてくるので、ほんの少し暖かいカフェの南側で僕たちカーホッパーは客を待つ。

カフェの南側のレンガの壁には小さな穴があいていた。僕たちは客を待ちながら、その小さな穴に誰がペニーを投げ入れられるか、ペニーを賭けた競争をすることもあった。それがなかなか難しい。

お客もほとんど来ないある日の午後、僕は一人でカーホップをしていた。僕のポケットの中には銀の50セント硬貨があった。（当時それらはすべて純銀でできていた）僕はこの50セント硬貨をポケットから取り出すと、それをこすったり、ちょっと投げてキャッチしたりと手のひらで転がしてみる。僕は純銀の50セントが持つ豊かな感触が好きだ。50セントは１日の給料よりも大きなお金で、その日は午前中にテューペロのハードウェア店で取り置きしてもらっている、分割で買った新しいシュウィン製の自転車の支払いに使う予定だった。僕はいつか自分のものになる自転車に触れるために、よくテューペロのハードウェア店に歩いて行ったものだった。

さて、僕の性格の欠点の一つは、時々少し頭がおかしくなることがあるということだ。時々、僕は現実問題や、もしもの事を考えずに、衝動にかられて咄嗟の思いのままに動いてしまうことがある。

そしてこの日、一日の稼ぎである銀の50セント硬貨を指の腹で擦りながら、抑えがたい衝動に駆られた。僕はその場で、野球選手のように体を回転させ、ホームベースの真向いから50セント硬貨を放つと…　硬貨の他には髪の毛一本入る余地もなく壁に開いた穴を突き抜けて見事にシュートが決まった。僕はポカンと口を開けて、目を剥いてそこに立ちすくんだ。まるまる一分間時が止まったかのようだった。ちょうどこの穴の向こう側に忽然と消えてしまったものを目撃したのが信じられず、その忽然と消えてしまったものが僕の大事な銀の50セント硬貨であることが信じられなくて愕然とした。僕の衝動的な性質のせいで、苦労して得た純銀の50セント硬貨は消えてしまった。

ウィッツカフェで働くことで、友人と僕は安定した仕事と収入を得ることが出来たが、やはり一番は僕たちの強い友情であった。僕たちはそれぞれ、別々の道を歩むことになったが、折に触れ、この時代に育んだ友情、パディントン校長先生の体罰用のへら、キングクリーク、そしてウィットワースさんのウィッツカフェを幾度も想い出しているのは僕だけではないはずだ。

バシッ！
パディントン先生のへら

　僕は、キングクリーク沿いにある僕たちの小さな細長い家が大好きだ。僕は自分でハトとチャボを育ててもいた。この小さな家で、僕は沢山の幸せな時を過ごしたものだ。魚釣り、カエル捕り、ウサギ狩り、鳩狩り、それに…　ウィッツカフェで働いたり、学校をサボったりもした！

　学校をサボるのは、素晴らしく楽しく、ドキドキする。だが、一つ副作用がある。さぼった翌日は大変だ。学校に戻ると、パディントン校長先生が体罰用のヘラで僕のお尻を叩くのを待ち構えているのがわかるから、ひりひりと痛むお尻の事を考えるだけで、完全なパニック状態である。

　「前かがみになりなさい！担任の先生がここに君を送ってきたんだ。またサボっていたんだってな！」

　パディントン校長は言う。

　「前かがみになりなさい！」バシッ！と音を立ててヘラはお尻を直撃する！

　「痛っ！痛いよ！」

　「またサボる気か？」彼はさらに高く手を上げると…　バシッ！

　「痛っ！いいえ、校長先生、もうこれからは絶対にサボりません！」

　マッキンリー先生が担任だった５年生の時を除いて、学校に行くのは決して好きじゃなかった。そしてパディントン校長先生の校長室に行くのはもっと好きじゃなかった。

　僕たちの小さな家は、愛と楽しい時間で満ち溢れていた。キングクリークは沢山の思い出と幸せをくれたが、学校は別の話だ。

　僕の友人、アール・ムーディーはこの年で僕たちの誰よりも身体が大きく、他の子供たちを投げ飛ばせるように見えた。そんな風に強面に見える彼だが、僕はアールが僕たちのグループに交じって一緒に遊びたいことを知っていた。アールは僕が彼を友人として見ていることを知っていた！彼はただ僕たちの仲間になって一緒に遊びたいのだ。

自分の失敗を性格のせいにしても、自分の失敗の性質を変えることは出来ない。

インドの諺

威厳に満ちた声

もちろん彼の意見も真剣に受け止めたさ！

　ウィッツ・カフェで、僕たちはほとんどいつも駐車中の客の注文をとって食事を運ぶカーホッパーだったが、たまにウィットワース氏はアールをキッチンに招き入れ、サンドイッチを作る仕事をさせることもあった。アールは作業こそ遅かったものの、美味しいサンドイッチを作ることで有名だった。アールはウィッツ・カフェで有名なサンドイッチ担当シェフになった。カーホップに来たお客が良く「バーベキュー・サンドイッチが欲しいんだが、アールに作ってもらいたい」とご指名したものだ。

　ウィットワース氏は、良い判断力を持っていた。彼は有名になったアールをフルタイムのサンドイッチシェフとして採用することにした。有名人となったアールは、満面の笑顔！僕は心の中でつぶやく。「有名人になったら、さぞかし気分が良いんだろうなあ！」

　アールは僕のことが好きなようで、僕が彼に頼むことは何でもしてくれた。一部の人々はアールは遅いと言う　…確かに、ちょっと遅いだろう。だが、そんなことは僕は構わない。アールは僕の友だちだから。

　ボーイスカウトというものがあることを聞いた僕は、とにかくボーイスカウトの班長になりたかった。だが、班長になるまでに時間をかけたくないから、他のスカウトのリーダーになるための僕の計画には、アールが不可欠であった。アールには、僕の昇進計画、即時に班長になる計画をあまり話したくなかった。彼を混乱させたくないからね！

　キングクリーク付近のボーイ隊の隊長に、あなたのボーイ隊に加わりたいと切り出した。そして、班長になりたいのだと言った。彼は驚いた表情で「ええ、班長？君、普通は皆ボーイ隊に入るなら、一番下の階級のテンダーフット（初級会員）から始めるんだよ。それに、君はまだ班長になって引き連れる自分の班でさえまだないじゃなか！」もちろん彼の意見も真剣に受け止めたさ！

　僕はこの頃まだ軍隊には属していなかったが、すでに陸軍兵士のように考え始めていた。権威ある立場にいるためには、少々知恵がなければいけない。

　「やあ、アール。ボーイスカウトの副班長に興味はないかい？」

　「え、何？」

　「アール。君はまるで陸軍軍曹のように、堂々と胸を張って風格があるじゃないか。」

「誰、僕？」

「そう、アール、君のことだよ！ボスみたいに偉そうに命令できるし、行ったり来たり行進させることができるんだぞ。映画に出てくる陸軍軍曹みたいにね。」

アールは背筋を伸ばして、頭を上げ下げしながら、すでに軍曹であるかのような大きな笑みを浮かべて頷いた。

「そうだ、アール。僕はボーイスカウトの班長になろうと思う。副班長は君にやってもらおうと思う。副班長になったら君は周りの他の子たちに命令できるぞ！」

アールはさらに背筋を伸ばす。

「僕がボスになって、他の子たちを隊列行進させることができるって？僕がボスになったら、みんなに気を付けさせて、行ったり来たり、イッチ、ニ、サン、シ！って、活動写真に出てくる軍曹たちみたいに隊列行進させるんだぞ！」

アールはさも嬉しそうに行進の真似をする。彼は自分が指揮をする隊列行進を想像しながら興奮して、軍曹のように掛け声をかける。

「イッチ、ニ、サン、シ！イッチ、ニ、サン、シ！」

「そうだ、未来のアール副班長。賭けてもいい、必ず僕は君が副班長に昇格できるよう計らい、副班長命令で隊員を隊列行進させられるようにするぞ。さあ、君の任務は一つだけだ。外に出て少年を８人連れて来て、こう言うんだ。お前たち、ボーイスカウトに加わるんだ。さもないと…　ひどい目にあうぞ！」

僕のボーイスカウトの制服は、僕が以前キンポウゲやラッパ水仙の花を売っていた女性からもらった。彼女はテューペロから東へ出たところにある、タウンクリークに住んでいた。彼女の一人息子は、第一次世界大戦中にフランスで戦死した。彼女がさよならを言うボーイスカウトの制服はこの息子のものだ。彼女は、洗濯されて丁寧にアイロンされた制服を僕に渡しながら、涙で潤んだ瞳で「息子もこうやってあなたに着てもらえるのを望んだはずだわ。」と言った。

僕は彼女の息子の制服を着て、誇りと幸せの感情をかみしめた。次は自分の班を見つけるだけだ。

こうして、ボーイスカウトに新しい班『フレイミングアロウ（炎の矢）班』が誕生した。たくさんある班名のリストの中からその名前を選んだのには理由がある。僕の友達と僕は戦場のチカソー族となって、出陣化粧と炎の矢を経験したからだ。

おそらく、テンダーフットでありながらボーイスカウト班長になったのは、スカウトの歴史上どこを探しても僕以外にいないであろう。スカウトに入隊した初日早々から、僕は自分自身で選び指名した副班長と、新しい班であるフレーミングアロウ班を引き連れていた。アールは自分に与えられた権威に酔いしれていた。アー

ルは誇り高く、フレイミングアロウ班を行進させる。イッチ、ニ、サン、シ！威厳
に満ちた声で。

　ボーイ隊の隊長は参ったと頭をかく。彼もまた、今までより大きなボーイ隊を引
き連れることになった名誉に満足している。

　僕は自分の望むものを得るために、人々と協力する知恵を素早く身に着けていっ
た。

望むものを得るためには、彼らが望む権威を与えるべし！

プライベート・ペイン

ゴルフしたい人？

*ディッカーソンさん、どうぞ。あなたのボールを見つけてきました！これでもう一
度打てます！*

　それは早朝のことだった。アール・ムーディーと僕はエド・ディッカーソンの家
にいた。エドの父親はテューペロ・カントリークラブでのゴルフのことで不満を
たらしていた。彼はエドに100切りを果たせなかったと話していたので、僕は尋ね
た。

　「ディッカーソンさん、なぜ100切りを目指しているのですか？」

　「僕は、いつもなら90はスコアが出るんだよ！」

　「ディッカーソンさん、100の方が90よりもいいんじゃないのですか？」

　「ゴルフではそうじゃない。数字が低いほどスコアがいいんだ。」

　僕にはまったく訳がわからない。言っていることがわかるかい？これではマッキ
ンリー先生に教えてもらったことと真逆ではないか。エドの父親は続ける。

　「あのキャディーに、18ホールコース打つために25セントを払ったのに、あの
キャディー、球を見つけることさえできなかった。」

　僕は内心驚きの声をあげる。

　「キャディーをして、ゴルフの球を見つけるだけで25セント！ワオ！」

　「いくぞ、アール。」

　僕はドアに向かう。アールが僕の後ろを追っかける。

　「レイ、どこに行くの？」

　「アール、テューペロ・カントリークラブに行くぞ。自転車に飛び乗って、一緒

にお金を稼ぎに行くんだ。」

「ディッカーソンさん。あなたとあなたの友達はキャディーを探していらっしゃいませんか？僕と僕の友人のアールは、球を見つけるのが本当にうまいんです。」

「そうだな、良いだろう。18ホールコースで25セントだぞ。」

彼は言った。

「それでいいです。僕たちがついているから、100切りも、球探しも、何も心配ご無用です！」

そうは言ったものの、後にファーストホールがまさか… キャディーとしてのラストホールになるとは、その時は想像もしていなかった。

ディッカーソンさんは立ち上がると、僕にドライバーを頼んだ。さて、僕はどうしたものか、ちょっと考えた。そしてこう言う。

「ディッカーソンさん、僕たちにはドライバーがいません。僕たちは車も持っていないのです。」

驚き呆れた表情で、ディッカーソンさんは球を打つのに使うゴルフクラブを指した。僕はクラブを取り出して、彼に渡しながら今のちぐはぐな会話にちょっとだけ心配になる。ディッカーソンさん、本当にゴルフを知っているのだろうか？

彼は小さな木製のティペグにゴルフ球を据え、２、３回クラブを振るがどれも球をかすりもしない。僕は心の中で思う。ディッカーソンさん、何度やってもあんなふうに空振りしかできないんじゃあ、100切り出来ないのも無理はないなぁ。

ディッカーソンさんはもうちょっと球に近づくと、頭の後ろまでドライバを大きく振り上げ、ビュンと一気に振り下ろした。

賭けてもいい、球はまるで発射されたロケットのように遠くへ遠くへ飛び、フェアウェイの真ん中に落ち、そのまま小高い丘を転がって消えた！

僕はフェアウェイを走り、丘の向こうに急いだ。僕は犬のように素早く走り戻ってくると、顔に大きな笑顔を浮かべて差し出した。

「ディッカーソンさん、どうぞ。あなたのボールを見つけてきました！これでもう一度打てます！」

不思議な話だが… イエス・キリストも、テューペロカントリークラブのキャディーをしているに違いない。というのも、ディッカーソンさんが*イエス・キリスト、Jesus Christ! って叫びだして止まないんだ。

*何てこった‼、まじかよ、強い驚きや怒り、失望を表す

モデルTフォード

なんともカッコ良い車だ。

それはオープンカーだ。なんともカッコ良い車だ！このオープンカーの後部には折りたたみ式のキャンバストップが付いていて、雨の時はそれを引き上げると車の屋根になる。継ぎを当てたキャンバスの穴は、ほとんど目立たない。左後輪のリーフスプリングはいくつかバネ板が壊れているので、道路のデコボコを走るたびに、壊れたスプリングがキーキーと音を立てる。前輪ステアリングタイロッドのボールジョイントはグラつかないようワイヤーで結んである。これで、まともに車を真っすぐに走らせることができる。なんてカッコ良い車だろうか！

当時は僕も友達も皆15歳、ウィッツカフェで働いていた。僕は友達と一緒に乗り回せるカッコ良い車を買うことにした。なんでかっこいい車なんか必要なのかって？答えは簡単。女の子だよ！僕はいつも女の子を観察しているが、最近彼らはまるで大人のような事を言う。彼女たちは、もう男子が自転車のハンドルバーに乗せると言っても、ちっとも興味を示さない。今どきの女の子たちはドライブに行きたいと言うのだ…　それもカッコ良い車で。

チャーチストリートに住んでいるホロウェイさんは、なんと新車でスチュードベーカークーペを買った。ホロウェイさんは彼のモデルTフォードを相棒のブルドッグ、ヘクターがまだ子犬だった頃からずっと運転していたので、これは驚きだった。ホロウェイさんはぴかぴかのスチュードベーカークーペを手に入れたものだから、モデルTフォードは彼の車庫に通じる私道の横に放置されたままになっている。タイヤなぞ、ホロウェイさんの足の裏のようにぺたと平らになっている。

そんなわけで僕たち子どもは、ホロウェイさんの忘れ去られたモデルTに目を付けていた。そして、ついにその時が来た！女の子たちはもはや、今の男子のレベルでは相手にもしてくれない。自転車になんて乗ってくれない。彼女たちの注意を引き付けるのには、カッコ良い車しかない。僕はチャーリーの家まで全速力で走った。エドもアールも、マッカーティさんのクーンドッグ、ハウラーが産んだ子犬を見るために、チャーリーの家にいるはずだ。マッカーティさんの犬、ハウラーは州の優勝犬に贈られる青色リボンを授与された犬だ。このチャンピオン犬ハウラーは、小さなクーンドッグの赤ちゃんをたくさん産んだ。

マッカーティさんはチャンピョン犬ハウラーが子犬を産んだことで、むしゃくしゃと腹を立て、こんなことを喚いている。

「俺はあの男、エベニッツァ・トレッドウェルに会うため、はるばるアラバマま

で行って、あいつのアラバマ州一番のチャンピオン犬、クーンドッグのサンダーと俺のチャンピオン犬、クーンドッグのハウラーとで、エリート種を繁殖させるために100ドル以上も払ったんだ！」

マッカーティさんはまだまだ喚き足りない。

「子犬1匹につき100ドル、俺は8匹の小犬を800ドルで売ることができたはずなのに。さあ、ホロウェイのとこの老いぼれブルドッグ、ヘクターが何をしたのか見てみてみろ！900ドルをどぶに捨てられたようなもんだ！ない、ない、ない、すっからかんだ！いつかあいつを撃ってやる。老いぼれブルドッグのヘクターめ！」などと嘆いている。

「さあ、みんな早く。子犬たちはもう置いて、寝かせてやって。皆でホロウェイさんの家に走って行って、モデルTフォードを譲ってくれと交渉しよう。なんともカッコ良い車だからな。

ほら、見て。今日は僕たちついてるよ。ホロウェイさんが家の前で、彼の真新しい真っ赤なスチュードベーカー・クーペを磨いている。ホロウェイさんは、新車が嬉しくてたまらないに違いない。」

「ホロウェイさん。その古びれたモデルTをいくらで売りたいですか？」僕は尋ねた。

「その古さだから、それなりの値段だろう。」

エドが横から口を挟む。

「クランクハンドルはかろうじてついてます？」

とからかうものの、喉から手が出るほど欲しいのを隠し切れないチャーリー。僕は彼をじろりと睨む。

「誰がそんな古い車買うかな。」

アールは無関心を装っている。

「僕たち安くであなたの古びた車を処分してあげますよ。いくらで買い取りましょうか？」

僕は彼に再び尋ねる。

ホロウェイさんは僕たちの交渉を楽しんでいたが、目をちょっとだけ細めて頭をかしげる。

「君たち。この車はな、ボールジョイントを前輪ステアリングタイロッドに固定しておくために、ちょっとばかり藁束を作るときのワイヤーがあればもう十分だよ。それからそうだな、タイヤに空気を入れるだけだ。これは良い車だからな！」

彼は一息おくと、表情を和らげて言った。

「僕たち。俺のこのカッコ良い車は普通、20ドル以上はするよ。」

彼は再び間を置いて言う。

「だけど、まあ、そうだな…　君たちは、ウィットワースさんのウィッツカフェで働いているから、こんな良い車だけど特別価格にしてあげるよ。20ドルぽっきりだ。」

「20ドル！」老いぼれヘクターを一瞥して、チャーリーは愕然とする。僕はもう一度チャーリーを睨み返した。チャーリーの反応を見た老いぼれヘクターは、バツが悪そうにホロウェイさんの新しいスチュードベーカー・クーペの下に隠れる。

ここは感情に訴えるしかないと同情作戦に出た僕は頭を下げて、ゆっくりと顔をあげながら上目遣いで言う。

「ホロウェイさん、僕たち20ドルなんて持っていません。みんな合わせても18ドルしかありません。ウィッツカフェで給仕をしても大して稼げないのです。唯一アールは厨房なので僕たちなんかよりはマシですが…　ウィットワースさんは、アールの作るサンドウィッチは別格だって言ってますからね。」

アールは俺は重役だと言わんばかりに胸を張る！

「まあ、もし君たちが俺の前庭の芝生をきれいに刈って、家の脇の草も狩るなら、18ドルで俺のカッコ良い車を売ってあげても良いぞ。」

思わず、取引は止めにしようかと思ってしまった。

ホロウェイさんの芝刈り機は、手で押したり引いたりするタイプだ。それに、分かるだろうか。僕は肉体労働がとにかく嫌いだ。特に僕がしなければならない時は！

「ホロウェイさん、ちょっと待ってもらえますか？」僕は尋ねる。ホロウェイさんは面白げに眉を上げる。

アール、エド、チャーリー、と僕は陣を組む。僕たちはすぐに合意に至った。

「ホロウェイさん。僕たちもう行かなくちゃ。今からウィッツカフェで仕事があるんです。残りの２ドルは明日持ってきます。ホロウェイさん、ボールジョイントを固定するためのワイヤーが余っていませんか？それから、ホロウェイさんが草刈りをした後で良いので、タイヤに空気を入れてもらえたらとても助かります。」

僕たちはモデルＴフォード売買契約成立の証に一人一人握手を交わす。なんともカッコ良い車だ！翌日、僕たちはその素敵な車を取りに行った。

「ホロウェイさん、約束どおり来ました。残りの２ドルです。」僕は彼にお金を渡しながら言った。

彼は言った。

「ありがとう、君たち。これでモデルＴフォードは君たちの物だ。ところで君たちは、運転免許証を持っているんだろうね？」

彼は僕を見て尋ねた。

「運転免許証？」

チャーリーがそばかすだらけの顔に困惑した表情をして、その言葉を繰り返した。

「ホロウェイさん。運転免許証って何ですか？」

僕は尋ねる。

「そうだ、君たち。ミシシッピ州政府が運転免許証を持ってないと車を運転してはいけないと法律で決めたんだよ。」

水を差されてあまり面白くない僕は尋ねた。

「どこで取れますか？」

「市役所で。１ドルで免許が取得できる。その免許証されあれば運転ができる。それ以上何も必要ない！」

僕は考えた。車を運転するために１ドルまるまる自分の懐から出すなんて嫌だ。僕は長年ロバも荷車も運転してきたが、今まで運転免許証を買う必要なんてなかったんだ！

「アール、今どのくらい持ってる？」

「15セント持ってるよ！」

「エド、君は？」

「僕はニッケル（５セント）しか持っていない！」

「うん、それでいいよ。足しになる！」

チャーリーは意気込んで発表する。「僕は35セントあるぞ！」

「いいぞ、みんな。上等だ。残りは僕が払って、十分におつりが出るくらいだ！おつりで大きなムーン・パイが買えるぞ！」

アールはうんうんと頷きながら言う。

「運転免許証は僕の名前で取った方が良いな。ウィットワースさんも僕が一番だっていうからな！」

「ちょっと…　ちょっと、待てよ、アール！」

僕は声を上げる。

「ウィットさんは、君のサンドイッチは一番だと言っていても、君の運転が一番だなんて言ってないぞ。それにアール、君は僕と違って運転なんかしたことないじゃないか！僕はな、十歳の時、ベローナのコットンジンからパルメットまでトーマス叔父さんのロバと荷車を運転したんだぞ。叔父さんは僕が今のうちに運転の練習をしていた方がいいと言ったんだ。アール、君は僕みたいな経験がないじゃないか！運転免許証は運転経験のある僕の名前にすべきだ…。僕はまともに車を真っす

ぐに走らせることができる！」

　運転免許証の所有者の件は解決した。僕たちは生まれて初めての運転免許証を買うために市役所に駆けて行った。興奮で胸を高鳴らせながら僕たちは急いでホロウェイさんの家に戻る。ホロウェイさんはタイヤに空気を入れてくれていた。僕たちは皆意気揚々と僕たちのカッコ良い車に飛び乗り、僕はハンドルを握る。スパークレバーを上げて、スロットルレバーのギアを入れ、スイッチキーを回す。アールが僕たちのカッコ良いモデルＴから飛び降り、前まで走っていくと、ハンドクランクを回してエンジンを始動させた。ぷっすんぷっすんと音を立てて車に命が吹き込まれた。アールが僕たちの待つ車に飛び乗り…　出発だ！ウィッツカフェに向けて。

　なんてカッコよい車だ！

　その日の夕方、僕は父に見せるために僕たちのモデルＴフォードを家に運転して帰った。僕は家に入って早速、お父さんとジェリーに、僕たちが買ったばかりのカッコ良い車の話をした。僕は誇らしげに、なんとカッコ良い車だろうかと自慢する。ジェリーは窓の方に走り、モデルＴフォードを見ると息をのんだ。

　「わあ！今までこんなへんてこな車、見たことないわ。」

　と彼女はクスクス笑った。

　父は外に出て、僕たちのカッコ良い車を眺めまわした。彼は面白がっているような微笑みを浮かべて小さくうんうんと頷く。間違いなく、モデルＴフォードは彼の若き頃を思い起こさせるだろう。彼はモデルＴフォードをよく覚えている。父はスパークレバーを上げると車の前に行き、クランクハンドルを挿入した。好奇心で目を大きくして、ジェリーは父の後を追う。彼女はクランクハンドルなんて見たことも聞いたこともなかったのだ。

　父はジェリーをちらりと見て、注意深く説明する。

　「ジェリー、今父さんがクランクハンドルの上に親指を添えた状態で手を置いたのを見たかい？エンジンが始動すると、クランクが暴走するかもしれない。そうなっても、こうして握れば親指を怪我することはないんだ。ほら、ジェリー、クランクハンドルが飛んでって当たったら危ないからもっと後ろにさがりなさい。」

　ジェリーは後ずさりして、興奮してこう言う。

　「神に誓って言うわ！私は今までこーんな変てこな車、夢にも見たことないわ。なぜ他の車みたいにスターターがないの？変てこりんな形の鉄棒でしかエンジンをかけれない車なんて見たことがないわ。」

　彼女は道路わきでしゃがみ込み、父を食い入るように眺めている。父がクランクハンドルを何度も回すと、次第にエンジンに命が吹き込まれる。パッ、パッ、パッ、パッ、パッというエンジンの呼吸と共に、ブルブルガタガタと金属音が次第に大き

くなる。ジェリーは叫ぶ。

「神に誓うわ、見てこの車！横に上下にジャンプしてるわ！あらあら…　まるでジルバを踊っているみたい！」

彼女は動くモーターのリズムに合わせてはしゃいでいる。

バラ色の日々が再び訪れた！このバラ色の日々が永遠に続くように思われた。あの悲劇が起こるまでは。僕達は女の子たちを自慢のカッコ良い車に乗せて、テューペロのプライベート・ジョン・アレン国立養殖池までドライブに行った。晴れた午後の太陽の下、女の子たちはくすくすと笑いながら、壊れた後輪のリーフスプリングのキーキーと鳴る音を思わせる甲高い声で歌う。

バラ色の日々が再び訪れた
空の上には晴れ空が戻る
だからまた喜びの歌を唄おう
バラ色の日々が再び訪れた
みんな一緒に今叫ぼう
疑う人は、もういない
だから今、世界に伝えよう
バラ色の日々が再び訪れた

ミルトン・エイガー、ジャック・イエレン

大きな養魚池の周りをドライブしているとき、ぐらつくフロントアクスルを固定するために縛っていたワイヤーがとうとう切れてしまった！コントロールを失った前輪は勝手に動き始め、後輪の回転に押されて、モデルTフォードは大きくて深い養魚池に向かって走りだす…　女の子と、僕たち皆を乗せて！死に物狂いで水から這い出ると、水がゴボゴボと音を立てながら僕たちのモデルTフォードを飲み込んで行くのを見た。もう二度と目にすることはなかった。車も。そして土手によじ登って、道路を叫びながら走って行った女の子たちも！なんて経験だ。あれは本当にカッコ良い車だった！

人生は一連の経験であり、時にはそれを実感することは難しいが、それぞれの経験が僕たちをより大きくしてくれる。

ヘンリー・フォード

水兵になりたい！

じゃあ、忘れるなよ。大事なムーンパイを！

それは何もする気にならない、うだるように暑い日のことだった。僕は家の裏庭のハコヤナギの木の下でコーンブレッドをつまみながら、グラスに注いだ冷たいバターミルクを楽しみつつ、日曜日の漫画新聞を読んでいた。僕のお気に入りはポパイ・ザ・セーラーマンだ。家の脇を通ってジョージ・ダグラスがやって来た。

「やあ、元気？漫画新聞を読んでいるのかい？アリー・ウープがムー王国を襲った恐竜をやっつけたところを見た？　釣りに行かない？」

ジョージと僕は長年にわたりずっと良い友達だった。僕たちはよく一緒にキングクリーク沿いでカエル捕りをしたし、学校をずる休みする時も一緒だったし、それがばれたら校長先生のお尻ぺんぺん専用パドルが待ち受けていることも二人はよく知っていた。それでも、あの憎きお尻ぺんぺん専用パドルでさえ、うっとりするような美しい天気のキングクリークの誘惑に勝ち目はなかった。

ジョージは裕福な家庭の出身で、僕の他の友人たちと少し違っていた。彼の家は上流家庭だ。僕の言いたいことがわかるだろうか？彼らの暮らしぶりは雲の上だ。ジョージは彼のパパはテューペロカントリークラブの会員だと言っていた。ジョージの父親はミシシッピのビジネスギャンブラーでもある。分かるだろうか、ビリヤード場だとかそんなものだ。ジョージは3人の子供のうち最も年長である。3人ともみんな養子だ。ダグラス家はジャクソン・ストリートにある大邸宅に住んでいたが、ジョージは金持ちのように振舞ったりせず、僕たち皆と同じことをして遊んだものだった。唯一違うのは、働かなくてもパパやママから遊ぶお金をもらえることだ。

僕はグラスのバターミルクをたっぷりと飲み干すと、日曜日の面白い新聞から顔を上げる。

「ジョージ、僕は海軍に入るんだ！」僕は満面の笑みを浮かべて宣言した。

「君が海軍に入る？」彼は驚きであんぐりと口を開く。

「そうだ、ジョージ。僕はあの大きな海軍船に乗って世界を周るんだ！ママは17歳では入隊の申請用紙にサインしてくれないだろうからさ、明日で僕は18歳になるんだし、そしたら僕は海軍に入って、活動写真に出てくるような水兵になるんだ！ハワイとか、外国をたくさん周るんだぞ。昨日ウィッツカフェで二人組の水兵を見たんだ。彼らが通り過ぎる時、僕は君たちみたいな水兵になりたいと言ったんだ。」

「そしたら、この水兵たちが、ルイジアナのミシシッピ川の向こうにある、ニュー

オーリンズって名前の町に、水兵募集所があることを教えてくれたんだ。ヒッチハイクして、ミシシッピ川を渡って、昨日見た水兵ボーイたちみたいな水兵になるんだ。このことはママには内緒にするつもりだ。もう荷造りもしたんだ。部屋に準備してある。僕は水兵になって、ミシシッピ州のリー郡から遠く離れた異国の地を見てくるんだ…　だから、達者でな、ジョージ！」

「レイ、ちょっと待て。君が行くなら、僕だって！僕も君と一緒に行って、海軍に入る！僕だって、大きな船に乗って外国を見たいってずっと思っていたんだ。ハワイに君と一緒に行きたいよ。」

「ジョージ、それはダメだよ。君は金持ちだ。ママとパパにこっぴどく叱られるぞ。」

「レイ、僕はもう18歳だ！僕はもう、一人前の大人だ。やりたいことは何でも出来るし、誰にもダメなんて言わせない。ところでレイ、お金どれくらい持ってる？」

「ジョージ、僕はあまり金がないけど、ヒッチハイクすれば食べ物ぐらいは買えるさ。ちゃんとムーンパイとRCコーラを買えるくらいのお金は準備したからな。家を出る前にママのピーナッツバターとバナナのサンドイッチを作るつもりだから、ニューオーリンズに行く途中で腹ペコになることもない。それさえあれば僕のお腹は満足さ！」

「ジョージ、僕は海軍に入るのが本当待ちきれないよ。知っているかい、水兵になったら1日3食もご飯が食べれるし、毎月53ドルがもらえて、更に毎年30日間の休暇がもらえるんだってよ。ジョージ、正直ウィッツカフェで働くより断然いいぞ！」

「レイ、ヒッチハイクなんてしなくても良いさ。僕、二人分のバス運賃には十分なお金を持っているんだぜ？」

僕は息を呑む

「ここからニューオーリンズまでにかかる運賃全部？」

と呟きながら、驚きでほほ笑む。結局、ヒッチハイクしなくてもよくなったようだ。

「そうだ。ニューオーリンズまでにかかる運賃全部だ。」

とジョージは答えた。

考えるまでもない。これは全くラッキーなニュースである。すでに良い兆しが見え、このままいろいろとうまく行きそうだ！

「ジョージ、本当のことを言うと、僕はあまりお金がないんだ。今かなり金欠なんだ。」

「そうか、レイ。でも僕は金欠じゃない。だから、何も心配しなくていいさ。僕はお小遣いがあるから。また家出するときのために備えて、ずっとお小遣いを貯めていたんだ…　でも前回の家出騒動の後に、パパに車を売られてしまったからさ。だから、分かるだろ？金欠なんて関係ないさ！僕がちゃんとお金を持っているからな。」

そう言いながら、彼は悪戯っぽい笑顔を見せる。

「あのな、ジョージ。僕が思うに、君は海軍に向いているんじゃないかと思う。ディクシーのアイスクリームカップみたいなしゃれた帽子をかぶってさ、ベルボトムのズボンをはいて…　あのセクシーな水兵のユニフォームはとっても君に似合うだろうな。きっと、映画に出てくる水兵ボーイみたいだ。分かる？なんだかテューペロのジェファーソン・デイビス・ホテルにいるベルボーイの制服と似てるよな。」

理論は現実と調和しなければならない。

ジャワハルラール・ネルー

西の向こう、丘の向こうに沈みゆく太陽がキングクリークに影を落としていた。僕はジョージに言う。

「もう日も暮れるころだ。明日は大事な日だ。朝一番にルイジアナのニューオーリンズに行こう。僕は家に入って明日のためのピーナッツバターとバナナのサンドイッチを作ってくる。君はバス停に向かう途中で、ムーン・パイとRCコーラを買って来て。明日は朝早くニューオーリンズに向かうからな。バス停で待ち合わせだ。じゃあな、忘れるなよ。大事なムーンパイを！」

『ヌーアーリンズ』
せいぜいドアにお尻を挟まれないことよ！

早朝の太陽が長距離バスの影と追いかけっこをしている。窓の外にはミシシッピ州の田舎、どこまでもどこまでも広がる綿花畑、白く塗装された家々がぽつぽつと立ち並ぶ青々とした農地を走りすぎて、朝のそよ風に揺れるトウモロコシ畑が見える。小さな町をいくつも越えて、バスは走り続ける。人々は通りから手を振り、南部のマナーを重んじる僕たちは彼らが見えなくなるまで手を振り返す。グレイハウンド長距離バスが低地になったデルタ地帯の平野をひたすら進むなか、太陽はもう

沈もうとしている。運転手がヘッドライトを点灯した。

　ジョージと僕は、ピーナッツバターとバナナのサンドイッチ、RCコーラ、ムーンパイを食べながら楽しい時間を過ごしている。ジョージはやはりファーストクラスな旅の仕方をよく心得ている！

　自転車ではテューペロから10マイル以上離れることは到底かなわないので、今回の『ヌーアーリンズ』（南部訛り：ニューオーリンズ）行きは、僕にとって正しく大冒険である。バスに乗ってなら2度だけテネシー州のメンフィスへ行ったことはあるが、あの高いビルの群を見上げているうちに首が痛くなったものだ。信じられるだろうか、メンフィスには10階建てなのに階段が全く見当たらないビルもあった。メンフィスにはテューペロでは見たこともないもの、エレベーターと呼ばれるものがあるのである。僕たちはそのエレベーターという物の中に入ると上がったり、下がったり、楽しくて何度も何度も上から下に、下から上に、行ったり来たりを繰り返した。まるで回転式シーソーに乗るみたいに楽しかったのを今でもよく覚えている！

　バスがヌーアーリンズのバス停に到着した頃には、かなり夜も遅くなっていた。

　「ジョージ、僕はヌーアーリンズに何があるかも知らないし、もう眠たいよ。そこの小さな公園の街灯の下にベンチがいくつかあったから、そこでしばらく横になろうか。」

　僕たちはぐっすりと眠った。

　太陽が東から昇り、次第に街に色彩が戻り、光が夜の影を追い払って、ジョージと僕の、この大都市ヌーアーリンズでの新しい一日が始まりを告げる。今日という日は僕たちにとって大切な日である。僕たちはお腹を空かせたリスたちが朝食を探す話し声で目を覚ました。

　「おい、ジョージ、もう起きろよ！今日は大切な日だぞ！よっし！僕たちはとうとう海軍に入るんだ。さあ行こう、ジョージ、僕は腹ペコだ！」

　ジョージは起き上がって、目をこすり、公園の向こう方を指さした。

　「あそこにサインがあるのが見える？あれドーナツ屋だぞ。見て、女の子たちがいる！」

　「女の子？」

　もう既に今日という日に至福を感じる。通りの向こうにはこんな看板がかかっている『クリスピークリームドーナツ。お熱いうちにどうぞ！』僕はカウンターの後ろの女の子たちを見た。

　「ジョージ、お熱いうちにどうぞだってよ？女の子の事を言っているのかな？」

ジョージは道路を横切りながらケラケラと笑っていたが、急に少し静かになった。そして顔を向けずにそっと、僕の右腕をちらりと盗み見た。ジョージは何を考えているのだろうか…　僕には想像もつかない何かを。

　海軍に入るのですっかりいい気分な僕たちは、まるで将軍のような気持ちでふんぞり返りながらクリスピークリームドーナッツのドアを開けた。僕はブルネットの髪のウェイトレスに話しかける。

　「やあ、ハニー、こんにちは。元気かい？僕たちはミシッピから来たんだ。知らないと思うけど、僕たちは水兵になるために海軍に入るんだ！」

　僕は彼女に小さくウインクしてニコっと微笑んだ。

　「コーヒーとドーナツ、あと、ちっちゃいキスを頼む」

　ニヤッと大きな笑顔を浮かべながら、ジョージは女の子の後ろについているメニューを見て言う。

　「もううんざり！またミシシッピの田舎者が２人！」

　かわいいブロンドの女の子が赤い唇のブルネットの子に囁く。

　背の高いブルネットの子は返事をしないで、代わりに僕に微笑んで言った。

　「いらっしゃい、お二人さん。今朝は何にしますか？」

　ジョージと僕はドーナツを食べ、コーヒーを飲み、カウンターの女の子たちをからかって楽しい時間を過ごしていた。僕たちがミシシッピから来たと言ったので、彼女たちに気に入られたようだ。それに、僕たちが海軍に入ると聞いて、きっと僕らの株が上がったに違いない。ジョージは支払いの時、チップとして５セント硬貨を２枚残した。僕は頭だけふりかえって、叫ぶ。

　「また戻って来るからなぁ！今から僕たちは海軍採用事務所を探しに行くんだ！僕たちのことを忘れないで！」

　受話器を取りあげながら、小さいブロンドはこっそりとつぶやく。

　「せいぜいドアにお尻を挟まれないことよ！」

　通りの角で郵便配達員が、大きな青い郵便箱から手紙を取り出していた。

　「郵便屋さん、海軍採用事務所にはどうやったら行けますか？」

　「この先にストリートカーがあるのが見えるかい？」

　「いいえ。」

　「真っすぐ前を見て。採用事務所は通りの向こう側にあるよ。」

　「もしかして、あの列車ですか？」

　郵便配達員は、

　「いんや。ここニューオーリンズでは、ストリートカー（市街電車）って呼ぶんだよ。」

と言った。やはり、故郷のミシシッピ州リー郡テューペロでは見たこともないものが他にもたくさんあるようだ。その電車は、とても車には見えないが、確かに車輪がついていて、市街地を走るので、ストリートカーで何となく説明がつく。

知るべきものを突き詰めた果てには、感じるべきものの追求が始まる。

カリール・ジブラン

正式な綴りはミシシッピだが、ここでは誰もそんな名前で呼ぶものはいない。教えてあげよう。僕はミシシッピ出身だと名乗る人がいても、綴りの通りに発音する人は真にミシシッピで生まれ育ってはいないことが一瞬にして分かる。生まれも育ちも生粋のミシシッピ出身なら、絶対に『ミシッピ』と発音するであろう。昔も今も変わらず。「そう、俺はミシッピ出身だあ！」

ジョージと僕の立つ通りから、海軍採用事務所が見えた。間違っても見落とすことがないくらい大きなポスターが窓に貼ってあり、それにはこう書いてあった。

アメリカ海軍に君が必要だ！　今すぐに！

海軍採用事務所に向かって通りを渡りながら、僕はジョージに言う。
「さあ急いで、ジョージ！さあ、行こう。僕たちは海軍に入るんだ。僕たちは世界を回るんだ！」
ジョージと僕は海軍採用事務所のドアを開いた。僕たちはまるで住み慣れた家のように、了解を待たずに入り、親しげな人懐っこい笑顔で挨拶した。
「こんにちは、皆さん。初めまして。とうとう来ましたよ！僕たちは海軍に入るために来たんです！はるか遠くミシッピから決めましたよ。びっくりでしょう？」
おやまあ、なんてこった。海軍の採用担当者たちの顔は笑っていない。お役人の方々にとって笑顔はまだ朝も早すぎるのだろう。彼らがせっかくクリスピークリームドーナツとコーヒーを頬張っていた時に、事務所に足を踏み入れたのはタイミングが悪かったのであろうか。
海軍の人たちは顔をあげ、互いに視線を交わしたが、僕が再び張り切って
「海軍に入るために来ました！」
と大きな声で元気に言ったら、海兵たちは皆文字通り椅子から飛び上がった。
僕は宣言した時、ちょっと背筋を伸ばして言った。海軍は僕とジョージが入隊を希望していることを聞いて大変喜んでいるはずだから。本当は陸軍に加わることも出来たところを海軍にしたのだから。

大きな太った海兵服の男が、眠そうな眼をこすり、目を細めて横目で僕たちを見ると唸るように言う。

　「座れ！話を聞こうじゃなか…　ドーナツとコーヒーを終えた後でな。」

　ジョージと僕は採用担当者が目の前でドーナツを頬張るのを座って見ていた。太った男は最後の一口を口に放り込むと、指を舐めた。まさか、この手で僕と握手しなければ良いのだが。

　「じゃあ聞こうか、君たちはどうしたいのかね？」

　太った男が言った。

　これらの海軍の採用担当者たちは、僕たちに矢継ぎ早に質問をした後、まるで市場でロバを品定めするかのように僕たちを頭のてっぺんからつま先まで審査しだした。最後に採用担当者の一人で、腕にたくさんのワッペンを着けた男が、横目にこちらを見やり、書類をあれこれ取り出して、ジョージにこう言った。

　「君、ここに署名して。君は海軍入隊だ。」

　赤い髪をしてひょろっとやせた男が、意地の悪そうな薄笑いを浮かべて僕に言う。

　「おい、君はもう家に帰っていいぞ。」

　「家に帰るだって！！」

　僕はまるで牛に蹴られたように呆然とした。

　「僕は、家に帰りたくない。僕は水兵になりたいんだ！海軍に入りたい！僕の友人、ジョージ・ダグラスと同じように！僕は世界を見たいんだ！」

　「おい、その腕を見ろ！曲がっているじゃあないか。君は身体障害者だ。」

　「水兵さん、こんなのどおってことありません。生まれてこの方、もう人生の半分以上もこの腕はこうでしたから。水兵さん、お願いです、僕はコットンも摘めるし、自転車にも乗れるし、木登りも、乗馬もできるんです。」

　と親しみを込めた笑顔を見せる。

　「それに僕は泳ぎが上手いんです！」

　と真面目な顔をして言った。海軍に入ることを熱望していることが良く伝わるように。僕は泳ぎは海軍に入る絶対条件であると思っていた！

　赤毛頭の男が僕に怒鳴った。

　「君はね、もうミシシッピに帰りなさい。」

　これを聞いて、僕は彼の友人たちが同情をしてくれないかと見やった。赤毛頭の男が再び薄笑いを浮かべ、首を振る。

　「僕は知っているぞ。君はクリスピークリームドーナッツで女の子たちと話しただろう？小柄なブロンドの子だ。かわいいだろう？さて、君はミシシッピに帰るん

だ。見ればわかると思うが、もうすぐ我々は休憩の時間に入らなければならないのでな。」

　テューペロに戻る長い道のりに備えて、何か食べる物が欲しかった。僕はドーナツ屋に戻って、手持ちの僅かなお金で、選ぶ元気もなく適当にドーナツを二つ買った。僕はもう早朝の絶好調な若者ではない。ドアから出ようとすると…　小柄なブロンドの子が顔をしかめて、かけていた電話を置きながら僕に叫んだ。

　「あなた、私のボーイフレンドに会ったようね。赤毛の人よ！」

　人の性格がよくわからないときは、その友人を見ること。

日本の諺

この腕を治してみせる
僕も世界に羽ばたくんだ

　僕はヌーアーリンズを、ひどく悲しくわびしい気持ちで出発した。ジョージはこれから世界に羽ばたき、僕はリー郡に戻るのだ。僕は途中ヒッチハイクしながら歩いた。うつむき加減に、足を引きずって、道路のほころを蹴りながら。もう何もかもどうでもいいように思われた。僕は人生に置いてけぼりにされたのだ。月が昇り、夜の闇が忍び寄るにつれて、沈みゆく太陽がコットン畑一面に薄暗い色彩の影を落とす。僕はヒッチハイクの機会を狙ってゆっくり歩き、しばし立ち止まったが、誰も車を停めることはなかった。僕は明日も朝早いので少し仮眠を取らなければならないと考えていた。それに夜になればヨコシマガラガラヘビが道に這い出てくるだろう。

　道路の横にコットンの荷馬車が見えた。僕は荷馬車の側面をよじ登り、ふわふわのコットンの山に腰を下ろした。僕は優しい星明りの下ですぐに眠りに落ちた。あまりにぐっすり眠ったので、荷馬車の持ち主に目を覚まされた時には、早朝の太陽が光のベールでコットン畑を包んでいた。

　「おまえさん、ここにコットンを摘みに来たのかね？」

　さあ確かに、僕はコットン摘みにかけてはよく知っているし経験もあるが、そうじゃない。

　「いいえ、違います！仕事を貰えるのは嬉しいですが、僕は一刻も早くテューペロの家に帰らなければならないのです。僕はこの腕を治してみせるんだ。そして海

軍に入るんです。昨日ヌーアーリンズで入隊した僕の友人ジョージ・ダグラスに続いて、僕も世界に羽ばたくんだ。コットンの荷車の中で一晩休ませてくれてありがとうございました。実に素晴らしかったです。ではこの辺で。僕はもう行かなければならないので。さようなら。」

　ひどく落ち込み惨めな気分で、腕が真っすぐになる奇跡が起きないものかと考えながら僕は再び帰路につく。

誰も人間は、幸せな人生や惨めな人生を過ごす可能性を持つ。

ダライ・ラマ

　僕は歩きながら、背筋を真っすぐ伸ばして、奇跡は絶対起こると自分自身に言い聞かせる。ある日、こんなことがあったのを思い出す。学校から家に帰って食べ物を見つけようとしたが、家には誰もおらず、食べ物も何もなく、パンの一切れすらなかった。僕はとても空腹で胃が痛かった。そろそろと学校に戻り始めた時、突然、歩道の縁石から踏み出そうとした時に、側溝に１ドル紙幣が落ちているのを見つけた。そう。まるまる１ドルの紙幣！僕は食料品店にまっしぐらに走り、チーズとクラッカー、ムーンパイ、RCコーラを買ってきた。僕は学校に戻る前に王様のように食べた。奇跡は起こるものだ。

　僕は道に沿って歩きながら、僕があのニューオリンズの海軍採用事務所から出て行く途中で南部訛りの年配の海兵隊員が言ってくれたことを思い出した。たくさんの袖章を着けたその男は、僕が悲しむのを見かねて、その場を去ろうとしていた僕の肩に親しみを込めて手を置いて言った。

　「君、その右腕を真っすぐにできたら、ニューオーリンズにまた戻っておいで。君が海軍に入れるように取り計らってあげよう。」

　僕は少しだけ元気を取り戻し、採用事務所を出た。彼は僕に希望を与えてくれた。

　テューペロまでの道中で最後に乗ったのは、牛乳トラックだった。僕はトラック後部の大きな牛乳缶の上に座った。運転手は農家からミルクがいっぱい入った缶を集めて、瓶詰にしてもらうためにミルク工場にミルクを届けるのだ。ミルク缶は道路のあらゆるデコボコを通るたびにガタガタと揺れた。快適な旅とはとてもいいがたい。僕は大きな缶と缶の間で脚を挟まれないよう気を付けなければならなかった。それでもタダで家まで乗ることができて、とても有り難かった。

　キングクリークの僕たちの細長い小さな家の近くで牛乳トラックを降りた。僕は運転手とその助手に丁寧にお礼を言った。僕が正面玄関から入っていくと。母は僕

を見るなり、こう言った。

「あらまあ、びっくり！神に誓うわ…　もう海軍から帰ってきたのは誰なの！レイ坊や、とってもお腹空いてるでしょ。」

「うん、ママ。僕は本当にお腹ペコペコだよ。」

母は僕を台所のテーブルに座らせ、食べ物を並べはじめた。グリーントマトのから揚げ、コーンブレッド、黒エンドウ豆、コラード・グリーン、大きなグラスいっぱいに注いだ甘いミルクと一緒に食べたらほっぺたが落ちるほどおいしいバナナプディング。

僕は牛乳が好きで、お金に余裕があれば甘いミルクをたくさん飲む。スイートミルクと呼ばれる甘いミルクは1クォートで10セントと少し高めなのだが、時々バターミルクを飲むのは、1クォートがわずか5セントまで下がることがあるからだ。南部には2種類のミルクがあり、僕たちは常に両方を飲む。北部の人はバターミルクが好きではないと母は言ってたが？父はこんなことも言っていた。

「北部の人は、南部の女性以外は、南のものは何もかも嫌がるんだ。」

僕が母にヌーアーリンズの海軍採用事務所で起こったことを話すと、母は僕の悲しみをわかってくれた。

「レイ坊や、メインストリートのクリニックにいるフィームスター先生に会いに行って、そしてネル・ペインの一番下の息子ですと彼に伝えなさい。もしその腕を治す方法を知っていれば、フィームスター先生ならきっと治してくれるはずだから！」

母は今や病院の准看護師なので、医者なら誰でも知っている。フィームスター先生の看板はすぐに見つかった。ベンジャミン・フィームスター医師。医院の中に入ると、看護師が僕に挨拶をした。

「いらっしゃい、今日はどうしましたか？」

僕は答える。

「はい。すぐにでも先生に診てもらえないでしょうか？海軍に入れるように、僕の腕を真っすぐにして頂きたいのです。」僕は看護師が見えるように腕を持ち上げて見せた。

フィームスター先生はこれをすべて聞いていたに違いない。先生は、誰が海軍に入りたいと言っているのかこの目で見てみようかと、自分のオフィスから出て来て、そして尋ねた。

「君はペイン家の？」

「はい、そうです！」

「そうか。僕は君の三人の兄さんたちが戦争に行ったことを知っているよ。ジェー

ムズは海兵隊員、バディは陸軍航空隊、ヒューは陸軍に所属していたな。それでな
ぜ君は海軍に入りたいのかい、レイ？」

「世界を見て周ることができるからです！」

それを聞いてフィームスター先生は納得したようなので、僕は聞いた。

「フィームスター先生、あなたは僕の腕を真っすぐにできますか？

僕はどうしても海軍に入りたいんです。海軍の人たちはお医者さんに腕を真っす
ぐにしてもらえれば、入れてくれると言っていました。」

「君はメンフィスに行くお金を持っているかい？」

「メンフィス？いいえ、フィームスター先生。僕にはお金がありません。僅かな
持ち金も、ヌーアーリンズからテューペロに戻ってくる時に使い果たしてしまいま
した。ウィッツカフェでカーホップになって一生懸命働けば、メンフィスに行くの
に十分なお金と、ちょとした食費を貯めることができます。僕はどうしても何とか
して水兵になりたいんです！しばらく時間がかかるだろうけど、海軍が待っている
んです！」

驚いたことに、フィームスター医師は、テネシー州メンフィスのキャンベル・ク
リニックに僕の腕を手術するよう手配することができると言う。彼らなら僕の腕を
真っすぐにしてくれるだろうし、先生がそれを手配できるという。しかも、僕には
一銭もかからないで済むというのだ。

「レイ、メンフィスに行って戻って来るために、お金を稼がなければいけないよ
うだよ。これが住所だ。」

フィームスター医師はなんて良い人だ。

人の善を探しなさい。どんな人にも善がある！

プライベート・ペイン

僕はメインストリートのフィームスター医師の医院を後にしながら、ひとり呟い
た。

「ああ、一体どうしたらいいんだろう？　メンフィスまでの交通費など、そんな
お金はどこにもない。奇跡が起こるのを待つしかないのだろうか。」

ダイヤの指輪が生んだ奇跡と従兄弟のバート

　さて、どうしてこんなことになったのかわからないが、またしても『奇跡』は起こった。歩道から降りて、ふと縁石を見たとき、それは起こった。僕の足元に、男物の金の指輪が落ちていたのだ。まるで、僕のために待っててくれていたかのように。それは本物の金で、真ん中に小さなダイヤモンドがキラリと光っていた。

　それは、午後の遅い時間のこと。リリック活動写真館の向かい側の裁判所の階段に座り、もし10セントがあれば、シリーズ物の『デッドエンドキッズ』が観れるのになあ、と思っていたところだった。

　デッドエンドキッズってのは、ニューヨーク北部の大都市に住む少年たちの物語だ。あの少年たちの都会での暮らしにはまったく目が丸くなる。想像できるかい？ピンボールマシーンで遊んだり、キャンディストアで万引きしたりさ、デッドエンドキッズはクレイジーなことばっかしているんだ！

　僕より年上のいとこ達が、木の削りくずを囲んで座って土曜の夜のスクールダンスの時のメアリー・ベル・ストカーに関する、ホットなゴシップで盛り上がっていた。僕は、めいっぱい聞き耳を立てていた。これは、たまらなく、ワクワクするね。メアリー・ベルは、誰もが知ってる女の子。全員とはいかなくても、年長の少年なら、みんな知っている！ You know what I mean!

　みんながメアリー・ベルのことで盛り上がっている間、僕は、太陽にダイヤモンドの指輪をかざした。太陽の光でダイヤモンドがキラキラ輝くのが見えるように。年上のいとこの一人、バートも、僕のダイヤが煌めくのを見ていた。バートは言った。

　「おい、凄いな、その指輪！いったいどこで、そのダイヤの指輪を手に入れたんだ？」

　「バート、これはね、グリーンストリートの歩道のところで見つけたんだ。この指輪は、そこにポツンと落ちてたんだ。まるで、僕を待っていたかのようにね。だから、これは、僕のものなのさ！何て美しんだろう。そう思わないかい？見てよ、この輝きを！」

　中央に輝くダイヤがはめ込んであるゴールドの指輪を、バートが、喉から手が出る程欲しいのが見てとれた。バートは、女の子にもてるように、いつもしゃれた格好でキメているのだ。彼は、生粋のプレイボーイなのだ。彼のいでたちはというと、トップスは、白のラッフルシャツにピンクの蝶ネクタイ。グレイのストライプが入ったパンツはつんつるてんで、ピカピカに磨きあげられたハイトップシューズ

がバッチリ見えるので丁度よい長さなのだろう。彼はすこぶるハンサムだ。

　パンツはハッとするようなパープルのサスペンダーで空高く吊り上げている。頭には小ぶりの麦わら帽子を粋な角度でのせている。麦わら帽子はサスペンダーとおそろいのパープルのバンドで留めてあり、そこに爪楊枝が刺してある。いとこのバートは、まったく目の保養である！彼はどうすれば女の子の熱い視線を集められるかよく心得てる！惚れ惚れするようなプレイボーイのバートは、僕の自慢の従兄弟だ！

　バートは、僕に言った。「ねえ、これが見える？」

　僕の目は、20ドル札をちらつかせているバートの、そのフクロウみたいな目と同じくらい大きくなった。バートは、とにかくダイヤモンドの指輪を手に入れないと気がすまないらしい。彼は言った。

　「レイ！その指輪をくれたら、君に20ドルやってもいいぜ。」

　「本当？」思わず声が上ずる。「20ドル全部？やったぁ！これでメンフィスに行くぞ！これで腕が治せる。海軍に入隊するんだ！」

満ちたりた人間と、飢えた人間では、一斤のパンでも、同じようには映らない。

ルミ

　これで、もうヒッチハイクなんてしなくていい。バスに乗るんだ。お金が手に入ったんだからね！腕をまっすぐに治してもらって、海兵隊員になるんだ。僕の友人のジョージ・ダグラスみたいに、世界を見に行くんだ。今日、ジョージからハガキをもらった。彼によると、これからサンディエゴっていう場所に向かうらしい。サンディエゴは、たぶん世界を巡るジョージがこれから見る数々の外国の１つにすぎないのであろう。

　翌日、僕はメンフィス行きのグレイハウンドバスに乗っていた。腕を治療してもらうためにキャンベルクリニックに行くんだ。そして腕が治ったら…　世界を見に行くんだ！

もう二度と会えないかもしれない。

　病院に行って腕を治療してもらう前に、父に会いたかった。僕たちの住む小さな町テューペロでは、仕事がほとんど無かったので、父はメンフィスの駐車場でクル

マを誘導する仕事をしていた。父は、ダウンタウンの小さな部屋を借りていて、古いレンガ造りのビルの３階に住んでいる。父の部屋の窓の外のネオンサインが、夜通しチカチカ点いたり消えたりしていのを見て、そんな所でどうやって眠れるのだろうと、僕はいつも不思議に思っていた。

翌日、僕は父が車を誘導する仕事をしている駐車場に行った。誘導係の父は一日中、クルマを前に後ろに右に左に動かして、次から次へと来る車を誘導する。それでも、仕事は、仕事だからね！父は、農場を失ってからというもの、いろいろな仕事をしてきた。父のワイルドで山育ちの自由奔放な精神は、銀行が土地を奪ってからというもの、すっかり失われてしまっていた。現在父は家族と、まだ独り立ちしていない小さな子供達を養うために、出来ることは、なんでもやっている。

キャンベルクリニックの医者と看護師たちは、とてもいい人たちだった。医者は、腕の肘部分を切開し、僕が４歳の頃に骨折した時からそこに残っていた骨のかけらを取り出してくれた。僕が麻酔から覚めた時（僕は手術のために麻酔で眠らされていた）看護師が声をかけてくれた。

「君、暫くの間痛むわよ。」

「看護師さん、大丈夫です。痛むのくらい平気です。僕は船乗りになるんですから。世界を見に行くんです！」

翌日、退院するときに父が会いに来てくれた。父に会えて僕は本当に嬉しかったし、一緒にいられるのが何よりもありがたかった。なにしろ、父がメンフィスで働き始めてからというもの、顔を合わせる機会がめっきり減っていたからだ。

二人で病院の外の歩道に立っていると、父は、使い古した財布を取り出し、中を開けた。財布の中には、５ドル札が一枚入っていた。父は、５ドル札（当時の５ドルは、結構な額）を僕に手渡して言った。

「おまえには、あまり何もしてやれなかったな。これが俺の持っている全てだ。これをお前に渡そう。身体を大事にするんだぞ！」

父は、僕の肩に手を乗せ、目を見つめて言った。

「いいか、自分の育ちを忘れるんじゃない。家族を大事にしなさい。出来る時には、人を助けなさい。俺は、もうおまえには二度と会えないかもしれない。」そう言うと、父は背を向けて歩き出し、駐車場の仕事に戻っていった。

僕も、ミシシッピへと続く反対方向へと歩き出した。そこで、ハッとした。父の言葉がフラッシュバックした。一体どういう意味だろう？

「俺は、もうおまえには二度と会えないかもしれない。」って。

僕は足を止めて、振り返り、父を見た。ヒュー・ペインは、頭ががっくりとうな

だれて、通りをとぼとぼ歩いていた。父はもはや、あの頃の威勢の良い、粋な青年ではなかった。馬に飛び乗りヒルカウンティの山を駆け下りながら、母を足元からすくって自分の馬に乗せ、一緒に山の上に駆け戻って行った、あの頃の精悍な父はもうそこにはいなかった。30年代の世界恐慌と、1日に1ドルづつ稼ぐために何年もかけて土地をクワで耕しコットンを摘み続けた年月が、父からあの頃の活力を奪い去った。

　1946年の夏、僕たちの愛する父、ヘンリー・ヒュー・ペインは、52歳の若さでこの世を去った。その2年後の1948年の夏、僕たちの美しい母、ネル・ハイ・ペインも、52歳で夫の元へと旅立った。彼らが精いっぱい愛情をこめて、ミシシッピのリー郡で育てた子供たちは、父と母を深く愛していた。人生のこんな早い段階で父と母の両方を失うなんて、人生は、僕たちにとって不公平だった。

誰かに深く愛されることで、人は強くなる。誰かを深く愛することで、人は勇敢になる。

老子

プリアム・ベル
1946年の夏、戌年
プリアム・ベルの影響がなければ僕は海軍にいただろう！

　メンフィスでの手術の後、僕の右腕はよくなった。まだ少し曲がっているが、以前ほどではなくなった。もう一度、あのヌーアーリンズの採用事務所までヒッチハイクして行って、もういつでも海軍に入る準備ができていることを伝えるんだ。世界に羽ばたく準備は万全だ！

　海兵隊員の中には犬かきも出来ない金槌者もいるに違いないが、もしそんな口をきこうものなら、海兵は僕が乗った船を容赦なく沈めるであろう。そしてこう言うのだ「おい、あの腕を見てみろよ！」

　そして追い払われるのが関の山だ。なぜ世の中には、僕の曲がった腕をいちいち気にする人がいるのか、頭をひねっても訳がわからない。本人の僕でさえこれっぽちも気にしたことがないのだ。曲がっていることを特に考えたことすらない。後に、この事に関してはもう少し慎重でなければならないことを思い知ることになったが。

僕たちは、自らの思考そのものだ。僕たちはすべて、自らの思考によって存在している。自らの思考で、僕たちは世界を創造するのだ。

ブッダ

プリアム・ベルがキングクリークにある僕の実家に立ち寄ったのは朝も早い時間である。この朝、プリアム・ベルは僕の人生の岐路を永遠に変える事になる。

プリアムは背中をシュッと伸ばし、誇り高く立っている。堂々と頭を高くもたげて立つこの男は、パラシュート空挺部隊の制服を身にまとっている。ジャケットの左肩には第11空挺師団のワッペンがついている。胸の左側には、陸軍空挺兵の翼の形をしたバッジがついている。翼の背景の青は歩兵隊の象徴である。空挺ジャンプブーツは、白いパラシュートのつり紐で編み上げてあり、磨き上げられて光沢を放っている。男の頭上に高く、正装用の軍服の帽子に誇らしげに飾られているのは、とびぬけて秀でた者のみに与えられる、あの空挺部隊の徽章… 志願兵のみで構成されたアメリカのエリート陸軍空挺部隊の徽章だ。

優秀になるための無限なる努力は、人の義務であり、自身への褒美である。

マハトマ・ガンジー

プリアムは言った。

「Howsyomamanem?」（南部の方言：君の家族はみんな元気かい？）

「今日の午後に一緒に魚釣りに行かないか？」

僕は答えた。

「みんな元気だよ。魚釣り、いいね。」

プリアムは微笑んで、こう言った。

「ここに来る時、45号線のキングクリーク橋を歩いて渡るときに、パーチが浅瀬で泳いでいるのを見たんだ。僕は少し後、午後に戻ってくることができるから、パーチを釣りに行こう。上にコーンミールの粉を振りかけて食べたら、すごく美味しいだろうな。」

午後、釣り用のミミズ何匹かを掘り起こしながら、プリアムは言った。

「レイ、これは絶対見なきゃ損だぜ。女の子のジャップ（日本人を意味する蔑称）はな、すごくかわいくて、しかも肌が黄色じゃなかったんだ！」

「え、そうかい？黄色くないの？」

「わかるだろう、僕たちパラシュート部隊の給料はいいんだ。他の兵隊たちに比べて約2倍の給料がもらえるんだぞ。」

プリアムは、餌のためのミミズをもう一匹掘り起こしながら言った。

「僕たちは飛行機から飛び降りるから、給料とは別に、月に50ドル手当がもらえるんだ。しかも楽しいんだぜ！」

これを聞いて楽しくない気分になる。

「プリアム、飛行機から飛び降りるのが楽しいなんて僕には思えないね！それに僕は海軍に入って、世界を見るんだ！」

プリアムは頭を片側にかしげて、何か僕が知らない魅力的な秘密を知っているかのように、僕を見てニヤっと笑う。

「ジャップの女の子たちの写真を見たい？」

返事はイエスだった。そして僕はその写真を何度も見た。

「プリアム、ジャップはシアーズ・アンド・ロバックのカタログに載っている女の子たちみたいに、すごくかわいいなあ。僕は彼女たちの吊り上がった細い目が好きだなあ。まるで、僕たちが知らない秘密を知っているかのような、そのドキドキする不思議な感じを持ってる。プリアム、飛行機から飛び降りるのも、たぶん、そんなに悪くはないよな。後で僕にかわいいジャップの写真をもっと見せてくれるかい？」

「今は暗くなる前に急いで川を下って、パーチとできればナマズを何匹か捕まえよう。それから家に戻って来て、冷たいバターミルクを飲もう。母さんが僕たちにハッシュパピーを作ってくれるよ。僕はチャボと交換に美味しいスイカを手に入れたんだ。それに嬉しいことに、今朝母さんが作ったブラックベリーのコブラーもあるぞ！」

こんな風にして、一分もかからずに、日本の女の子たちの写真を見せてくれたプリアム・ベルが、僕の今後の人生の岐路を永遠に変えてしまった。グッバイ、海軍。ハロー、空挺部隊！こうしてあっけなく、海軍は優秀な候補者を失った！

ペイン二等兵
陸軍認識番号：RA14236468

「名前は何だ？」

軍の採用担当官は言った。

「僕の名前はペインです。僕はパラシュート隊員になりたいのです！僕は第11空挺師団に志願します。友人のプリアム・ベルもその部隊にいて、僕は日本に今すぐ

にでも行きたいんです。」

　この軍の採用担当官は僕を見ると、いぶかしげに片眉を上げながらもう一度僕を見た。彼はまるで重要な質問でもあるかのような顔をして僕を見る。彼はプリアム・ベルが持ってる日本人の女の子たちの写真を見たことがないのだろうと推測する。

　彼はまた聞いた。

「名前は何だ？」

「ペイン。」

「ペイン、何て言う？」

「母は僕をノエルと呼ぶし、父は僕をアレンと呼びますが、兄弟姉妹は僕をレイ坊やと呼びます。」

　彼は降参といったように天井を見あげて頭を振ると言った。

「ここにサインしろ！」

　日本の女の子たちが黄色の肌をしているかどうか確かめる期待で頭をいっぱいに膨らませながら、僕はサインした。

　僕は陸軍に入るんだ。パラシュート隊員になって、飛行機から飛び降りるんだ。二等兵として、毎月53ドルの給料がもらえる。それに、給料とは別に、毎月50ドルもジャンプ手当がもらえる。僕は金持ちだ！僕は日本に行って、プリアムが言っていた、かわいい日本の女の子たちにも会うんだ！後の人生で、自分には名前がないという事実が発覚するのだが、この時はまだ知るべくも無かった。僕が僕であることを証明するのに苦労する事になった。僕は復員軍人援護法（G.I. Bill）の下、ハワイで家を購入するところであった。出生証明書の提出を求められたので、ミシシッピ州の州都ジャクソンに手紙で申請した。

　なんと送られてきた証明書には、『1928年8月8日出生、ヒュー・ペインとネル・ペインの間に生まれた男子、無名』と書いてあるではないか！全く、信じられるだろうか？僕は名前がなかったのだ！僕は自分で自分にクラーク・ゲーブルと命名しようかとも考えたが、やめにした。ゲーブル氏はそれを好まないはずだ…　彼は競争を好まないだろうから。兄弟姉妹は僕をレイと呼ぶ。母はノエルで満足するだろう。父にはいつもアレンと呼ばれる。だから、自身をレイ・ノエル・アレン・ペインと名づけた。

　正式には僕はまだ入隊していない。キースラー陸軍飛行場があるミシシッピ州ビロクシまではるばるヒッチハイクしなければならない。そこに着いたら、身体検査を受け、陸軍への忠誠を誓う。腕はまだ少し曲がっているが、僕には全く気にならない。あの海軍兵たちからは、すでに軍のやり方についてある程度学んだので、陸

軍医師がきっと僕を素っ裸にして検査するのも予想がつく。彼らは僕が何かしら障害を持っているかどうか事細かく調べるのだ。僕の右腕は、以前ほどではないが少し曲がっている。それでも、やっぱり曲がっている。

　だが僕には妙案があった。

　日本の古い諺で『出る杭は打たれる。』という言葉があるが、僕というこの杭はのこのこ頭を出して、打たれたりなんかしない！僕はできるだけ皆の背後に隠れるように立った。腕を頭の上に上げろと言えば、皆より少し遅れて腕を上げた。腕を下げろと言えば、真っ先に下げた。そして僕の右腕は気づかれることなく検査を通過した。目立たないように振る舞うことを教えてくれた、海軍に感謝！

　僕は晴れてアメリカ合衆国陸軍に宣誓入隊した。僕は陸軍認識番号RA14236468、正規軍の二等兵（Private）である。その後、僕はいかにも自分らしく、アメリカ合衆国陸軍史上、誰よりも長く、波乱に富んだ経歴を重ねる最年長の二等兵となる！今日、その記録はまだ破られずに残っているかもしれない。

白雁（ハクガン）は、白くなるために体を洗う必要はない。ただ自分らしくしていれば、何も必要ない。

中国の諺

お前らは今、陸軍にいる！
担当者は僕だ

　時々、事は理由もなく思わぬ方向に動くようだ…　僕は他の８人のミシシッピ人全体の担当を命令された。このミシシッピ人たちはデルタ地帯から来ていて、彼らは僕たちと話し方も違う。僕たちは電車に乗ろうとしていた。もちろん、僕は前に列車を見たことがあったが、乗ったことは一度もなかったので、新しい経験に僕はワクワクしていた。軍隊はノースカロライナ州フォート・ブラッグに僕たちを送るのだ。到着したらすぐに補給係将校から制服と備品支給を受け取るように言われていた。

　さて、僕たちミシシッピ人についてお話しよう。僕たちは南部人であり、お互いを理解しやすい、僕たちのこの独特な話し方が好きだ。北部の人たちのように、アクセントがたくさんあったり、妙な話し方でしゃべったりはしない。しかし、ミシシッピ州デルタ地帯の男たちは、大変ゆっくり話すと認めざるを得ない。彼らが口を開くと、一言終える前に日が暮れる。デルタ地帯の男が１フレーズを話し終える

のを待っていると、あまりにゆっくりすぎて寝てしまう。北部出身の軍曹も同じように感じたに違いない。彼は眠りに落ちてしまう前に、僕を彼らの担当につけた。僕が受けた最初の指令だった。

「おい、レブ！」（南部兵士の意：Reb反逆者）

「僕ですか、軍曹？」

「そうだ。お前だ。お前が自ら進んで空挺部隊に志願した者か？」

「その通りでございます、軍曹！」

「さて、お前を担当者に任命する。少なくともお前が何を言っているかはいくらか理解できるからな。お前があのデルタの田舎者の言っていることを、僕よりは理解できると良いがな！ここに指令と兵士の記録書がある。彼らを電車に乗せて、移動させるんだ。じゃあな！」

「かしこまりました、軍曹！」

「さあ、みんな動け！行く時間だ！軍曹が言ったことを聞いたか。コットン摘みの時間は終わった。お前らは今、陸軍にいる！」

僕はデルタの少年を集めて電車に乗せた。北部出身の軍曹はどっと肩の荷が下りたことだろう。汽笛が鳴り、蒸気がポーっと吐き出されると、僕たちは第82空挺師団の本拠地である、フォート・ブラッグへ出発した！僕はミシシッピ州北東部から来ているので、ミシシッピ州デルタ地帯から来た少年たちの、牛のようにのんびりとした話し方を、少なくとも北部人よりは理解することができる。ドイツ人に第82空挺師団の優秀さを示してやろうじゃないか。

軍隊は、僕たちにユニフォームと下着と呼ばれるものを配給する。僕は生まれてから一度も下着というものを着たことがなかった。これも家族への手紙に書く良いネタになる経験だ。下着というものは、活動写真でボクサーが身に着けている、結び紐がついたショーツのようなものだ。陸軍は僕たちに靴下とブーツを二足づつ支給してくれた。僕は生まれてから一度も、二足も靴を所有したことがなかった。あまりにもうますぎる話ではないか！

僕たちは他にも、通常の勤務で使用する戦闘服を二組と土曜日の早朝検査のためのAクラス正装軍服を一式配給された。Aクラス正装軍服は他にも、パレードでかっこ良く見えるため、更に、休みの日に女の子に会いに行く時の、とっておきの装いとして重要な役割を果たす。僕たちは基礎訓練を受けるためアラバマ州のフォート・マクレランに列車で向かった。これもまた長い旅だった。なぜ軍隊は最初からアラバマ州のフォート・マクレランに僕たちを送らなかったのか？僕は将校と、彼らのやり方について学び始めていた。彼らは物事を複雑に見せるのが好きだ。他にも、将校は大抵どこかに突っ立って将校同士で話していることも観察して

分かった。将校たちは軍隊を運営するのは軍曹に任せる。将校がそうするのだから、僕もこれが賢明なやり方なのだろうと思う。

　列車は小さな田舎町で停まった。汽笛が鳴り、一時停止した列車が動き始める直前に、白いトラックから男が出てくる。トラックのドアには大きな赤い文字がドアの上に刷られている『ニック・ルッソのIn＆Out素早いサービス』

　ルッソは小さな紙の弁当箱をいくつも抱えてくると、手際よく僕たち一人づつにそれらを渡して周り、弁当の配給を終えたニック・ルッソは大急ぎで列車から飛び出る。なぜかって？ルッソも、弁当箱を開けた僕たちも、答えはすぐに分かる。これは僕が腐敗した政府を目の当たりにした初めての経験である！弁当箱には、悲しくなるほど冷たく薄っぺらいチーズのサンドイッチ、小さなリンゴ、小さなクッキーが入っていた。

　その後何年という歳月の中、往々にしてニック・ルッソのように下心のある人間のタイプ、鉛筆からB-29爆撃機まで、政府からありとあらゆる違法な利益を受け取る、政府の腐敗行為に関わるタイプの人間に関して、多くのことを学ぶことになった！

下心からの美徳を実践することほど、自分の性格を醜くするものはない。

荘子

フォート・マクレラン
母への手紙

　フォート・マクレランに着き、僕たちは木造の兵舎に入った。屋根はまるでタール紙のように見える。僕はしばしば故郷の母に手紙を書いた。母は僕に段ボール箱いっぱいの自家製のクッキーとお気に入りのムーンパイをよく送ってくれた。彼女は戦時中、僕の三人の兄に対しても同じように心のこもった贈り物を送り続けた。南部で生まれ育ち、南部の精神を引き継ぐ僕は、南部出身の仲間だけでなく、ヤンキーたちにもお菓子をお裾分けし、時には彼らに僕の好物のムーンパイもお裾分けした。僕は、おもてなしという南部の文化を決して忘れることはなかった。

　実家宛てに書いた最初の手紙で、どんなに陸軍に入隊して良かったか、母に伝えた。

2017年8月28日

　　親愛なるママ、

　　ここではトイレに出かける時、天気や虫、蛇を心配しなくてもよいんだよ。な
ぜってトイレが外にないんだから！信じられないでしょう。トイレはなんと兵舎の
中にあって、トイレットペーパーがあるから、シアーズ・ローバックの分厚い通販
カタログも必要ないんだよ！
　　それに陸軍は僕に二足も靴をくれたよ。ママが一番知ってると思うけど人生の中
で二足も靴を持ったことなんて一度もないよ！軍隊ってほんとに良いもんだよ。新
しい服ももらったし、信じられないかもしれないけど、1日に3回も食べさせてく
れるんだ。朝食、昼食、そして夕食まで！これ以上何を望むことがあるだろうか。
入隊してこのかた空腹になったことはない。それに、都会から来た北部人の少年達
と同じ席に座ると良い事を発見したよ。あの北部人たちは小食なんだ。彼らはたい
ていコーヒーを飲んで煙草を吸ってばっかりだから、僕が北部人たちの分も食べて
あげるんだ。
　　信じられないかもしれないけど、僕たち土曜日の午後と、日曜日はまる一日、毎
週休みがもらえるんだ。従兄弟のアーチーに、新しい靴やたくさんの休日がもらえ
る幸せな人生を望むなら、こんなうまい話が他の人に聞かれる前に、すぐにでも入
隊したほうがいいと教えてあげて！
　　ママ、軍隊は確かにウィッツカフェで働くよりずっといいよ！

　　あなたの愛する息子、
　　レイより

　　フォート・マクレランでは基礎訓練を行い、軍曹から戦争の戦い方を教わる。射
撃場では、僕は射撃専門家に表彰される程の腕前を発揮した。ここでのターゲット
は、木の上をちょこまかと走り回るリスのように、木の反対側に回ったりはしな
い。的を当てるのは簡単なことだった。それは木のリスを撃つようなものだった
し、撃ってくれと言わんばかりにここの『リス』は微動だにしない。南部の少年で
あれば、誰でも確実に卓越しているのが、乗馬と銃を撃つことだ。
　　マクレランは、ミシシッピ州のコットン畑などの田舎から出てきた少年たちが一
人前の男になる場所であった。基礎訓練では、ほかの仲間が平凡に二等兵から始め
るなか、僕はもう部隊長になっていた。これはデルタの少年たちを統括する任務を

担当して以来、僕が受けた第二の任務であり、生涯二等兵としてアメリカ合衆国陸軍史上最長の３年間を勤務した、僕の兵歴最後の任務でもあった。

　基礎訓練の後、僕は仲間のミシシッピ人、デルタの少年たちにさよならを言った。僕はまた、少しばかりであるが、心を許すようになった北部人にも別れを告げた。

　そして今、僕はジョージア州フォート・ベニング行きの電車に揺られながら考える。フォート・ベニングはアメリカのエリート空挺歩兵連隊を育成する、一流ジャンプ学校である。そこで、僕は空挺兵になるんだ。ベニングへ到着して一息つく間もなく、僕たちはグライダー空挺部隊兵になるための訓練を開始した。

フォート・ベニング
グライダーなんて鳥のためのものだ

　第二次世界大戦中、アメリカ空挺部隊は１つのパラシュート歩兵連隊と２つのグライダー歩兵連隊で構成されていた。戦後間もなく、空挺部隊はすべての連隊を結合し始め、パラシュート部隊は同時にグライダー部隊であり、両方の訓練を受けた。以前はグライダー空挺兵は帽子にグライダーのワッペンのみを付け、パラシュート空挺兵はパラシュートのワッペンのみを付けていたのだが、訓練後に僕たちは両方のワッペンをもらい、パラシュートのワッペンをグライダーの上につけた。僕は空挺部隊において最後のグライダー訓練を受けた数少ない者の一人である。

　グライダー空挺兵になるより絶対パラシュート空挺兵になりたいと思っていた。なぜかって？パラシュートであればある程度はコントロールがきくからだ。ライザーを左、右、前、後ろに引っ張って、風の力で落下の方向を調整することができる。地面にぶつかる前に自分の降下の方向くらいならある程度調整することができた。しかし、グライダーはそうはいかないものだ！グライダーの命はパイロットと副操縦士の慈悲にあり、パイロットっと副操縦士の命はまたグライダーの慈悲にある。12人のグライダー兵が搭乗し、装備も載せている。つまりこれだけでかなり重く、更にモーターもない！モーターがないのだ！

　モーターを搭載しないグライダーは飛行機から切り離された後、降下する以外に選択肢がない。戦闘では空から撃ち落とされなかったとしても、グライダー止めの杭や溝、樹木など、どんな危険が待ち受けているかわからない。もし着陸地点を見逃してしまったら、もうどうしようもなく、着陸態勢に入りながら、グライダーが障害物で木端微塵になりませんようにと願うしかない。グライダーは、スチールの

骨組みと布でつくられていたものだから、それらが風にあたってパタパタと音を立てるのが聞こえる。神経に触る音だ。時々、スチールと布で出来たグライダーは着陸の際にばらばらに壊れてしまった。

　ベニングを卒業して第82空挺師団に所属した従兄弟のバディー・アンダーソンと僕は、僕たちの所属するB-13訓練クラスのダグラスC-47輸送機のうちの1機が離陸直後に片方のエンジンを失った時、僕たちは共にその訓練場でグライダーの訓練を受けていた。

　C-47は2機のグライダーを曳航していた（ガチョウの編隊飛行のように）。1台のエンジンしか搭載していないC-47には、いっぱいに装備が積載された2機のグライダーが足を引っ張っているので、高度を得るだけの揚力がなかった。なので彼らは曳航していたグライダーを解き放った。モーターのない2機のグライダーは、祈る空挺兵を乗せたまま木々の中に突っ込む以外に選択肢がなかった。僕たちの仲間が7人、この日グライダーに殺されてしまった。もうグライダーなんてこの先二度と見たくない。

　僕たちは7人の友人を失った。いつ僕たちのうちの誰かが同じような死に方をするかも知れないのだ。一寸先は闇だ。未来とは、多くの未知をもたらすものだ。時には困難を。ジャンプ訓練校では辞退者が増える事だろう。

迷いを取り除け。強さを宣言せよ。決意を保て。死を覚悟せよ。

道教

根性無しは誰だ？

　走れ、レイ坊や、走れ！僕の兄弟姉妹は僕をレイ坊やと呼んでいた。レイ坊やは、彼らが小学校で読んだ教科書にのっている小さな男の子の名前だった。

　「見て、レイ坊やが遊んでいる。見て、レイ坊やが走っている。レイ坊や、走れ！」

　ジャンプ学校のあるフォート・ベニングに到着すると、そこには遊びはなく、ただただ沢山の走らねばならぬ状況が待ち受けていた！走れ、レイ坊や、走れ！　僕たちは各訓練のセッションに向かって走った。僕たちは朝食に向かって走った。僕たちは昼食に向かって走った。僕たちは夕食に向かって走った。僕たちは走りに走り、さらに走った！

僕は人生のほとんどを空腹で過ごし、かなりやせていたので、走るのは特に気にならなかった。走るのが好きだ。何マイルでも走れる。北部の大都市から出てきた者の中には、どうしても走るのについていくことができず、ジャンプ訓練校を早いうちに辞める者もいた。たくさんの北部人と、南部からも何人かが、激しく厳しい訓練に耐えきれず辞めてしまった。僕たちが一番恐れているのは、何度も噂に聞いた34フィートの塔だ。あの塔から飛び降りると、その感覚は、まるで突然体が真っ二つに引き裂かれたかのようだ。空に向かってそびえたつ塔を見るだけで、やる前に辞める辞退者が出るのは火を見るよりも明らかだ！

　　注釈：第11空挺師団は、第511パラシュート歩兵連隊、第187グライダー歩兵連隊、第188グライダー歩兵連隊の編成で、8,321人の兵士を擁した。これは第二次世界大戦歩兵団が通常擁した規模の約半分であった。

　部隊編成された当初、部隊は訓練や演習のために米国に残り、数か所に分散して駐屯した。他の空挺部隊と同様に、第11空挺師団はエリート隊として構成されていたため、訓練体制は非常に厳しいものであった。輸送機からのパラシュート着陸を想定して、候補生がそれぞれ250フィート（約76m）と34フィート（約10m）の塔から飛び降りる訓練があり、加えて喘ぐほど長く過酷な行進があり、それでも隊員が降下実習中に航空機の出入り口で躊躇すると、候補生は自動的に落伍者とみなされた。訓練の厳しさのため結果的に落伍率は高かったが、普通の歩兵よりも賃金がはるかに高いので、決して候補生が不足することはなかった。

　さて、僕たちの中には、辞める勇気すらない者もいる。僕たちは皆、根性無しにはどんな仕打ちが待ち受けているか知っている。根性無しは、ベニングのすべてのトイレをきれいにしなければならない。僕はフォート・マクレランの基礎訓練でトイレ掃除をさせられた経験があるが、それは根性無しであるために下された罰ではなく、それ以外のありとあらゆることで下された罰だった！トイレの清掃は汚い仕事だ。トイレ掃除に関しては、僕は知識も経験も豊富である！信じられるだろうか、トイレ掃除をしても余計に罰せられることだってあるのだ。

　陸軍は根性無しをすぐにはベニングから追いやらない。根性無したちが骨の髄までしっかり罰を受けたことを確認するまで軍隊は彼らを拘束するのだ。幹部は、ベニングにいるすべての人たちに彼らが小心者（yellow）の根性無しであることを知らしめる。根性無しは大きな赤い文字で『根性無し』と記された黄色のヘルメットを着用する。ベニングの軍隊では、1マイル離れても彼らが道を走らされながら「僕は根性無しです！」と叫んでいるのが聞こえる。その声はキャンプ全体に響き渡る。

　「僕は根性無しです！僕は根性無しです！」

パラシュートが装着された状態で僕たちを落とす250フィートの塔は、正直それほど悪くはなかった。悪名高き34フィートの塔の衝撃とは比べものにならない。巨大な送風機が地上から送る風でパラシュートを膨らませる。風の力で僕たちは地面の上を引きずられる。僕たちはライザーを引っ張って態勢を整える。これは強風の中で着陸し、風に煽られて引きずられてしまった時にでも、僕たちが態勢を整えてパラシュートを畳む方法を習うためのものだ。僕たちの中には地面に引きずられ、けがをして、少し血を流す者もいる。少しの血であれば数分で乾く。僕たちのように心の奥底に、絶対に辞めないという硬い意志を持つ者もいる。いいえ、上官殿！僕は根性無しにはなりません！

　心の弱かった根性無したちは、辞退なんてしなければよかったと後悔しているはずだ。鍋洗いとトイレ掃除の日々は簡単には終わらない。

偉大な魂には意志があり、弱い魂には願いがあるのみ。

中国の諺

　トイレ掃除に関しては、僕は知識も経験も豊富である。僕がマクレランで基礎訓練を受けていたとき、僕がピカピカに掃除したトイレを点検する担当者は、部隊の中尉だった。彼はとても鼻につく中尉だった…　だから中尉はトイレの点検をしたかったのかもしれない。

気をつけ！
死の接吻

　今日がその日だ！中尉が、僕がピカピカに掃除したばかりのトイレを点検することになっていた。僕は列になって並ぶ便座の一つ一つに紐を通し、縛って、中尉を待つ。

　ドアを通って技能軍曹を引き連れた中尉が点検に来た。軍曹は号令をかける。「気をつけ！」

　僕は号令と同時に紐をぴんと引っ張った！一列に並んだ便座は一斉に跳ね上がって『気を付け』をした！中尉は驚いて口をあんぐりと開ける。僕はもう腹を抱えて笑い転げ、軍曹でさえも思わず笑いがこみあげていたが、視界の隅に中尉の顔を捉えて、それどころではないことを知る。僕も同様、中尉の顔を見た瞬間…　笑いが

引っ込んだ。

　中尉は不快そうに顔をしかめて、噛み締めた歯の隙間から唸るように言う。

　「さて、ペイン二等兵、貴様は将校の前で、便座を上げ下げさせて、気をつけさせるのがそんなに面白いのなら、それなら週末もトイレで遊んだらどうだね。月曜の朝の点検までに、一つ残らずトイレを磨き上げろ。便座を上げ下げして… 気をつけ！出来るようにな！ ペイン二等兵、良い週末を。」

　「イエスサー、中尉殿！かしこまりました！」

　こういうわけで、トイレ掃除に関するペイン二等兵の知識と経験はお墨付きのものとなった。

人生の上り下りにも、興奮しすぎず落ち込み過ぎないのが最善である。

ダライ・ラマ

　朝も早く、僕は34フィートの塔、恐ろしいと噂されているこの塔からのジャンプを待っていた。34フィートの塔からジャンプするのは初めてだった。不安そうに塔を見ていると、隣からあざ笑うような声がした。

　「おい、このジャンプ学校にどうやって入った？」

　それですっかり塔の事など頭から吹っ飛んだ。息を詰める思いで、周りを見回し、これがスウォールツ軍曹との出会いとなった。

　「僕はパラシュート空挺兵になります、軍曹。」

　「いや！だめだ、お前はパラシュート空挺兵になれない！お前は身体障害者だ。その腕を見ろ。曲がっているじゃないか！」

　僕は生まれて初めて見る物のように、自分の腕を見た。

　アルバート・スウォールツ曹長は僕の新しい幹部軍曹だった。彼は短いブロンドの髪に、鋼のような青い目で、その薄い唇を開いて僅かに歯を見せながら、口角を持ち上げて人をせせら笑うような笑みを作るのだった。彼は手を腰にあて、両足を大きく開いて立っている。今この瞬間、僕の運命は、冷たく小馬鹿にしたような笑顔を浮かべるアルバート・スウォールツ軍曹の手中にあった！彼は死の接吻だ。彼はあの映画スターのリチャード・ウィドマークとそっくりに見える。映画『死の接吻』では、リチャード・ウィドマークがくすくすと笑いながら、あの老婆を車椅子ごと長い階段から突き落とすのだ。スウォールツ軍曹は片目の端で僕を見ると、口の片端をまげて唸るように怒鳴った。

　「お前は、このジャンプ学校から出て行け！我ら空挺部隊は障害者のための慈善団体ではない！」

大変だ、事態はサースになってきた！ミシシッピ州でも『シリアス』（Serious）という言葉はあるが、事態が深刻化すると、サース（serce'）になるのだ！

アルバート・スウォールツ軍曹は今や… 『死の接吻』だ。

僕は懇願した。

「お願いします、軍曹！私は一日中走れます。私は腕立て伏せができます。僕は懸垂もできるんです。」

上手に泳げる事も彼に言おうかと思ったが、口を閉ざした。なぜなら、そんなこと聞いて喜ぶのは海軍だけだろうからだ。大体、僕はもうあの海軍兵たちは御免だ。僕は言葉を必死で繋げる。

「私は何でもできます、お願いします、軍曹。私は野球もできます… どうかお願いです、軍曹。パラシュート空挺兵になりたいのです。」

彼は少し驚いたように口を開け、目を細め、少し頭を傾けて、あの皮肉なせせら笑いを漏らす。彼はきっと野球が好きなのに違いないぞ！

言葉の力を知らずして、人を知ることは不可能である。

孔子

スウォールツ軍曹は、せせら笑いながら、

「そうか、お前はパラシュート空挺兵になりたいのか？」

「その通りです、軍曹！」

「お前、どこの出身だ？」

「ミシッピです。」

「ミシシッピか、そうか、レブ。」

僕は南軍兵（Reb）と呼ばれてちょっと嬉しくなったが、そんなそぶりは見せない。この北部人にそんなことはおくびにも出さないのは、彼が僕の運命を握っているからだ。『死の接吻』だからだ！

「おい、あの塔に登ってジャンプする時、ディキシーを歌え。大声ではっきり歌え！わかったか？」

「イエスサー、軍曹！イエスサー！」

スウォールツ軍曹は叫ぶ。

「それから二等兵、僕をサー（Sir）と呼ぶな。サーはあそこに立っている将校のことだ。」

「イエスサー！あ、いえ、イエス、スウォールツ軍曹！」

彼が忌々しい北部の奴であることは知っているが、僕は気にしない、僕はパラ

シュート空挺兵になりたいんだ！

34フィート塔が好きなやつは誰もいない。この塔は、飛行機から飛び降りる際の、パラシュートが開く衝撃に慣れる訓練をするためのものだ。塔から飛び降りる衝撃は、地獄の鬼も腰を落とすほど！その衝撃の後、斜めに張られたケーブルを滑り降りて、手荒くPLF（パラシュート・ランディング・フォール）パラシュート着陸降下をする。しかし僕は気にしなかった。34フィートの塔でさえも、僕がパラシュート空挺兵になりたい決意を止めることは出来ない。

一足ごとに、全ての恐怖心を振り払いながら、塔の上まで登り…　飛び降りた。腹の底から声を出して『ディキシー』を歌いながら落下する。あまりに大声だったから、ロバート・E・リー将軍を起こしてしまったかもしれない。何も知らない北部人のために言うが、ロバート・E・リー将軍は、北部の侵略戦争時に、アメリカ南東部諸州によって構成された、栄光あるアメリカ南部連合国軍の指揮将校である。

父は言った。

「北部人の連中は南部の女が好きだった！」

祖父は言っていた。

「あの戦争はまだ終わっていない！」

僕の体は思い切り引っ張られ、そのままスチールケーブルを滑り降り、上官の足元に着陸した。

「いい調子だ。この調子でジャンプ学校を卒業するんだ。そして、ジャンプするたびにディキシーを歌うんだ。わかったか？」

「イエスサー、スウォールツ軍曹！」

「ペイン二等兵、私をサーと呼ぶな！」

スウォールツ軍曹は降下訓練の大師匠だった。彼は第503パラシュート歩兵連隊の復員兵だった。第503歩兵連隊は、第二次世界大戦中、太平洋での戦闘に多く携わっていた。彼らの降下作戦の中で最も良く知られているのは、フィリピンのコレヒドール島での戦いで、彼らは激しい戦闘に従事した。第503歩兵連隊は殊勲部隊章を受章した。第503歩兵連隊のうち、2人のパラシュート空挺兵が、アメリカ軍の最高の勲章である議会名誉勲章を授与された。

戦争中、第503パラシュート歩兵連隊は1万人の日本人兵士を殺し、第503歩兵連隊の数多くのパラシュート兵も亡くなった。

僕がジャンプ訓練校を確実に修了できるように、僕の背中を押して必死に頑張らせてくれたスウォールツ軍曹の生徒であったことをとても名誉に思う。彼は、僕がいかにパラシュート空挺兵になりたいか、その決意を感じ取ってくれたのだ。ちょっと頭が混乱してきたぞ…　僕はこの北部人である軍曹を、まるで友人のよう

に感じ始めていた。

　僕はスウォールツ軍曹のいうことを注意深く聞くようにした。恐ろしい34フィートの塔から飛ぶたびに、僕は腹からの大声で歌った。大師匠のスウォールツ軍曹が怒鳴っているのが聞こえる。「もっと声をだせ！もっと声を出せ！」だから、僕は歌う

綿花畑の広がる大地に帰れたら、
昔の日々は忘れない、
はるか遠く、はるか遠く、遠く
ディキシーの地。

　祖父は僕のことを大層誇りに思ったことであろう。

学ぶ準備が整えば、師が現れる。

仏教の諺

ファイブ、ファイブ、マザファッキン、ファイブ

　僕はなぜ南部ではこうであるのか、わからない。僕が説明できるものでもない。ただ、いつもそうであったから。アメリカ最南部では、ジョージア州フォート・ベニングだろうと、ミシシッピ州や南部連合軍政府の他の州と変わらない。どこも一緒だ。大して深く考えたことすらなかった。南部では、南部のやり方があるのだ。

　僕たちは６輪駆動トラックの後部に乗って、訓練のために飛行場に向かった。シックスバイシックス（６×６）とは、６輪のトラックのことだ。なかなかわかりやすい名前じゃないか？

　飛行場の向こう側から、３人の黒人少年を乗せた別の６輪駆動トラックが走って来る。彼らはフォート・ベニングの別のエリアから来ている。いつもはベニングのどこにいるのかわからないが、僕たちが行く白人ばかりのPXスナックバーや活動写真館で見かけることは一度もなかった。彼らは僕たちと一緒に練習をしたが、いつも少し離れた端の方にいた。彼らの顔には決意の表情が浮かんでいた。

　毎日、訓練が終わると、黒人少年たちはトラックに飛び乗り、彼らのエリアに戻る。卒業時に、この３人全員が諦めない強い決意と将来に対する展望に支えられ

て、ジャンプ訓練校を終了したのを見て、嬉しくなった。彼らは夢を叶えたのだ。彼らは晴れて、米国陸軍パラシュート空挺兵となったのだ。

夢がなければ、ビジョンはなく、ビジョンがなければ人は朽ちる。

ペイン上等兵

　彼らには夢があった。彼らは人種隔離されていた時代の陸軍において、唯一の黒人のパラシュート空挺兵として、志願兵エリート555パラシュート歩兵大隊に加わった。
　パレードでは、彼らは誇り高きパラシュート空挺兵だ。5セントはニッケルとも言うので、彼らは自分たちを「トリプルニッケル」と呼んでいた。また、ふざけて自分たちを「ファイブ、ファイブ、マザファッキン、ファイブ」とも呼んでいた。僕は555パラシュート歩兵大隊に敬意を払う。

私には夢がある！

マーティン・ルーサー・キング

　さて、僕はADD（注意力欠如障害）のせいで時々注意不足になることがある。これはちょっと危険である。パラシュート空挺兵になるという決意はあったが、パラシュート空挺兵になりたいのであればパラシュートの管理をしっかりした方がよいことはすぐに身をもって学ぶことになった。

パラシュートは君の親友だ

　最初のジャンプのために、僕がC-47輸送機に乗り込んだ時、スウォールツ軍曹が、僕の袖を引っぱって言った。
　「列が進んでドアに近づいて、とうとうお前が飛び降りる番になったら正面を見据えたまま飛び降りろ。下を見ちゃいかん。いいか、覚えておくんだ！ドアに着いたら下を見るな。飛び降りて叫ぶんだ。『ジェロニモ… 1000… 2000… 3000…』そこでパラシュートが開く。万一開かなかったら…」
　軍曹はここでリチャード・ウィドマークのように冷たくせせら笑い、言った。
　「新しいのと交換してもらうことだな！」

僕たちが使っている、第二次世界大戦仕様T-7パラシュートは出来るだけ早く、出来るだけ安全に着陸するよう設計されていた。スウォールツ軍曹が最初に言った事のひとつは「しっかり注意を払って良いパラシュートを準備しろ。パラシュートは君の親友だからな」である。

　気持ちの良い爽やかな日だった。飛行機のドアから飛び降りようとすると顔が突風にたたきつけられた。僕は叫ぶ「ジェロニモ…　1000…　2000…　3000…！」そして、パラシュートが開く衝撃を待った。この時異変に気付いた。パラシュートが開く時の衝撃が無い。僕は急速に落下していた。パラシュートが風に振動する音が聞こえる。見上げるとパラシュートがパタパタと激しくはためいている。完全に開き切っていないではないか。僕は、祈るような気持ちでライザーを左右に振ってパラシュートを開こうとした。僕は急降下のなかで奇跡を切に待った。すると一陣の風が僕のパラシュートをとらえてパラシュートが一回転した。これで風が入ったパラシュートはパンッと完全に開いた。僕は、急降下しながら、着陸降下に備え、空を覆う部隊の仲間にすぐに加わっていった。

　僕は、危険極まりない方法で『パラシュートは、君の親友だ』という意味を学んだのだった。これからは僕の親友を敬意をもって扱うことにしよう。残念ながら今回のジャンプではこれを怠ってしまった。僕は、全て判ったつもりになっていた。ボーっとしながら何となくパラシュートを準備してしまった。

　この後、スウォールツ軍曹は、僕に言った。

　「まったく、危うく首の骨を折るところだったな。次からは訓練で教えられたとおりに、パラシュートを準備するんだ。さもないと首がちょん切られたニワトリみたいにおかしな風体で歩き回ることになるぞ。」

　「イエスサー、スウォールツ軍曹！」

　スウォールツ軍曹は全くもって正しい。あのパラシュートはきちんと開かなかった。パラシュートは風の中で引っ張られねじれ、僕は腹からの大声で叫んだ。落下の時ライザーの片方が首の付け根あたりで交差した。首の骨を折ってもおかしくない状況だったが、その代りライザーが首に巻きつき酷い火傷を負うことで難を逃れた。赤いビーズような血が滲んだ。これ以降ベニングで一番パラシュートの準備がうまいのは誰だか、お分かりだろうか？

　「スウォールツ軍曹！ペイン二等兵は、パープルハート勲章（戦傷した米国軍人に授与される）を授与されるのですか？」チカソー族インディアンの友人、ランニングホースが質問した。

　スウォールツ軍曹は笑って答えた。

　「いやいや、そのくらいの出血ではパープルハート勲章はない。パラシュート

は君の敵じゃない。危険を回避するのだ！パラシュートは君の親友だ。君がパラシュート空挺兵として生き残り、その経験について語りたいのであれば、今のうちに学ぶがいい。1200フィート上空では、死まで僅か８秒だ！」

学んでも、思考しない者は、迷える者である！思考しても、学ばない者は、大いなる危険にいる！

孔子

コードを引け！コードを引け！
むごいぜ、むごいぜ、なんて最悪な死に方だ！

「昨日は雨が一晩中激しく降っていた。アラバマ側のあの雨雲は嫌な感じがするね。ここんところひっきりなしに雨で耕されているな。一面泥んこになっちゃうな。」ランニングホースが言った。

アメリカ先住民であるランニングホースは、おそらく遠く離れたアラバマの土地の臭いでも感じ取る嗅覚をもっているのだろう。ホースはオクラホマ出身のチカソー族インディアンであり、だから僕はホースが好きだ。僕たちミシシッピ人は、チカソー族はもともとミシシッピ北部に住んでいたことを知っている。僕はキングクリークのほとりで彼らが放った矢じりを沢山拾ったものだ。

ランニングホースと僕は同じスティックにいる。スティックとは、スタティックライン（一方の端がパラシュートに取り付けられ、もう一方の端が航空機に取り付けられているライン）に繋がるひとまとまりのグループの事を言う。僕たちは、ジャンプを成功させて、着陸を完了した。そして、いつものように上空を見上げ、別のC-47機からスティックがジャンプするのを見ていた。パラシュートが次々と空に花開く。僕たちは皆、空を見上げながら数えはじめた。1番、2番、3番、4番、一つ飛ばして、6番、7番、8番・・・。C-47機からジャンプしたスティックの内、5番のパラシュートが開いていない！スタティックラインにきちんと繋がっていなかったに違いない。彼は、今すぐ緊急パラシュートのコードを引かなきゃいけない！地上にいる僕たちは、叫んだ。

「コードを引け！コードを引け！」

固唾をのんで、彼が緊急パラシュートのコードを引くのを待っていた。緊張が高まった僕たちの叫び声は次第に大きくなり、一丸となって、彼に呼びかけた。

「コードを引け！コードを引け！」空から急降下する彼を僕たちが必至な思いで見つめる中、ホースは、手を空に向けて高く掲げ、大いなるスピリットに向かって、詠唱しはじめた。

大いなるスピリットよ、
祈りと、深い集中力をもって
祈る方法を我に教えたまえ。
大いなるスピリットよ、
我の瞑想を献身と調和させたまえ。
全てを委ねる
そなたへの愛で
我の献身を浄めたまえ。

スワミ・ヨガナンダ

僕たちはどんよりした空の下また一人仲間を失った。誰もが皆、今日のジャンプの事で悲しんでいた…　僕は誰かが僕の曲がった腕についてなにか言ってくれるのを願わんとしていた。この基地を永久に去れるように。そして家に戻って母のバナナプディングが食べられるように。この場所をもう2度と目にすることがないように。

スウォールツ軍曹が広場の向こうから僕たちのところにやって来て言った。

「何してるんだ！行くぞ！ここで立ち止まっていて何になる。数日のうちに君たちはパラシュート部隊に配属となる。日本に行って可愛いジャップガールを沢山見ることになるんだ」

これを聞いてもうすっかり気分が良くなってきた！

翌朝の5マイルのランニングでは地面を駆けながら僕たちは空挺部隊の歌を歌った。

あいつはただのルーキー・ジャンパー
たしかに恐怖でビビッてた
装備も確認したし
パラシュートもバッチリ畳んだ
あいつは座って
あのひどいエンジンの唸り声を聞かされた

あいつはもう2度とジャンプしない！
むごいぜむごいぜなんて最悪な死に方だ
むごいぜむごいぜなんて最悪な死に方だ
むごいぜむごいぜなんて最悪な死に方だ
あいつはもう2度とジャンプしない！

軍曹は見上げて、
「みんなハッピーか？」と叫んだ
僕たちのヒーローはかすかに「イエス」と答えた
そしてあいつを立ち上がらせた。
あいつは冷たい突風へとジャンプした
あいつのスタティックラインは繋がっていなかった
だからあいつはもう2度とジャンプしない

あいつは長い間カウントしてた
大声でカウントしてた
あいつは、衝撃を待っていた
風を感じた。寒さを感じた
恐ろしい落下を感じた
あいつのリザーブからシルクが飛び出して
脚に絡みついた
だからあいつはもう2度とジャンプしない

ライザーが首に巻きついた
コネクターがドームにヒビを入れた
絡まったサスペンションラインが
ガリガリの骨に絡みついた
キャノピーが彼に巻きついた
あいつは地面にたたきつけられた
だからあいつはもう2度とジャンプしない

あいつが生きて愛して笑った日々が
頭の中を駆け巡りつづけた
故郷に残してきた

彼女に思いを馳せた
衛生兵のことを思った
やつらが何を発見するのかと疑問に思った
だからあいつはもう２度とジャンプしない

救急車は現場にいた
ジープは激しく駆けまわり
衛生兵が飛び降りて嬉しそうに叫んだ
腕まくりして、ほくそ笑んだ
なぜって最後にジャンプが失敗してから
もう１週間も経ってるからさ
だからあいつはもう２度とジャンプしない

あいつは地面に叩きつけられた
その音は「ビシャッ」
血しぶきが高く上がった
あいつの仲間はみなこう言った
なんて最悪な死に方だ！
あいつは血の海の中に横たわり
転がっていた

　　だからあいつはもう２度とジャンプしない

　　僕たちは重苦しい畏敬の念を心に抱いて走っていた。そして次第にゆっくりと
歌った。

ライザーの上に血があった
パラシュートの上に脳みそがあった
パラシュートスーツから腸が飛び出していた

あいつはメチャメチャになった
やつらはあいつのブーツを逆さにして
形のなくなったあいつを出した
だからあいつはもう２度とジャンプしない

むごいぜむごいぜなんて最悪な死に方だ
むごいぜむごいぜなんて最悪な死に方だ
むごいぜむごいぜなんて最悪な死に方だ
だからあいつはもう２度とジャンプしない！

　この数年後空挺部隊は兵士をスタティックラインに引っかけた後に挿入する割り
ピンと呼ばれるものを開発した。

割りピン

　数年間にわたり何人の空挺隊員が割りピンが無かったために命を落としたかを考
えると無念の一言に尽きる。航空機内でスティックとなり整列しジャンプの用意が
出来たとき皆自分をスタティックラインに繋げる。この時点で割りピンが挿入され
る。割りピンは空挺隊員のスタティックラインがケーブルに繋がっていることを保
証するものだ。割りピンが導入される前はケーブルに繋がっていると思い込んで
ジャンプに臨んだが、実際にはきちんと繋がっていなかったというケースがあっ
た。割りピンはこの手のミスを防止し結果的に僕たちの命を救ったのである。

一本の釘無くしては、馬蹄は失われ
ひとつの馬蹄無くしては、馬は失われ
一頭の馬無くしては、戦は負けとなる
「馬と引き換えに我が王国をくれてやろう！」
と、王は叫んだ

シェイクスピア

　僕たちは皆、黒猫と13番は不吉だと知っているし、梯子の下だって絶対通らな
いよ！
　僕たちのクラス、B-13からは沢山の辞退者が出た。さらには８人の仲間が命を
落としている。今では当初のクラスの人員の半分以下となってしまった。太陽が沈
む前にさらなる辞退者が出るに違いないと予感できた…　まだ黒猫は一匹も見てい
ないが。

「空挺部隊よ永遠に」
作者不詳

銀色の翼をもった男たち
高い空から降りてくる空挺隊員
彼らの中から忠誠心が湧きあがる
彼らを強く結びつける精神は
兄弟愛だと彼らは答える
彼らの答えは大きくよどみがない
「空挺部隊よ永遠に」
彼らは、危険に身を置く男たち
開くドアに立ち
頭上にはスタティックライン
手にはリップコードが握られ
地上へと落下するなかで
無言で彼らは祈る
「神よ永遠に我らと共にあらんことを」
「空挺部隊よ永遠に」
遂には、最後となるジャンプが訪れる
聖マイケルが彼らを打ちのめすだろう
善神が待っている
神は彼らの目的を知っている
声をそろえて答える
神は空挺隊員の言葉を聞くだろう
「空挺部隊の一員になれて光栄です。」
「空挺部隊よ永遠に」

僕はランニングホースを見て言った。
「ホース、僕らは絶対辞退しないぞ。なにがあろうと構うもんか！僕たちはパラシュート空挺兵になるんだ！僕たちは第11空挺部隊として日本に行くんだ。可愛いジャップガールを見に行こうぜ。」
「ホース、ねえ、聞いたかい？プリアムが言ってたけどさ、ジャップガールは黄色い肌なんかじゃないってよ！」

ランニングホースは、声を大にする。

「はあ、そうだな、青白顔。僕も日本に行きたいさ。でもお前、黄色い肌のどこがいけないんだ？」

アメリカ人のほとんどは、人生というものがいかに儚いものかを微塵も判っちゃいない。そして人生を精一杯生きるとはどういう意味か、危険を顧みずに『やるべきことをやる』ということがどういう意味かを微塵も判っちゃいない！

恐怖と死を真っ向から見据え、「消え失せろ！」と叫べ。

パラシュート空挺兵

棒の先
毎日手紙を書くからね！

　僕は週末パスを利用してベニング基地からアトランタへ行き、ハチミツみたいに甘く優しいジョージア出身の女の子に会っていた。彼女の名前はベッツィー・ホウカム。ベッツィーはそばかすがあって大きな青い瞳をして、ウサギみたいな前歯が柔らかくて真赤な唇からちょこんとのぞいてて、とにかくとびきりキュートな女の子である。二つ結びにしたブロンドの髪は赤いサテンのリボンで結ばれており、水玉柄の黄色いプリーツのミニスカートに足元には光沢のある黒いサンダルに真っ白な靴下をはいている。ベッツィーはこれまで見た事もないくらいとびきり可愛い女の子である！

　僕はすっかり彼女に夢中で、自分自身も信じられないことに結婚しようと婚約の誓いを交わした。

　僕たち二等兵は軍隊から毎月53ドルが給料として支払われる。パラシュート空挺兵にはなっていないので、ジャンプ手当の50ドルはまだもらえない。僕は新しくできた恋人に給与の大半をつぎ込んでいる。彼女は僕にメロメロである。新しい恋人にキラキラと輝くキャッツアイの婚約指輪を買ってあげた。指輪は19ドル99セントもしたが、恋してるときには値段など関係なく最高の物をあげたくなるものだ！

　僕の新しい恋人、可愛いベッツィーが僕に言った。

　「ねえダーリン、日本に行っても絶対にジャップガールと遊びまわったりしないでね。」

「ハニー、心配ご無用さ。その小さな可愛いおつむを悩ませないでおくれ。たとえ天地が引っくり返ったって、あのつり目で黄色い肌をした日本人の女の子になんて、3メートルの長い棒の先でも触れやしないさ！」

この時には、僕がその後嘘つきになるってことを、知る由もなかった！

イチャイチャと手を握ったりキスをした2日後、ベッツィーは真剣な声色で僕に尋ねた。

「ねえダーリン、私のこと愛してる？」

僕はゴクンと唾を飲み目をしばたたかせて答えた。

「ええっと…　ああ、も、もちろんさ。」

彼女は目を細め、僕の顔をまっすぐに見すえて言った。

「じゃあ、兵隊さん、私のこと本当に愛してるんだったら、白黒はっきりつけて！私と結婚してくれる？」

僕は、またしてもゴクンと唾を飲んだ。口ごもって、しどろもどろに答えた。「ええっと…　ああ、うん、も、もちろんさ。」

そして早口に付け加える

「Howsyomamanem?」

ベッツィーは、安堵して答えた。

「うん、みんな元気よ。」

僕のフィアンセになった彼女は釣った魚をママとパパに合わせるために、誇らしげに僕を家に連れ帰った。夕食の席でベッツィーのパパは僕に言った。

「娘が言うに、君ははるばる日本に行くそうじゃないか。約3年も赴任するんだって？それはもうひどく寂しい思いをするだろうね。」

「ええ、もちろんとても寂しくなるでしょうが、時間が早く過ぎるように日本でなにかやることを見つけるつもりです。」

この時頭の中ではプリアム・ベルが持って来た写真のことを考えていた。

「アメリカに帰国したらなにをするつもりなんだい？」

「もちろんミシシッピのテューペロに戻ってまたウィッツカフェで働くつもりです。僕は経験豊富ですから。」

ベッツィーは愛に満ちた心と誇らしげな大きな青い瞳で僕を見つめていた。

「僕は皆が今まで食べたことないような最高のピーナッツバターバナナサンドウィッチを作れるんです。なんたってママの秘伝のレシピを持ってるからね！」後にこのママ秘伝のレシピが僕の生涯の中で最高の仕事を僕に与えてくれることになるとは夢にも思わなかった！しかも日本の八戸という地で…　まあ、それもジョニー・ジャーディン最下位軍曹におじゃんにされるまでの数か月の話だが！

最後に恋に落ちたのは小学4年生の時にドロシー・アン・ブラウンに心を奪われて以来である。それはミシシッピのリー郡テュペロで経験した心奪われる恋だった。ドロシーは僕に彼女の教科書を持つのを許してくれた。ドロシーは喜んでいるようだった。僕も大喜びだ。他の男子は問答無用！ドロシーは誰でもない僕だけに彼女の教科書を持つ独占権をくれた。

ドロシーの父は牧師である。ここよりもっと条件の良い牧師の職をデルタ地帯で見つけたドロシーの父は、仕事を求めて引越を決め… 一緒に僕の初恋まで連れ去ってしまった！

デルタ地帯の輩は、周知のとおり、牛のようにのんびりと話すことで有名だ。僕は、なんどもドロシーの事を想い出しては、僕たちが分かち合った甘く幸せな時間に思いを馳せる。彼女も、僕の事を思い出してくれているに違いない。こうして僕たちは、別々の道を歩むことになった。今頃は、のらりくらりと話すデルタの輩が、「ドロシー、愛してるよ」と口説き言葉を言い終わるのに一生費やしているに違いない。

僕は風向きを変えることは出来ないが、必ず目的地に着くように、自分の乗る船の帆を調整することは出来る。

ジミー・ディーン

ドロシーは僕から婚約指輪を受け取ることは無かった…。

フィアンセのベッツィーは僕が買ってあげたばかりの高価な婚約指輪を見て言った。

「私の大切なダーリン、あなたを永遠に待ってるわ。だからね、絶対にジャップガールといちゃついたりしちゃだめよ！わかった？」

「ハニー、そんなこと僕がするわけないじゃないか！前にも言った通り、僕は、あんなつり目で黄色い肌をしたジャップガールになんて、棒の先でも触れないから。可愛い僕のダーリン、これっぽっちも心配する必要なんて無いからね。空挺訓練校を卒業したら直ぐに出航するけど、愛しのハニー、どうか心配しないでくれ…毎日手紙を書くからね！」

軍隊輸送船、米艦船ブレッケンリッジが横浜港に入港した時から、僕からベッツィーへの手紙はパタと途絶えた。美人な日本の女の子たちが僕を見事に嘘つきにしてしまったんだ！

卒業
パラシュート空挺兵の信条

　僕は自分が選んだ部隊の持つ危険性を充分に承知のうえで空挺兵を志願した。意思と行動の両方において僕は米国軍唯一の志願兵部隊である空挺部隊の名声、誇り、兄弟愛を生涯かけて示していくつもりだ。

　卒業式は僕たち空兵志願兵の誰もが待ち焦がれる特別な日である。僕たちは、誰もがうらやむパラシュート空挺隊のバッジを付け、誇り高く胸を張って立つ。

　ここで一言言わせてもらおう。

　どうしても許せないのは、米国軍パラシュート部隊と名乗る資格の無い人間が、このバッチを身につけることだ。不愉快で仕方ない！

　僕たちのパラシュート空挺兵バッジは他の誰でもない、米国エリート志願空挺兵の名誉を表して第二次世界大戦よりも前に制作された歴史あるものだ！それなのに飛行機から５回ジャンプしただけの人間にはこのバッチをつける資格はない。そんな奴は米国軍空挺兵ではないからな！

　飛行機から５回ジャンプしたことがあるなぞとぬかす輩にはプラスチック製のおもちゃのバッチでも与えとけばいいさ。我々の米国パラシュート空挺部隊のバッチを身につけるなんて、もってのほかだ！真っ暗な闇夜の中を飛行機からジャンプしてはじめてエリート空挺兵の一員になる。空挺兵は重装備だ。メインパラシュート、緊急用パラシュート、トレンチショベル、弾丸ベルト、自分の武器、30口径機関銃、モータープレート、更には、落下の際に、木のてっぺんに引っかかってしまった等の緊急時のためのトレンチナイフまでが体中に重くのしかかる。この重装備で飛行機からジャンプして初めて、空挺兵と言えるのだ！

人間は弱者の助けを拒むことによって、自身の強い性質を拠り所とし、困難な状況を乗り越える達人となる。

易経

フォート・ベニングよ、さようなら。

　僕とランニングホースは米国の第二次世界大戦エリート部隊のひとつであり、きらびやかな受勲を多く受けた第11空挺師団第511パラシュート歩兵連隊への配属が決まった。

　これで僕たちも晴れて空挺兵である。僕たちはパレードに参加し、かつて恐れたタワーに別れを告げ、グライダーに別れを告げ、他の空挺師団へ配属となった友人達に別れを告げた。フォート・ベニングよ、さようなら。

　辛いのはスウォールツ軍曹との別れだ。

　軍曹と握手を交わしながら思わず目が潤みそうになった。スウォールツ軍曹が僕の腕に気づかないふりをしてくれたのが僕にとって運命の分かれ道となったのだ。時たま過酷な空挺訓練校での日々も軍曹はずっと見守ってくれ、立派な空挺兵としての自信を培わせてくれた。

　スウォールツ軍曹は僕の肩に手を置くと、心の底からの優しい言葉を掛けてくれた。「君の幸運を祈る。気高くあれ。身体に気をつけろよ。そして…　いいか、絶対に下を見ちゃいかん！」

優しい言葉は、自信を培う。優しい思考は、誠実さを培う。

プライベート・ペイン

　スウォールツ軍曹はいつまでも僕の人生の礎として記憶に刻まれることだろう。スウォールツ軍曹は真の友人だ。軍曹は僕が新たな人生の方向へと舵を切る手助けをしてくれた。米国軍に対する彼の献身と僕への思いやりにはこれからも感謝し続けていくつもりだ。この時には1948年鼠年の暑い夏の夜にまさか軍曹と再会することになろうとは、予想もしていなかった。　…それは東京の郊外で僕とパーキンス二等兵が泥酔した第1騎兵師団の4人にからまれた時のことだ。

タトゥー

　第11空挺師団へ配属が決定した兵士のなかで僕を含めた4、5人のメンバーがほぼいつも行動を共にしていた。僕たちはカリフォルニアのストックトンへ到着し、

日本へ兵士を輸送する軍隊輸送船、米艦船ブレッケンリッジの到着を待っていた。

　僕は仲間に呼びかける。

　「なあ、給料日だし、今週末はみんなでダウンタウンへ繰り出そうぜ！可愛い女の子たちを探して楽しんでこよう。俺達にはジャンプ手当があるからな！」

　掲示板に貼り出されるまで、誰一人としてK.P.のことなぞ頭を過りもしなかった。名前の由来は分からないがK.P.とはキッチンポリス（Kitchen Police）の略で、すなわち、食器、鍋、フライパンを洗う当番の事である。

　ランニングホース、フロイド・パーキンス、そして僕レイ・ペインの3人は、ラッキーだった。僕たちの名前が、K.P.当番として貼り出されていたからだ。いつもならK.P.当番はアンラッキーだが、でも今晩は違う！当番にならなかった仲間の2人はその晩ダウンタウンへ出掛け、酔った勢いでタトゥーを入れてしまったからだ。これから彼らが一生涯抱えていくことになるタトゥーを見た僕は、そうなるくらいならいつでも喜んでK.P.当番になって食器と鍋とフライパンを洗ってやろうじゃないか！と思ったものだ。

自分が欲するものを手に入れられないことは、時として思いもよらない素晴らしい幸運であることを覚えておきなさい。

ダライラマ

　どれだけ沢山のタトゥーがあるかを自慢げに見せびらかしている人達を見ると僕は彼らにこう言う。年をとったら職探しに困る人たちもいるが、タトゥーのある君たちにはそんな心配はご無用だ。君たちはいつだってサーカースの見世物ショーに出られるからね！

君は、君以外の何者でもない。

プライベート・ペイン

フロイド・H・パーキンス二等兵

　僕がパーキンス二等兵に初めて出会ったのはカリフォルニアのストックトンだった。パーキンスは第11空挺師団の志願兵だ。彼もまた僕同様に日本人の女の子が果たして本当に黄色い肌をしているのかどうか確認しなければと考えていた。パー

キンスはテキサス出身であるが、僕たちの考えることは、とても良く似ていた。もちろんそれは　…可愛い女の子の事だ！

　カウボーイ映画のイメージからテキサス人はみんな背が高いのかとずっと思っていたが、パーキンスは足こそ大きいものの背はそれほど高くない。彼いわく大きな足はダンスを踊るのに最適らしい。彼は僕が知っている中で一番陽気な人間の一人であるが、一度だけパーキンスがすごい喧嘩をしているのを見たことがある。その時はまるですっくと立ちはだかるパーキンスが10フィート（約３メートル）の巨人のように見えたことだ！

　パーキンスはベニング基地で僕よりも先にクラスを受講していたのだが、彼は暫くの間、軍刑務所に拘留されていた。Sin City（歓楽都市）の俗称で知られるフェニックス市のバーで乱闘したためである。

　パーキンスは欲しいもののためであれば喧嘩をしてでも手に入れる。彼は煙草とウィスキーとワイルドな女性には目がない！パーキンスのお気に入りの歌は、『煙草とウイスキーと、とびきりワイルドな女性』。

ワイルドな女性は
僕をクレージーにしちまう。
ワイルドな女性は
僕を狂わせる！

　陸軍がパーキンスを除隊処分にしなかったのはおそらくジャンプ訓練校に行かせたお金を無駄にしたくなかったのだろう。

　パーキンスと僕の持つ一番の共通点は人生の楽しみだ　…それはもちろん、可愛い女の子！

　模範となる二等兵がみんなそうであるように僕たちもまたどんな状況にいても、どんな場所にあってもどんな方法であっても楽しむことにかけてはとびぬけて長けていた。僕たちは程なくして第511パラシュート歩兵連隊のロゴが窮地に立たされたオオカミをイメージしたものだと知ることになったが、このロゴはパーキンスと僕をズバリ表現しているように思われた。

海で船酔い

　水兵の皆さんにちょっと言わせてくれ！僕は君たち海軍が僕を入隊させてくれなかったことに非常に感謝して、心からお礼を申し上げる！もし間違って入隊していれば、アンクル・サム（アメリカ合衆国政府）をがっかりさせるような船乗りになったことであろう。海軍は君たちに任せた！歩けるものなら水の上を歩く方がまだましだ！二度とあのデカい船に乗って、水平線と空しか見えないような海の真ん中に放り出されるのは金輪際懲り懲りだ。ひどい船酔いでへとへとだ！

　下層階では、寝台は上へ上へと積みあげた４段重ねになっていた。僕は幸運なことに一番下の段の寝台が当たった。これより一段でも上にあったら、全くもって僕にはお手上げだったであろう。出航して４日目には、少し気分も落ち着き、感謝祭の日を迎えた。陸軍は感謝祭とクリスマスには、いつも決まって僕たち二等兵に御馳走をたらふく食べさせてくれる。

　もちろんの事、海外のいたるところに船に乗せた部隊を搬送する任務を担うブレッケンリッジの乗組員も感謝祭の御馳走を大いに楽しむ。彼らは、いわゆる『海足』（船内歩行能力）を持っているそうで、船酔いしないのだ。残念ながら、僕にはその様な足など生えてこなかった。

　海の魚たちも感謝祭の夕食を楽しんだことであろう。ブリッケンリッジ号の舷側から体を乗り出して毎日のように魚に餌を撒いていたのはもちろん、海足のないこの僕である！ブリッケンリッジ号で唯一希望をくれたのは、フロイド・パーキンスが小耳に挟んだニュースを聞いた時だ。

　「俺たち、あと３時間でハワイのホノルルに着くらしいぞ！」

　待ってろよ、常夏のパラダイス！優雅な鳥の羽ばたきのように素敵に手をしならせるフラガールたち、ヤシの木、さんさんと照りつける太陽に白い砂浜と…　素敵なフラガール。パークと僕はどうしようもなく興奮していた。以前はハワイに行くことなど夢見ることしかできなかった僕たちが、もうそろそろ夢の地ハワイに到着するのだ。冒険が待ちきれない。暖かいエキゾチックな海と…　失礼、フラガールの事は前述しただろうか？

犬みたいに水をかけ
長いものには巻かれろ

暖かい晴れた日、ブリッケンリッジ号はホノルルに接岸した。この憎きボートから降りるのは間違いなく気分が良いだろう！想像しただけで嬉しくなる。カリフォルニアで船が止まった時、ある海軍の長官が言ったのを覚えている。

「諸君、ボートとは船のことだ。だから船のことをボートと呼ぶんじゃない。」

僕は思う

「どんなとんちだ！わかる人がいれば教えてくれ！」

フロイド・パーキンス、ランニングホース、ジョン・ラッセル・マクファーランドと僕は、バスに乗ってあの世界に知れ渡るワイキキビーチに向かった。アローハー！

僕たち南部の田舎育ちの少年は、歩けるようになる歳には泳ぎも出来るようになるのだが、僕たちは潮の満ち引きを知らない。潮の満ち引きは海で起きるものだ。潮が満ち潮が引く。問題は、引き潮の時には寄せる波よりも引く潮の流れの方が強いことがあるのだ。言ってることわかるだろう！

ワイキキビーチの女の子たちに、僕の巧みな水泳を見せつけるために、僕は海岸から遠く離れたところまで泳いだ。僕ほど海岸を遠く離れて泳ぐ者は誰もいなかった。サメのことなど考えてもいなかった。キングクリークでは、大きなものと言えば巨大ナマズくらいしかいない。女の子たちがこちらに向かって手を振って来ないかと心待ちにしていたが、誰も僕に手を振ってくれない。僕は思った。多分遠くまで泳ぎ過ぎて僕が見えないのだろう。空腹になってきた。そう言えば先ほど『スペンス・ウィーバーのホットドッグ』と大きく書かれた看板を見た。ホットドッグと冷え冷えのRCコーラがたまらなく恋しい。今朝ビーチに着いた時にムーンパイとRCコーラを買おうとしたがどこにも売っていなかった。ムーンパイがないなんて、一体全体ここはどこの田舎の外れだろうか？

ヌーアーリンズで海軍の人たちにも言ったように、僕は本当に泳ぎがうまい。でも僕が言っているのはミシッピの小川や池でのことだ。ここハワイに来て気づいたのだが、海での水泳は事情が違う。大体ここの水は飲めたものじゃない！僕は潮の事など何も知らなかったがここワイキキビーチの潮の流れはとても強い。沖合で泳ぎながら僕はただ女の子たちが僕に手を振ってくれるのを待っていた。

いつものように右腕で水をかいて次に左腕で水をかく。すると右腕で水をかいたところに戻っているではないか。

「なぁみんな、僕の言っていることがわかるかな？」

　僕は全くもって前進していないうえに、岸にいる女の子たちはどんどん小さくなっていく！潮に逆らってもがいていたらとても疲れてきたのでちょっと休もうと僕は犬かきを始めた。

　誰もが知っているように犬かきは南部人が学ぶ最初の泳ぎだ。泳ぎ方を教えるために兄弟やいとこたちはまだ小さい僕たちをプールに投げ入れて（北部では池と呼ぶ）、叫ぶ。

「ほら！犬みたいに水をかけ。犬みたいに！」

　ビーチの女の子たちはみるみるうちに小さくなっていく。彼女たちは僕に気づいてさえいないようだ。フレンドリーな笑顔で気さくに手を振る僕が彼女たちに見えるように、海岸にもう少し近づくことにした。

　あなたは強い潮に逆らって泳いだことはあるだろうか？　僕に常識があったおかげで、あの海では良いことを学んだ。これが後年、インドネシアのバリ島で僕の命を救うことになる。

　長いものには巻かれろ！それがまさに僕がこの強い潮に対してとった策だった。僕は潮の流れに逆らって泳ぐのを諦めた。僕は海岸線が湾曲した部分に向かって斜めの角度からゆっくりと泳いでいき、途中何度も一息つくために犬かきをした。泳ぎ始めた場所から遠く離れた岸辺の湾曲部に達した頃には、急速に引いていく潮と戦って、すっかり疲れてしまっていた。泳いで、泳いで、しばらく犬かきをして。ようやくビーチに這い上がり、うつぶせに横たわると、すぐに眠りに落ちてしまった。目が覚めると、肌は真っ赤に焼けてヒリヒリと痛むし、腹まできゅうきゅう鳴っている。先ほどの女の子たちにばったり会わないかと期待に胸を膨らませながらビーチ沿いを歩いていたが、最後に彼女たちを見た場所に着いた時には、彼女らはとっくにいなくなっているではないか！

　人生では、潮に乗るのは簡単だが、結局気づけば潮に流されてしまうものだ。優秀になりたければ、望むものを達成するために、潮の流れに抗う強さと熱望が必要である。

ウェイン・チェン

　ハワイに上陸した興奮もつかの間、二人とも財布がすっからかんになっていることに気がついた。カリフォルニアの女の子たちにそのほとんどを費やしてしまったのだ。女の子たちは全くお金が好きなものだ！

そんなバナナ！？

あの可愛いハワイの女の子が、僕に恋していると言うんだ。

　パークと僕はリバーストリートを通り、ホテルストリートの終わりまで歩く。この通りはバーとかわいい女の子たちで溢れている。地元のレストランから鼻腔をくすぐる香辛料の香りが流れて来て、僕たちを惹きつける。見つけたのは中華レストラン。ウォン・ハン・ロー（Won Huang Lo）と書かれた大きな赤いサインがかかっている。足を止めて、窓に鼻をくっつけて店内を覗き込むと、カモの丸焼き、鶏肉、ポークリブがつるしてある。竹の蒸し器でホカホカの甘い豚肉餃子が蒸されて湯気を立てている素敵な光景を見つめながら、僕たちは目を見開き、よだれを垂らす。とても羨ましかった。人々はさも美味しそうに音を立てながら、熱々の麺を２つの小さな木製の棒で食べていた。どれもとても美味そうで僕たちはとても空腹だったが、お金がないので入れない。

　パークと僕は、ぼんやりとうつろな目で、力なく頭をうなだれて背の低い壁に腰かけた。カリフォルニアの女の子にすべて使い込んだ後であったが、ハワイのかわいい女の子たちもまた、僕たちに残された少しばかりの持ち金まですっからかんになるまで使わせる方法をよく心得ていた。アローハー！

　僕はパークをちらりと見た。

　「パーク、僕お腹ペコペコだよ。幾らかでも残ってる？」

　「５セント硬貨が一枚あるよ。」

　「そうか。僕は10セント硬貨一枚だ。」

　「パーク、見て、通りの向こう！あそこに見える食料品店の前に大きな黄緑のバナナがぶら下がっているのがわかる？行って買おうよ。」

　「こんにちは、ごめんください。この大きなバナナァを買いたいのですが。」

　彼女に15セントを渡した。彼女は不思議そうな顔をしてバナナの大束を僕たちに手渡した。ミシシッピ州リー郡にはないものの一つが、その緑のバナナだ。でも、バナナはどれもバナナァのはず？

　この緑のバナナは、正直美味しいものでもなかったが、それでも腹ペコの僕たちは見事に全て平らげた！まもなく、僕はパークの声がごもり始めたことに気づいた。

　「パーク、僕マイタイなんて飲むべきじゃなかったよ。ハワイの可愛い女の子が、僕に恋していると言って、もう一杯頼むから、つい！」という僕の口もうまく動かない。

口の中がヒリヒリして渋柿を食べた時のように口がすぼまってしまう。舌もマヒしたように動いてくれない。僕はもごもごとしか言えず、言葉は正しく出てこない。僕たち二人は沈黙の中黙々と船に向かう帰路を歩いた。僕はいままでの人生で緑の料理用バナナなんて聞いたこともなかった。でも、聞いてくださいよ。今やもう僕は調理用バナナと言うものを発見し、これがいかなるものか良くわかる。僕は一人呟く。もうごめんだね、これが一生に最初で最後の料理用バナナだ！

危険を顧みない奔放さで愛と料理に挑め。

ダライ・ラマ

　その夜僕は夢を見た。僕はウォン・ハン・ロー（Won Huang Lo）亭に招待されていた。招待状には８時とある…

ウォン・ハン・ロー

箸

８時にそこで
招待状には
ウォン・ハン・ロー亭
人々のお腹を満たす場所

ああ！中国の夕食
金よりも貴重
神々のための料理
と僕は、そう聞いた

チャイナタウンに急ぐ
遅れたくない
大きな期待を胸に
甘美な食事を心に描く

かの有名なウォン・ハン・ロー停

夜の闇に明るく輝く
巨大な塔のよう
煌めくのはネオンの光
中国のどらの音
鳴り響く爆竹
夜中、鳴り響く
笑い声もあちこちに

酢豚への思い
豚の足の詰めもの
それが通りを急ぐ
僕の歩みを速める

亭主が快く招き入れる
彼に感謝し感嘆する
目の前に広がるのは僕の空腹に終止符を打つであろう沢山の食事

大きくて丸いテーブル
そこにおいてないものはない
唯一そこにないものは
見当たらないのはナイフにフォーク

驚くことには
僕の目の隅、皿の隅に
無垢な二本の棒が横たわる

不安を胸に周りを見渡すと
信じられないものを見る
誰もが小さな棒を持ち
舌鼓を打ち、食べている

誰にも負けないように
おお！そこまで難しくなさそうだ
その小さな棒をつかみ

僕の分を取ろうと手を伸ばす

慎重にそれを持ち上げる
誰も見ていないことを祈りながら
そして僕は目を付けた
小さな緑のエンドウ豆

光りを放つ刀のように
空気中に高く振り上げる
僕は接近する
自信をみなぎらせ

それは今まで見た中で
一番忌々しいもの
小さな緑のエンドウ豆
メキシコトビマメの仲間という

どれもこれも無垢で新鮮
興奮に満ちている
チャーハン、北京ダック
他にも沢山食べ物が並ぶ

事は良くならない
北京ダックを目の前に
甘美に湯気立つ食べ物が
次々と食べられ消えていく

飢えと失望
ほとんど絶望
鼻腔をくすぐるこの香りは
熱々の麺から立ち上る

熱々の旨そうな湯気を立て
こちらへ麺が運ばれる

何を、どうせ僕だって
スパゲッティは食べるのだ

つるつると光る稲妻を
箸で摘んだことはあるだろうか
この麺は触れると飛んで行った
信じられないようだが本当だ

僕はテーブルを見つめる
痛々しく眉をしかめて
敗北した兵士のように
目の前には溢れるほど沢山の食べ物

再び周りを見回すが
誰もが苦も無く舌鼓を打つ
どうしたことだ！僕はまだ手も付けていないのに！
おお、どうすれば良いのだ？

亭主は聞く
「美味しいですか？」
柔らかく感嘆の声を上げる
「ああ！とてもおいしかった。
家に持ち帰ってもいいですか？」

８時にそこで
招待状には
ウォン・ハン・ロー亭
人々のお腹を満たす場所

僕はポケットにそっと触れる
喜びで顔を輝かせ
僕とこのフォークが
憎きエンドウ豆をつかむのだ

プライベート・ペイン　1946年
戌年

二等兵は抜け目がない

　第二次世界大戦中、ブラック・ジャック・パーシング将軍が言った言葉である。
「陸軍の二等兵は良い兵士だが、非常に抜け目がなく隅に置けない連中だ。」
「このボートにはウイスキーは厳禁だ！」と船長は言う。
　海軍の憲兵が一人で、USSブリッケンリッジに乗り込むために渡り板に一列に並ぶ二等兵を検査している。憲兵は一人一人、足のふくらはぎから腰まで手で軽くたたいて禁止物の持ち込みがないか調べる。一人で検査しているので顔を上げる暇もなく、次々と列は前に進む。僕の三人前に並んでいる、第511歩兵連隊の二等兵が、タンデューラムの瓶を堂々と頭の上に掲げ持っているではないか。

知識とは羽のように軽く、どこにでも持ち運びができる秘宝。

中国の諺

「次！」
　憲兵の掛け声とともに列は前進する…。

旨いラムを知りたければ、パラシュート兵に聞くがよい。憲兵は知らないはずだ。

プライベート・ペイン

　ブラック・ジャック・パーシング将軍の言葉はやはり正しかった。二等兵は賢いだけでなく、非常に抜け目がない！この二等兵は何食わぬ顔で海軍憲兵を通過しながら、抜群のタイミングでシャツの下に秘宝を隠した。
　第11空挺師団第511パラシュート歩兵連隊は、USSブリッケンリッジにタンデューラムと呼ばれる秘宝を載せ、日本の横浜に向けて出発した。

パート2

チョコレートバー デイズ

母の愛

　USSブリッケンリッジは東京湾からゆっくりと横浜の港に近づいた。太陽が出ているにもかかわらず、12月の朝は非常に寒かった。船は桟橋と埠頭の脇を滑り抜ける。太平洋を縦断する長旅に疲れ果てた兵士たちが、一列に並び船の渡り板を降りて待ち焦がれた大地を踏む。陸軍の6輪駆動トラックが僕たち兵士を迎えに来ていた。

　僕たちはトラックの後部に乗せられ、短期滞在用の兵舎に連れて行かれた。キャンプ座間の人員補充所に向けて出発するまでの数日間、ここで衣食を共にするのだ。友人は兵舎の快適さと暖かさから離れたくないと言った。食べ物だってここにはあるじゃないかという。でも僕は違う！僕は夢に見た日本の街を探検し、人々と交流するのを心待ちにしていた。

　歩いていると、戦争の被害を受けた建物と瓦礫が至る所に見えた。戦争の傷跡が深く残るこの町で、人々は壊されてしまった家、仕事、そして生活を立て直していた。人々の顔には、戦争に奪われてしまった生活を回復するのだという悲壮な決意が現れていた。この光景に心が痛んだ。彼らの生活は戦争によって壊されてしまった。人々はかつては家や店だった所から、今や瓦礫の中に埋もれてしまった自分の所有物をゆっくりと運び出していた。

　鐘を鳴らしながら走る古い路面電車が通る。路面電車が横浜にもあるのかと驚いた。

　人々はこの路面電車に乗り降りして町を行ったり来たりしている。僕も一緒になって飛び乗った。どこに行くのかもわからなかったが、気にするものか！探検につきもののちょっとしたスリルである。路面電車の中で僕は、周りにたたずむ見慣れない異国の人々を見回した。恐れはない。

　僕は日本での勤務期間中、一度も恐れを感じたことはなかった。戦争が終わり、日本は僕の人生で一番安全な場所になった。夜遅くでも自分の背後を心配する必要もなく、安心して歩くことができる国だ。アメリカの大都市もこうであったら良いのにと願う人は後を絶たないだろう。

　ガタン、ゴトン、ガタン、ゴトンと、古い路面電車が音を立てながら走る中、僕はひしめき合う電車の中でつり革にしっかりと掴まった。開いた車窓から寒い冬の風が吹きつけていた。日本人たちは僕がまるで存在しないかのように、まっすぐ前を見つめている。

　時たま視界の端に神経質な視線を感じるが、無言で微笑みを返して伝えようとし

た。戦争は終わった。僕たちは友達だ！ 1946年か47年の冬のことだった。それは
ひどく寒い冬だった。日本の歴史の中で最も寒い冬だったはずだ。食糧、衣類、住
宅、医薬品が深刻な不足状態にあった。これも戦争の被害だ。この時代日本人はと
ても言葉では表現できないほど多くの苦しみと苦難を生きていた。

　路面電車で隣に立っていた若い日本人女性は、小さな灰色の毛布で包んだ小さな
赤ちゃんを抱きかかえていた。この小さな赤ん坊は小さな顔を真っ赤にして、息を
するのも苦しそうだった。母親が赤ん坊を一生懸命あやしても、赤ん坊は泣きじゃ
くるばかりで、喘ぐような呼吸をする。苦しそうに喘ぐこの小さな命が心配になっ
た。母親は赤ん坊の鼻を口でふさぐと鼻水を吸い出しては窓から吐き出した。そう
する母親の姿には真の愛が見て取れた。彼女はそれを繰り返して通り道を開いて、
赤ん坊が呼吸できるようにしている。

　僕は母の愛に圧倒された。この親子に深い同情を感じたと同時に、ただひたすら
赤ん坊を生かすために必死になっている母親に称賛の気持ちを感じた。

　ガタン、ゴトン、ガタン。古い路面電車は命を乗せて動き続ける…。

愛がある所に、命がある。

マハトマ・ガンジー

夢で逢わなければよかったのに

この時から数年間、ブーツを何度も脱ぐことになる。

　横浜は好奇心が掻き立てられる、未知なる世界だった。ここは今までテューペロ
のストランド劇場のニュース映画でしか見たことがなかった世界。今までミシシッ
ピの家の近辺からですら遠く離れたことのなかった僕が、今18歳の兵士としてま
るで別世界の横浜の街に立っている。街を見渡し、驚き圧倒された。

　僕は駅前で小さな群れになって体を寄せ合う寄る辺のない、困窮したホームレス
にちらと目をやる。そこに見えるのは厳しい冬の寒さから逃げるように橋の下の川
岸や小屋に沿って建てられた掘っ立て小屋の数々。大人も子供も暖を取るためにボ
ロボロの毛布にしがみつく。町中をゆっくりと歩きながら、誰かの帰るはずの家で
あっただろう爆弾により破壊された建物を信じられない思いで見つめる。

　寺院の入り口には、腕や足のない日本の兵士の集団が。化膿したままの傷口に包
帯だけ巻いて誰かが食べ物と金を恵んでくれるのを待っている者もいる。

ほんの数か月前、日本人は僕の恐ろしい敵だった。今、同じ日本人を別の目でみている。同情の目だ。戦争が彼らの家族や子供に与えた影響の大きさに気づいたのだ。

　兵士の中には、ゴミ箱の中から捨てられたアメリカのビール缶を見つけ出しては、色とりどりの川崎製ゼロ戦闘機や三菱重工製爆撃機のおもちゃを作っている者もいた。おもちゃの飛行機は巧みに細部まで作られていて、プロペラも回転する。飛行機の鼻先にはどれも引っ張って歩けるように紐が付いていた。僕は飛行機の側面と尾部にこのカラフルな刻印を見ると笑顔にならずにはいられなかった。

バドワイザービール
生命があるところにはバドシュリッツビール
あのミルウォーキーを有名にしたビール

　アメリカの兵士が吸い殻を捨てると、群がるように幼い少年たちがそれを我先につかもうとする。吸い殻であるからほとんど煙草は残っていないはずだ…　それでも少しでも吸うことができるだけで煙草は貴重だった。一日中、この少年たちは煙草の吸い殻を集めては売る。彼らは家族を養うためならば何だってする。

　寺院の入り口の近くで、若い日本人の女の子が突然目の前に現れて言った。「あなた、私の家、来る。私、あなた好き。あなた、私の家、来る。私、アメリカの兵士、好き。ママ、アメリカの兵士、好き。弟、妹、アメリカの兵士、好き。あなた来る！PX行きます！…　私、お腹空くです！」

　彼女は懇願するように微笑んで驚く僕の目を見る。彼女の声に滲む健気で柔らかい嘆願は抵抗し難かった。

　彼女の声と笑顔に魅了されながら、彼女をよく見てみると、僕が想像するに高校の制服であろうものを身に着けているのがわかった。冬の冷たい空気でバラ色に染まった頬と、黒くアーモンドの形をした美しい瞳は僕の心をつかみ、僕の中に何の拒否する理由も残すことはなかった。彼女は優しく僕の手を取ると言った。

　「来る、ください！」

　彼女は僕を小さな陸軍PXに導いた。PXの入口の近くで彼女は立ち止まると、優しく僕の手をとる。再び、美しい黒いアーモンドの形をした瞳で僕の眼を食い入るように見つめて言った。

　「小さい弟と妹、お腹空くです！」

　僕は敵に打ち負かされてしまった。

　僕たちは手をつなぎ、寺院から角を回ってPXまで歩いた。僕はこれまでで最も

愛しいと思ったドロシー・アン・ブラウン以来、僕が今まで見た中で最も美しい少女ではないかと思いながら一緒に歩く彼女を見た。ホッと喜びと安堵のため息をつく。彼女は黄色い肌をしていないじゃないか！

　僕はこの新しい友達の手を優しく握り、PXの入口の外で僕の戻りを待つ彼女を置いて店内に入った。彼女は僕が約束通りちゃんと戻って来るのを祈っていたに違いない。僕は食べ物が入った大きな紙袋を２つ抱えて戻った。彼女の瞳は感謝の気持ちでいっぱいという風にほほ笑んだ。

私たちは、大きいことはできません。小さなことを大きな愛をもって行うだけです。
マザー・テレサ

　彼女は袋の１つを持って、もう片方の手を僕の自由な手に置くと、やさしく言った。

　「あなた、私のお家、来ます。」

　彼女の手は僕を道の向こう側の駅に導いていく。彼女は２つの小さな硬貨を取り出し、２枚の切符を買うと、一緒に電車に乗った。僕は電車がどこに行くのかわからなかったが、正直気にもしなかった。僕たちは微笑み合った。僕たちはお祭りで仲良く綿菓子を分け合う子供たちのように幸せな時間を分かち合った。本当になんて素晴らしい一日だ！

　窓の外を見ると、日本人の高齢の車掌が黒い制服姿でプラットフォームに立っているのが見えた。彼は腕時計に目を落とすと、顔を上げ、電車の前方部にいる機関士に手を振って合図をすると、機械のようなタイミングで電車が出発するのと同時に出発を告げる笛を音高く鳴らした。

　長い低音の唸り声をあげながら、列車はゆっくりと駅を出ながら速度を上げ、風を切って走り出した。他の列車と行きかうと風圧でブンと音がした。僕が経験した初めて電車だった。

　「君、年は？」

　彼女は頭を少し傾けてほほ笑んだ。

　僕は自分の胸を指さして言う。

　「私、18歳。」

　彼女は反対側に頭を傾けて、再びほほ笑んだ。僕は自分の胸を指し、指で18まで数えて見せた。僕は彼女を指差して、指を数える動きをした。彼女は微笑むと、指で16を数えた。僕は言った。

　「君は16歳。」

「私、16歳！」と彼女は笑う。

　かれこれ30分はかかったであろうか、気づけば外は郊外の田舎町で、列車が減速し始めた。電車は灰色のスレート屋根が覆う木造の小さな駅で止まった。屋根の色は一面灰色の冬の景色に溶け込んでいた。

　僕たちが駅を出ると、僕の新しい友達は前方を指さした。雪で覆われた茅葺き屋根の木造の農家が見える。家は大きな柿の木の下にあった。枝の上に高く、寒い冬の空気にもめげずに、しぼんだ柿が数個ぎこちなくぶら下がっているのが見えた。

　二人とも食べ物の入った袋を抱えながら手をつなぎ、凍った水田の間を通り、家に通じる小さな道を歩いた。彼女の手の温もりから、彼女の心が喜びと幸せで満たされているのを感じた。

一つの行為によって一つの心に喜びを与えることは1000回首を垂れて祈るより尊い。

マハトマ・ガンジー

　風雨にさらされた灰色の木製のドアが開いた。中年の女性が腰を曲げてお辞儀すると、礼儀正しく微笑みながら日本語で僕に何か挨拶をした。恥ずかしがって母親の背後に隠れる小さな男の子と女の子が、僕を見て嬉しそうに無邪気な笑顔を見せる。幸いにも僕はハーシーのチョコレートバーを持っていた。

　彼女の弟と妹は、僕たちが腕に抱える食べ物の袋を見ると興奮し、母親の後ろから飛び出して来た。

　僕のこの新しい友人は愛情を込めて家族に接した。

　『心のある場所が、帰る場所』この言葉の意味を改めて実感した。

　彼女の心のある場所はこの家族であることは明らかだ。僕はこの家族のことを想った。

　笑顔とくすくす笑いに満ちた身振り手振りの自己紹介を終えると、僕の初めての日本人の友達は僕のブーツを指さし、それらを脱ぐようにジェスチャーした。日本には、家の中では靴を履かない習慣がある。僕はこの日から数年間、ブーツを何度も脱ぐことになる。

　僕たちは、夜の闇が小さな家を包み始める中、満足いくまで夕食を食べた。弟と妹は喜びでニンマリ顔で、口の周りをチョコレートで黒くしている。何日かしのぐのに十分な食料があった。この古い木造住宅は暖を取るところがなかった。ひどく寒かった。僕たちは皆、継ぎはぎの重いキルトの下で寄り添って一緒に寝た。日本人はそれを『布団』と呼ぶそうだ。母親と子どもが眠りに落ちたころ、いやもしか

したら寝ているふりをしていたのかもしれない、僕の新しい友人が手を伸ばしてきた。彼女は僕の近くにすり寄ると耳元で囁いた。

「私のこと、好き？」

僕は最近、18歳になったばかりだった。彼女は16歳。戦争で父親が失われたこの寒い冬の夜、16歳の彼女は唯一彼女の知っている方法で家族を支えていたのだ。

延々と続く夢のように、この時の貴重な思い出は僕の中に残っている。手を伸ばしても…　そこにはない数々の夜。

夢の逢ひは苦しかりけり覚きてかき探れども手にも触れねば
(夢で逢わなければよかったのに。目覚めても手にも触れられないのなら。)

大伴家持

第11空挺師団
（地獄の天使たち）

　煙突を造る方法を聞きたければ、日本人より詳しいものはいない。関東平野を突っ切りながら、空に向かって伸びた指のように、細長く黒い煙突の群れが地平線を飾るようにそびえるのが見える。工場は、米国のB-29長距離爆撃機によって完全に破壊されて跡形もないが、煙突はまるで負るものかと言わんばかりに形を保ち立っている。

　第11空挺師団パラシュート部隊は帝国ホテルに到着した。東京のど真ん中に佇まう名門ホテルだ。パラシュート隊員たちは武器を沢山詰め込んだ荷物を持ったままゾロゾロと高級ホテルに入り、チェックインを済ませる。柄が折りたたみ式になったカービン銃を持っている者もいる。カービン銃はパラシュート隊員にのみ渡された。左側にいる者は戦争特派員だ。

　部隊は次にキャンプ座間人員補充所、レポデポに到着した。陸軍部隊にいれば必ず通ることになる、入隊や退役手続き全般の窓口だ。更にキャンプ座間は日本の陸軍将校のための西の拠点だった。*僕たち二等兵は、NCO（下士官）が米国軍の大黒柱であることをよく知っている。米国軍はつまり、陸軍、海軍、海兵隊とそして…下士官で構成されているのだ。*

　東京から北に向かう軍用旅客列車は『ヤンキーフライヤー（北軍兵士列車）』と呼ばれていた。南に向かう列車は『ディクシー・レベル（南部の反逆者）』である。

これらの列車の名前を付けたのが誰にせよ、なかなかの知恵がある者に違いない…きっと陸軍上等兵だ!

　僕たちパラシュート兵の一団はヤンキーフライヤーに乗ってキャンプ座間を後にし、第511パラシュート歩兵連隊の本拠地である青森県八戸市のキャンプホーゲンに向けて北上した。僕たちの連隊の1つである第187P.I.R.と第11空挺師団本部は北海道札幌のキャンプクロフォードにあった。第188P.I.R.は、宮城県仙台市キャンプシンメルフェニヒに駐屯していた。

　第457パラシュートフィールド砲兵大隊は、山形県のキャンプベイカーを拠点としていた。僕たちの師団は本州北部と北海道を拠点とした。第11空挺師団は日本全土の40%を占めていたが、僕はそれこそが最も危険ではないかと考えていた。憤慨しているあのスターリンに僕たちの居場所を知られているということだ!スターリンは北海道を占領したいと目論んでいたが、トルーマン大統領はきっぱりと拒絶した。

　「とんでもない!」

　スターリンは日本海のすぐ向こう側に巨大な陸軍を配置している。彼の軍隊はほんの数百マイル先の中国と当然シベリアでまだ目を光らせていたが、彼には1つだけ足りないものがあった。輸送用船舶だ。

　第1騎兵師団は関東平野に駐屯していた。極上のロケーション、東京・横浜エリアだ。大きい高級ナイトクラブが立ち並び、そこではたくさんの東洋美人が、とびきりの魅力とずる賢い話述で、アメリカの軍人を楽しませたいと今か今かと待ち構える。

　降伏した日本帝国軍がUSS戦艦ミズーリにて署名して第二次世界大戦の幕が閉じた後、ジョセフ・スターリンはロシア軍に北海道占領命令を叫んでいた。第11空挺師団は北部本州及び北海道の占領の為、北上するよう命じられていた。鉄道はほとんど全て破壊されており、交通機関は不足、むしろ存在していなかったと言っても過言ではない。我らジョセフ・スウィン司令官が残りの10,000人の兵と僕たち師団に対し、日本のすべての車両を手にして北に向かうよう命じていた。

　日本人の車掌は、長い汽笛を鳴らす。ヤンキーフライヤーは数回唸り声をあげた後、黒煙の雲を空に吹き出し、古い蒸気エンジンが動き始める。この古びた汽車は戦争の生き残りである。鐘を鳴らしながらゆっくりと線路に乗って古いピストンが上がり下がりするたびに徐々にスピードを上げる。

　日本の機関士はしばしば汽笛と鐘を鳴らす。もっと蒸気を出すために、機関助手は石炭をショベルですくっては炉に投げ込む。エンジンは唸りながら煙を吐き始める。交差点の近くに来ると、機関士は鐘をカンカンと鳴らし、古い蒸気エンジンが

長い汽笛を鳴らす。

　すると誰かが線路わきの小屋から走り出て、長い竹を降ろして交通を止め、列車が動き続けるようにするのだった。ヤンキーフライヤーは第11空挺師団の北部キャンプに向かって動き続けた。列車は夜間中走り続け、僕たちは脚の間にライフルを立てて座っていた。外部からの視界を遮るために窓にはカーテンが引かれていた。

　僕たちはお昼前には八戸のキャンプホーゲンに到着した。キャンプホーゲンはフィリピン戦で死亡したオリン・D・ホーゲン大佐元連隊司令官にちなんで命名された基地である。キャンプの一部はまだ建設中であった。

　使えなくなった日本のゼロ戦闘機が、格納庫付近の滑走路の端に観賞用に並べられていた。ゼロ戦のエンジンがないのは、間違いなく日本人が自ら吹き飛ばしたからであろう。大きな日本の沿岸銃が八戸湾を見渡すように配置されているが…　それはもはや威嚇するような脅威ではなく、かつての偉大な日本の帝国軍を静かに思い出させるためのものである。

　僕はE中隊（イージーカンパニー）に配属された。第２小隊第１部隊所属の第一偵察員としての任務が始まる。第511部隊は重要な任務を与えられていた。ロシアが占領下の日本領地に手出しすらできなかったのは「ライジング・サン」日出ずる国の要所を網羅するように、基地や部隊遠征施設が巧妙に配置されていたからなのだと僕は推測する。（この当時建設された基地の多くは、その後70年以上経った今も使用されている。）

第511パラシュート歩兵連隊

　ソビエト軍は日本降伏の僅か８日前に参戦した。ロシア東部は日本の対岸にある。ソ連は北海道の北端から４つの小さな日本の島々を占領した。これらの島々は、北海道北部から遠くに見渡すことができる。ロシアはそのまま４島の占領を続け、島々を日本の統治に戻すことを拒否した。スターリンはさぞかしソビエト軍も一緒になって日本を占領出来なかったことに憤慨していただろう。スターリンとトルーマンはソビエト軍の保有する地上軍の規模を知っていた。

　確かにソビエト軍は北海道を占有するのに十分な船舶を持っていなかったが、しかしそんなこと狂気の男ジョセフ・スターリンには構わない！何をしでかすか分からないスターリンを警戒して、僕たち第11空挺師団は本州北部と北海道に駐屯した。もちろんいざとなった時は、海軍艦隊と空軍の両方が侵入を水際で阻止する。

それに備えていた。第11空挺師団がいなければ、日本の北海道の人々は今ごろロシア語を話していただろうと僕は思う。

　僕たち二等兵は仲間内で秘密を共有するネットワークを持っていて、常に一歩先を行く情報を仕入れていた。なんとこのネットワークは連隊と師団本部にまで通じている。第511部隊は他の部隊と同様、しっかりと訓練が行き渡っていた。僕たちは完全重装備での長距離進軍、永遠に続くような訓練、夜間訓練、および予行戦闘飛行に従事した。

　僕たち二等兵の朝は、朝食前の早朝約8kmのマラソンに始まる。針金のように固く細い体をした上等軍曹が速いペースで僕たちを引き連れながら、周囲に響き渡る声で地面を蹴って走る僕たちに代々引き継がれる空挺部隊の歌を歌わせた。

走れ、走れ、走れ…
走りながら、しっかり聞くんだ
俺たちはアメリカ空挺部隊…
他に何が言える？
俺たちはアメリカのパラシュート兵…
空から降りてくる
理由なんて関係ない…
ただ、成功するか死ぬかだけ
「空挺部隊！空挺部隊！」

プライベート・ペイン

　志願兵のみで構成された空挺部隊は疑いなく米国でも最高の部隊であるから、僕たちパラシュート兵もまた、最高の食べ物、特に最高のデザートを与えられていた。僕たちこそ最高の待遇に相応しい！仕切りのついた金属トレーを使って食堂で配膳を受けた。配膳係は、ミートローフ、マッシュポテト、缶詰の野菜を次々と僕たちのトレーに入れる。

　これ以上の生活はなかった！パンもあったし、アイスティーとコーヒーは飲み放題だった。僕たちはとても恵まれていることに、大抵いつも粉ミルクがあった。アイシングのかかったシートケーキが特別な日のデザートだ！ケーキは日替わりでバニラ、イチゴ、チョコレート、そしてまたバニラといった具合にアイシングの味が変わる。豊富な種類を味わえるなんて、贅沢じゃないか。

　感謝祭とクリスマスは特別な日だった。ハム、七面鳥とその詰め物、クランベ

リーソース、アップルパイ、カボチャパイ、リンゴ、オレンジ、様々なナッツ、時にはアイスクリームもあった。なんと素晴らしいご馳走！なんと素晴らしい人生！これらの休日にはミートローフはなかった。最高の生活だった。第511パラシュート歩兵連隊は最高の待遇を受け、志も高い！

全ての階級が同じ志で統一されている軍隊は、必ず勝利する。

孫子

1946年と1947年、あの寒い冬の夜、戌年の冬、もっとわたしの射撃が上手だったら、クリスマスの食卓にはローストダックがあったかもしれない。

雁の歌
そこにいるのは誰だ？

それはキャンプ・ホーゲンに到着してから間もなくのことだった。E中隊の掲示板に張り出された警備任務予定者の名簿に信じられないものを見た。なんとペイン二等兵の名前がある！

「誰、僕？」

「第511にようこそ、ペイン二等兵。私が見るに、君はキャンプ・ホーゲンでの警備勤務は初めてだろう。話し方から察するに南部の出身のようだな。」

「イエスサー、伍長、その通りです。私は南部ミシシッピ州のリー郡出身です！」僕は誇らしげに言った。

鉤鼻、ビーズのように輝く小さな丸い目、大きな口、煙草で黄ばんだ歯の伍長は皮肉な口調で言った。

「ペイン二等兵、私はヤレル伍長だ。ニューヨーク出身で、君の上司で警備を担当する。君のために特別な警備ポストを選んでやったぞ…。喜んで欲しい。そこは素敵で静かで… 人っ子一人いない！」

僕の初めての警備勤務にヤレル伍長が選んだのは、飛行場の反対側の油槽所だった。僕と油槽所まで同行したのは、無口な警備軍曹だ。ヤレル伍長が運転をしていた。僕はジープの後ろで、M1ライフルを足の間に挟んで座っていた。おどろおどろしい影を車で追い越すのを目で追いながら、ジープにしっかり掴まっておくために両手を空ける必要があったからだ。ヤレル伍長は道の凸凹をまるで狙っているか

のような運転をする。僕は彼が好きではなかったし、彼もそれを知っていた。

　凸凹を走るジープが上下揺れながら、伍長は薄ら笑いを浮かべながらバックミラー越しにこちらを見やった。

　彼はこの油槽所が、寂しく辺鄙なところにあるのを知っていて、彼は僕の顔に次第に不安が広がるのを見ては、これを楽しんでいる。間もなく目的地に着き、海の近くの燃料油槽所というのは滑走路を遥かに超えた更に向こう側の遠い場所にあるということを発見した。55ガロンの燃料が入ったドラム缶がいくつも高く積み上げられたこの燃料油槽所を、命を懸けて警護するのが僕の任務だと言う。泥棒や、この貯蔵所を爆破しようと企む者からこの燃料油槽所を守り切るのが仕事だが、もしかしたら僕自身がが爆破されるかもしれないのだ。海岸沿いの道なき道を進むにつれ、波の打ち寄せる音が聞こえて思わず　…そこにいるのは誰だ？

　ジープは突然急停止し、反動で車の外に放り出されてしまいそうになった。ヤレル伍長は、近くの大きな暗い油槽所を指さし、ほくそ笑みながら言った。

　「ペイン二等兵。さあジープから出ていいぞ。お前の任務は、この油槽所を警護することだ。戦争が終わって、日本では燃料が非常に不足している。

　泥棒は米軍基地の周辺をうろついていて、あいつらは燃料を得るためにならなんだってするような連中だ。よく見張っておくことだな。ああ、そうだ。スターリンはロシアの北海道占領を狙っているから、状況は良くないぞ。何かあったらあいつらは…　真っ先に油槽所を爆破するからな。警戒しろ、海から招かれざる客が来ないよう見張るんだ！ペイン二等兵、この油槽所は君に任せた。静かで素敵な夜を楽しむんだな！」

　そして、小ばかにしたようにニヤリと笑って付け加えた。

　「そうだ、ライフルを忘れるな…　必要になるかもしれないからな！」

　無口な軍曹が僕に暗号を教えるやいなや、ヤレル伍長は慌ててジープの向きを変えた。伍長はこの*油槽所*から一刻も早く*離れたい*と思っているのは明らかだが、むしろ怒っている僕からも*離れたい*のかもしれない。彼はジープを回すと、わざとらしく叫んだ。

　「お休み！素敵な夜を、ペイン二等兵！」

　この忌々しい北部野郎の無駄口を叩くその口に伍長の階級章を突っ込んだら、僕もお休みできるだろうさ！伍長のジープのタイヤを僕のM1で吹き飛ばすことも考えたが、それでは軍の規則に反してしまうし、隣に乗った軍曹はちょっと南部訛りがあって人が好さそうであったから止めた。

　そんなわけで僕は暗闇の中で独りきりになった。大きな油槽所で独り歩き回り、ロシア兵の幻、泥棒、そして幽霊やらに遭遇するかもしれないと想像しながらあの

伍長は僕をここに連れてきたのに違いない。僕はどんどん遠のいていくジープの
テールランプが遠くに光る微かな輝きとなり、夜の暗闇の中に消えるまで見届け
た。いくら目を凝らしても一寸先は暗闇で、何も見えなくなった。

　油槽所はサッカー場の大きさだった。僕は最初で今夜最後の見回りを開始した。
僕はドラム缶がいくつも高く積み重なっていて、不気味な影を落としているのが嫌
だった。次の曲がり角からいつ何が飛び出てくるか分からない不安に駆られなが
ら、ビクビクと辺りを偵察した。僕は油槽所の道から46メートルほど離れた道な
き道のそばに座った。簡単に目につきたくなかったからだが、結局のところもし何
かが僕に起きてしまったら、誰がこの油槽所を守る？それにこうやって油槽所から
離れた場所に入れば、油槽所全体が見渡せるし、自分を守ることもできる。この位
置からであれば、誰が来てもすぐわかるし、何かあればすぐM1で撃ち落とせる。

　大きな黒い雲が半月を覆い隠した。海岸から聞こえる波の打ち寄せる寂しい音が
余計に僕の不安をあおる。どんどん濃ゆくなる暗闇の中、僕の目はますます大きく
見開く。僕は落ち着かなく周りを見渡し自問する。

　「そこにいるのは誰だ？」

　悪夢のようだった。恐怖にかられ、念のため引き金をいつでも引けるよう構え
た。最悪の事態に備えるのだ！

理念なき行動は凶器であり、行動なき理念は無価値である

日本の諺

　雁の群れが空高く通過している。ホン、ホン、ホン！これが僕の注意を引きつけ
た。

　ホンホン鳴くものだから、抑え難い衝動に駆られてしまった。心の中のミシシッ
ピ州の田舎少年が呼び起こされた僕は、飛び上がって間髪も入れずM1から三発放っ
た。冷たく澄んだ空気を裂いて、銃声が鳴り響く。隣の国にまで響いたであろう凄
い爆音だ。まずいことになってしまった。バレてしまったら僕は地獄行きだ。伍長
はそれを見て喜んで更に地獄の火を焚くだろう。僕が鍋洗い当番をさせられたら、
あの北部野郎はもう天国にいるかのように喜ぶだろう。僕はジープのエンジン音が
近づいてくるのを待った。

　僕はミシシッピ州の田舎で銃を片手に育ったから、基本訓練ではもう名人並みの
射撃を発揮した。射撃のスキルは名人レベルなのに、僕は三発とも外したのは暗闇
で視野が妨げられたからだろうか？信じられない。雁は何もなかったかのようにホ
ンホン歌いながら飛び続けているではないか。冬の寒さから逃れようと南に飛ぶ雁

を見て、また別のことを考え始めた。もしgoose（雁）が複数形でgeeseなら、どうしてmoose（ヘラジカ）は複数形でもmeeseと呼ばれないのだろう？

　ハッと現実に戻った。伍長と軍曹に問い詰められるぞ！罰として死ぬまで基地のキッチンで鍋洗いをさせられたらどうしよう？そうだ「自分はロシア人の攻撃を受けたかと思いました！」とでも言おう。

　僕はジープのエンジン音が近づいてくるのを待った。ジープはなかなか来ない。伍長はわざとギアをローに入れてのんびりドライブでもしているのだろう。あの北部野郎は僕の警備任務を2倍にしようと企んでいるのだろう。

　ジープは朝6時になってやっと姿を現した。軍曹がジープから飛び降りて、僕の方に歩き始めた。ジープのライトがこちらに近づいてくる軍曹の背にあたり、黒く長い影を作る。緊張で鳥肌が立った。何事もなかったかのように落ち着いて振舞うんだ。

　「止まれ。誰だ、そこにいるのは。」

　「警備軍曹だ！」

　「一歩前進せよ！」

　「暗号は何だ？」

　「赤い鶏！」

　「認証のため一歩前進せよ！」

　伍長は身を守るためジープから出ないのだろう。彼は薄笑いを浮かべて座っている。いつかあの野郎の憎たらしい薄笑を喉元まで押し込んでやる！と心の中で罵った。僕は目の前に立つ軍曹に注意を戻す…　何か聞かれたらどうしよう？まずいことになったぞ。むしろ今ロシア軍が攻撃してくれれば良いのに！軍曹は聞いた。

　「警備はどうだったか？静かで何事もなかったか？」

　この言葉を聞いて、僕は安堵のため息をついた。

　「イエスサー、万事平穏で静かでした！すごく静かな夜でした！」

幸せでいるために、万事平穏であれ。

パラマンサ・ヨーガナンダ

二等兵の責任

こんな武勇伝はほかの二等兵からも聞いたことがない

真っすぐに整列する僕たちに、大尉は大声で今日の作戦を説明する。

「まずE中隊が攻撃を主導する… 我々は隊列を維持… 責任をもって標的から目を離すな！第511歩兵連隊として恥のない任務を全うするぞ！」

大尉はここで僕とパークを見やる。僕は心の中でつぶやく。

「勘弁してくれ。もう夜の演習はたくさんだ！僕たちをなんだと思っているんだ。フクロウじゃないぞ！」

寒い冬の夜だった。僕たちの息は、凍てつく冷たい空気の中で煙のように渦巻いていた。演習を開始したE中隊の僕とパークは、僕たちの責任とは任務を果たすことであり、その任務とは偵察し、敵を見つけることであると理解していた。

道に迷うのは得意中の得意だったから、パークと私はE中隊の他の隊員からもう既に遅れを取っていた。わかるよなぁ？

第511パラシュート歩兵連隊は演習中であります。E中隊第二小隊第一分隊所属のペイン二等兵第1偵察、同じくE中隊第二小隊第一分隊所属のパーキンス二等兵第2偵察は… 連隊を遠く離れて『道に迷って』いた。偵察中にパークと僕が道に迷うのは今に始まった事ではない。

隊に残り他の隊員のように攻撃を続ける代わりに、パークと僕は狭い横道にそれる… もちろん敵を探すためだ。

まるでどこにいるのか分からないといった素振りでキョロキョロと辺りを見回すと、少し向こうの谷間に輝く柔らかい灯りが見えた。泥道を降りていくと、小さな川のほとりに怪しげな小さな茅葺きの屋根の集落があった。

誰かが何か作っている怪しげな匂いが鼻腔をくすぐった。事件のにおいがする。僕たちこそが率先して調査に行かなくてはならないだろう。夜の暗闇の中で、僕たちは速やかにターゲットに接近する。事件を決定づける証拠は三味線の愉快な音色と女の子の笑い声…。僕たちの関与を必要とする、何か大事が起こっているようだ。結局のところ、わたしたちは優秀な偵察員として責任があるのだ！

「パーク、この村を偵察してみよう。もちろんこれも演習だ。僕たちは偵察員であるわけだから、偵察は僕たちの任務だ。責任を持ってしっかりとこの村を偵察しなくては。報告すべき何か重要なことがあるかもしれないからな！」

僕たちは歩みを早める。一人たりとも逃してはならないからだ。場合によっては、女の子たちを尋問せざるを得ないだろう。もし彼らが闇市場のシルクのパンティー

を穿いていたら？

「そうだ、レイ。責任をもって偵察するぞ！」

パークは目を細くして、ずる賢そうな笑みを浮かべて言う。すでにしてパークは経験豊富な偵察員だ。

さて、僕たち二等兵はチョコレートバーや煙草、またはシルクのパンティーなどの闇取引は軍の規制に反することを知っていた。良い偵察兵として、僕たちは石の壁に沿って忍び足で静かに接近した。これは正しく調査に値する… 大事件の予感がする！

「パーク、あの音楽が聞こえるか？誰かが歌っている！誰かが笑っている。一体何が起こっているんだ？あれ、もしやこの匂いは… 酒？急ぐぞ、パーク！」

炭で焼かれた焼き鳥の香ばしい香りが、甲高い三味線と笑い声と混ざり合って夜の空気を満たす。直ちに警戒解除！僕たちは足を速め、舗装されていない小道を急いだ。

「見て、パーク、そこだ。見て、証拠があるぞ。木製の建物に障子の窓だ。入口にぶら下がってるのが見えるか？小さな赤いランタンだ！見える？白塗りになって『焼き鳥 - 熱かん』って書いてあるぞ！」

パークと僕は日本語の看板を読むのが得意だった。

「ホット・サケ！」

「あの赤いランタンが証拠だ… 絶対に何かが起きている！優秀な二等兵、更に偵察員として、責任をもってこの飲み屋を調査するぞ！」

こうして僕たちはしっかりと調査し、この任務を楽しんだ。何と言っても、作戦中は士気を保たねばならないものだ。

ママさんは三味線を弾く。みんなで日本の歌を歌い、たくさんの燗酒を飲み、女の子たちとゲームをして遊んだ。僕たちは女の子たちにストリップポーカーというアメリカのゲームを教えた。エースはワイルド！尋問は夜遅くまで続いた！

尋問はこうだった。

「お酒は熱い方が好き？それとも冷やが好き？忘れないで、エースはワイルドだからね！」

翌朝、日本の日の出に苦戦させられた。朝、情け容赦なく赤い日差しが眩しく照らすなか、ペイン二等兵とパーキンス二等兵は頭を垂れ、足を引きずって、ふらふらしながら駐屯地に辿り着いた。僕たちは気を付けをしながらも、まぶたが垂れ、回らないろれつで、第一軍曹に言った。

「軍曹、私たちは間違った方向に行って偵察してしまいました。道に迷い、廃墟になった飲み屋に前哨地点を築きました。お気づきになっている酒のような匂い

は、そのためであります！」

　僕は一生懸命に直立しようとしていたが、少しぐらついてしまい、まぶたをこじ開けて、何とか愛想の良い笑顔を向けた。

　第一軍曹は僕たちが必ずしも真実を伝えていないことに気づいていた。あり得ないといった目で僕たちを見る。多分、こんな武勇伝はほかの二等兵からも聞いたことがないに違いない。

　第一軍曹は僕たちを睨む。ああ、これからずっと鍋洗い当番をさせられるのが目に見えるようだ。僕は自分が弱い立場にあることを知っていた。疲れて頭をうな垂れ、下を向いているパークをちらりと見た。

状況が好調ならば、計画を修正する必要がある。

孫子

　私は勇気を出して言った。

　「作戦は成功でした、第一軍曹殿。任務を達成しました。前哨地点を確保しました、第一軍曹殿！私、ペイン二等兵第１偵察、およびパーキンス二等兵第２偵察は責任をもって任務を遂行しました。この喜ばしい任務達成を報告します、第一軍曹殿！」

　私が直立して敬礼すると、ちょっとよろめいたが、頭を傾けて手に添え、再度気を付けの体制に体を立て直した。

　われらが第一軍曹は、目を丸くして僕の報告を聞いた。彼は目を閉じて、再び開けると、一度目を伏せてから、コーヒーをかき混ぜつ、ゆっくりと視線を上げた。彼は面白い事を聞いたという顔で私たちを見て、頭を左右に振った。天井を見上げ、また目を伏せ、追い払うように手を振って静かに「出て行け！」と言った。

　僕は思う。「彼はなんて良い第一軍曹だ。第一軍曹も自分自身がハッピーな二等兵だった頃、同じ道を歩いたのかもしれない！」

弱の強に勝ち、柔の剛に勝つは、天下知らざる莫きも、能く行なう莫し。（弱いものが強いものに勝ち、柔よく剛を制すとは世によく知られたことだが、それを行うとなると難しい。）

老子

　夕暮れから雪が降り始め、まだ降り続いている。僕の故郷ミシシッピ州北東部には雪はあまり降らないから、人生でスキーなんて見たこともない！翌朝、第一軍曹

がいつものように中隊整列の掛け声をかけた。

　陸軍がパラシュート空挺兵を北海道に送ってスキー訓練をさせようとしているなんて、誰が想像できただろうか？

スキー訓練
2月初めの寒い朝のことだった
1948年、子の年

　ある雪の日、僕たちが整列する中、大尉が言った。

　「今、我々が列車で青森港に送られるという命令を本部から受けた。青森港からは連絡船で函館港に向かう。函館からトラックで北海道のスキー訓練場に移動する。」

　大尉は続けた。

　「第9戦略隊員によると、第11空挺師団はスキーを使用した山間戦法を学ぶそうだ。」

　僕は驚きで口をあんぐり開けて、パークに囁く。

　「寒さで頭が変になっちゃったんじゃないか？それとも酒のせいか？」

　またこれも、ミシシッピ州には無いものの一つだ。パラシュート空挺部隊は飛行機から飛び降りて戦闘に入るのが仕事だ。僕は2本の棒で丘を滑り降りるために空挺団に入隊したんじゃないぞ。大体、いったん滑り降りたらどうやってまた上がって来れるというんだ？

　「パーク、このスキー訓練命令は、第9軍団の本部から来たに違いない。あの人たちはパラシュート隊員ですらないじゃないか。第9軍団将校にはあんなにメダルをあげてるのにさ、例えば善い行いを表彰するメダルとか…　でも一番重要なメダルは与えてないみたいで残念だよ。例えば常識を表彰するメダルとかさ！」

　大尉は僕がパークに囁いているのを聞いた。彼は立ち止まり僕を見やる。「ペイン二等兵！我々の新しい任務について意見があるようだな。皆の前で聞かせてもらおうか？」

　僕は口を開く前に考え込んだ。

　「いいえ、大尉。なんでもありません。」

　大尉は、僕に背を向けると新しい任務の詳細説明に戻った。僕は再びパークに囁く。

「パーク、どう思う、雪崩とか起こるのかな？　北海道の女の子ってどうなんだろう？　東北の子たちと同じくらい可愛いかな？　それか女の子自体いなかったりして？　たぶん北極熊でも凍えるような寒さだ！」

「ペイン二等兵！」

大尉に今度は怒鳴られた。

「お前がスキーの先頭だ！お喋りが好きなのと同じくらいスキーも好きかどうか、楽しみだな！」

「イエスサー！大尉殿！」

ロシアは、日本の降伏の僅か8日前に戦争に突入したことを誰もが知っている。ロシアはすぐに満州を占領し略奪すると、北海道の先端から一気に択捉島、国後島、色丹島、歯舞群島と北方領土をも占領した。ロシアはもちろん間違っても返還することはないだろう！

トルーマン大統領はロシアが日本を占領しようと目論んでいることを快く思っていない。スターリンは北海道を占領すると主張している。第11空挺師団はというと本州北部と北海道を占領している。第11空挺師団はアメリカ陸軍航空隊やアメリカ海軍の助けを借りてスターリンに対抗しているのだ。今日、北海道に住む日本人がロシア語を話していないのはアメリカ合衆国のおかげである。

その夜、パークが言った。

「レイ、第9軍団はロシアのスキー部隊から北海道を守るために、パラシュート空挺兵がスキーを装着して飛行機から飛び出すことを本気で考えているのかな？スキー板をつけたパラシュート空挺兵が空一面に舞うのが想像できるよ！空一面に散らばる箸みたいに見えるだろうさ！このスキー・パラシュートの発想はきっと、第9軍か第8軍の北部出身の将校戦略隊員が酒場で考えた作戦なんだろうよ…　僕たち二等兵に相談もしないで！」

本州北端の青森港から4時間、津軽海峡を渡って北海道の函館に着いた。津軽海峡は荒々しい。連絡船は上下に激しく揺れたし、大体僕は氷が入っていない水は嫌いだ！

僕は船乗りやスキーヤーに向いていないことは間違いないが、結局今意識も朦朧とする中この雪の山頂に立って、ロシア軍から北海道を守る準備をしている。パーキンスと僕は信じられないといったように顔を見合わせる。

「どうにかしてここから脱出しなきゃ…　ヤバいことになったぞ！」

山の頂上から下の谷を見下ろして後悔した。まるでC-47飛行機の扉に立っているような感じだった。ジャンプスクールでスウォールツ軍曹は言っていた。

「下を見るな！」

でも物事は好転する。実際なかなかに好転した！第9軍気取り屋中尉のおかげである。彼はこの華麗な『スキー出撃！』戦略に携わる者の一人に違いない。

僕は考えた。

「彼は、知ったかぶり屋の将校たちの一人だ。僕たち上等兵は、こういうタイプの人間を良く知っている。この中尉も『90日の奇跡』… つまり幹部候補生学校から出てくると同時に二等兵であった時の心を捨てたのだ。彼はフランケンシュタインのように新しくつくりだされた継ぎ接ぎだらけの将校で、正直彼もそれをちゃんと心得ている。それに彼は北部の人間だ。いるだろう、あの変な英語をしゃべる奴らだ。彼らは僕たちが南部で話すようなちゃんとした英語を話さない。全く不思議な連中だ！」

そして、ここに立つ中尉は今、勿体ぶった面持ちで如何に彼がスキーのプロであるか、僕たちが彼を真似て同じようにすればよいと宣う。

「私に任せておけ。私のやる通りにすればいいんだ。」

彼はスキーを装着したまま、列になって待機中の僕たちに近づく。彼は僕たちの方を向くと言った。「さあ、よく見てろ！」

彼は雪の中に棒を突き刺し、空中にまっすぐ飛び跳ね、くるりと方向を変えると山腹をまっすぐに降りていく。まるで地獄から放たれたコウモリのようだ。僕は言う。

「見ろよパーク、すごいな！」

正直、彼の技にすごく感動したことを認める。特に彼が雪の中の何かに思いっきりぶつかったとき。中尉は衝撃で真っすぐ空中に飛び上がり、真っ逆さまに落ちるとそのまま東西南北に雪を掻き散らしながら人間雪だるまとなって転がって行った。

中尉の声が、冷たい空気の中でこだまする。

「私に任せておけ。私のやる通りにすればいいんだ！」

僕はパーキンスを見やり、頭を振りながら小声で囁いた。

「おやおや、びっくりだ！彼のやる通りにはしたくないものだな！誰か僕たちに救いの手を差し伸べてここから脱出させてくれないかな？」

「うん、僕も人間雪だるまにはなりたくないな。」

自身で救いを見つけよ。他者に頼らずに。

ブッダ

北部人中尉がゆっくりと起き上がった。雪を振り払いスキーをその場に残すとヨ

タヨタと丘を歩いて降りるのを皆黙って見届ける。僕は斜面の裏側を見下ろすと、パークと僕の一日がここから好転する事を暗示する、良いものを発見した。スキー訓練はこれ以上どうしようもないだろう…　中尉が人間雪だるまになったばかりだから！　誰もが目を丸くして静かに事が運ぶのを見届けるのを横目に、僕はパークの袖を少し引っ張る。彼は頷き、僕たちはスキーを地面に残してそろり、そろりと後退した。途中で僕たちは向きを変え、春の雪のように溶けて見えなくなるように、山の裏側の小道を下ってそれほど遠く離れていない小さな村に向かった。村の上には信号旗のように小さな白い雲が浮かんでいた。まるで僕たちを呼んでいるように見える。おいで、おいでよ！

僕は耳がすっぽり隠れるまで深く帽子を被って言った。

「パーク、来いよ。きっと村に飲み屋があるはずだ。日本では村に必ず１つはあるからな！」

仏様は慈悲深い！

君たちもわかるように、パークと僕はどこからでも日本酒を嗅ぎつけるすごい嗅覚を持っている。飲み屋は僕たちの専門分野だ。でもスキーは違う。僕たちはすぐにおなじみの赤提灯を見つけ、手招きしているかのようなその村の飲み屋に吸い込まれるように入っていった。

飲み屋の木製の扉を開き、僕たちが日本語で挨拶すると、何とそこのママさんはうれしそうに完璧な英語で言った。

「ハウヨママネム？」

僕はこっそりとパークを見て言った。

「聞いたか、パーク。どうやらこの酒場に来る南部人は、僕たちが初めてじゃないようだぞ。」

可愛い北海道の女の子たちが僕たちを奥の間に連れて行き、隣に座ってくれて、山の寒さなど一瞬で吹き飛んだ。ママさんは、ギョーザと呼ばれる揚げ物を作ってくれた。ママさんの場所は暖かく居心地がよかったし外は寒くて雪が降っていたので、その日は一夜を酒場で過ごすことに決めた。覚えてる？エースはワイルド！

われらが第一軍曹、サマーフィールド軍曹も、南部ウェストバージニア州の山の生まれだ。僕は彼も酒好きだと知っている。しかし、おそらく彼は、酒も時と場合によると思っているのだろう。今回は、あの言い訳が通じないだろう…　僕たちは道に迷ってしまいました！

時々、軍曹たちは僕たち二等兵を理解しようとしない。彼ら自身も一度は二等兵だったというのに、なぜこうなのか不思議だ。ハッピーな二等兵時代を経験したことのない将校たちとは違うはずなのに。

他の誰よりも、サマーフィールド第一軍曹は我々二等兵を理解するべきだ。僕たちは道に迷い、凍えそうに寒かったのだ。良い兵士が雪山で気を張っていられる為には、たくさんお酒を飲んで体を暖かく保ち…　生きていられるようにしないと！

　鍋洗い当番をさせられた翌日、僕たちは再びスキー場に戻らされた。サマーフィールド第一軍曹は、私たちの小隊を管轄するクラッケンブッシュ軍曹に言った。「ペインとパーキンスから目を離すな！あいつらがあんな顔をしているときは大体何か企んでいるからな！寒い日だから、暖かくなるものを探しに、また姿を消すかもしれない。あいつら時々、これを言い訳の一つとして使うんだ！」

　その寒いスキー場で、僕は『TPP』（Three Point Payne：スリー・ポイント・ペイン）というあだ名がついた。

　「あれを見ろ！足２つとお尻１つで山を滑る。それゆけ！スリー・ポイント・ペイン！」

　第９軍団の戦略隊員たちは、パラシュート部隊とスキー部隊というのは２つの異なる生き物であることをじきに認識した。僕たちの父親たちが言ったように「魚を水から取り出しても、飛ぶようにすることはできない。」

　さて、物事が難しくなると、つまり本当に辛くなると、僕はいつもこれもいつか過ぎ去るということを思い出す。そしてそれは本当に過ぎ去った！

　僕は最後にゆっくりと山を眺め、スキーを山に残し、山に背を向けた。僕たちは家に帰るんだ。スキーなど無い快適なキャンプ・ホーゲンに！

世界はいずれ正しく収まる。時間をかけて眺めれば、心は休まる。

林語堂

　その山で危うく凍え死ぬ目にあったから、僕はもうスキーを見るのでさえ懲り懲りだが、パークも僕もその小さな村は好きだった。私たちは女将さんの揚げ餃子、熱燗のお酒などを楽しんだし、なによりも北海道の可愛い女の子たちが好きだった！

　ありがとう、仏様！

　スキーは僕には合わなかったが、僕は田舎での長い行軍の際に重宝された。部隊指揮官が道に迷い、地元の日本人に道順を尋ねる時、彼は誰を呼べばよいかちゃんと分かっているようだった。部隊指揮官はすぐに伝令を飛ばしてペイン二等兵を呼んでこさせた。

　将校が道に迷うのは何も珍しいことではない。将校とその妻たちはまずキャンプ・ホーゲンから一歩も外に出ないから。一方僕たち二等兵は、トランプを片手に

異文化を学びに基地の外に出かけては周囲の村を探検して歩いた。だから僕は基地の近辺はよく知っていて、日本語を学んだことも報われたようであった。僕はただの二等兵かもしれないが、いまや僕は重要な二等兵だ！

兵士としての資質

「ハップ、ツー、スリー、フォー！」

中隊で退屈することは決してない。早朝の起床の合図、兵舎前で整列、8kmを走破、今日は三沢で降下訓練、帰りは鉄道線路の上を32km行進。

「ハップ、ツー、スリー、フォー… 塹壕を掘れ！」

突然停止して、大尉が列の後方まで伝令を飛ばす。

「ペイン二等兵をここに連れて来い。」

僕は矢のごとく列の一番先頭に飛んで行った。

「ペイン二等兵、この日本人にクライシはどこか聞け。」

僕の日本語の日常会話レベルはかなり高い。僕は八戸の町と、夜の睦言で日本語を身に着けた。日本語が話せたことで二等兵に箔がついた感じで気分がよかった。何と言っても、鍋を洗うことだけが人生じゃないのだから！僕が言っていること、二等兵ならわかるだろう。

将校たちは長い行進に備えて、余分な靴下、救急箱、その他の基本的なものを二等兵は運ぶべきだと言っていたが、僕にとって、降下訓練や長い行進の大変さを慰めてくれたのは、友人たちや僕自身がリュックサックに詰め込んでおく、RCコーラの瓶、チーズとクラッカー、そしてムーンパイだった。ブラック・ジャック・パーシング将軍が私たち二等兵について言ったことを覚えているかい！

僕たち部隊の将校たちはよく訓練されていた。将校として当然のことだったが、彼らは軍の規制に厳密に従った。決して列を乱さない。彼らは僕たち二等兵と同じような楽しみはないが、それは将校であるから仕方がない。将校たちはCレーション（個人用戦闘糧食）だけを食べる。基地に戻る行進で、僕たち二等兵はリュックサックにCレーションも入れているが、その他にもご馳走がある。

ほとんどの兵士はCレーションを好まない。僕はそれまでの人生をほとんど空腹で過ごしたので、真空パックになった戦闘糧食はなかなかに良質だと思う。小さな缶詰の肉、豆が少し、クラッカー、小さなハーシーチョコバー（僕が最も好きなもの）、粉末コーヒーと4本の煙草が入った小さなパック。僕は煙草を吸わないので、

煙草中毒の北部人と煙草を交換して、もう1つのハーシーチョコバーを手に入れた。こんなに贅沢をして、なんて僕は幸せな兵士だ！

兵士として資質があるかどうかで、この世界のすべての人を判断してはならない。そうでなければ文明はありえないはずだ。

陸軍元帥　エルヴィン・ロンメル

　この厳しい訓練、模擬戦闘降下、夜間行進にもかかわらず、信じられるだろうか？　第511パラシュート歩兵連隊は実は、連隊再入隊率と兵籍延長率においては、米国軍の他のどの師団よりも高い数字を誇っていた…。

刺激の源

1947年秋、亥年

　僕たちの部隊、第511のパラシュート歩兵連隊は、どの部隊よりも高い入隊率を誇っていた。スターズ＆ストライプス紙（星条旗新聞）の記者たちはその理由を知りたがり、遥々、東京から八戸まで列車に乗り、僻地のパラシュート部隊の連隊になぜこのような再入隊記録があるのかを調べるためにやってきた。

　基地を見学した後、彼らは調査で良く訓練された非常に誇り高き精鋭パラシュート部隊を発見した。第511パラシュート歩兵連隊は、その高い士気で連隊全体に広く刺激を与えていた。更に第511パラシュート歩兵連隊は、米軍一の…　いや世界記録並みのチョコレート消費量を記録していたが、これが源となってエネルギーと刺激を得ているのだろうか？　実はその答えを知るのは1人の二等兵だが、彼は教えないだろう！

　加えて、東北の美しい日本人の女の子たちとの文化交流や友好的な刺激を得ていることが、再入隊を促していると言えるだろうか？　星条旗新聞の記者たちは、町の女の子たちにインタビューした。彼女たちは口をそろえて答える…　「エースはワイルド！」

　本州北部の東北地方の日本人の女の子たちは、健康的で柔らかい真っ黒の髪をしている。きっと海草をたくさん食べるからに間違いない。彼女らは好奇心をそそり、誘い込むようなアーモンド形の目、春に咲く山形のリンゴの花のような唇、触れる人に刺激を与える、牛乳のように柔らかく白い肌を持っていた。僕はいつまで

も東北の美しい女の子たちをよく覚えているだろう。また僕はいつまでも第511パラシュート部隊に誇りを持ち続けるだろう。今日も誇りを持って第11空挺師団のピンバッジを身に着けている。

刺激は刺激をもたらす。それは触れるものすべてにそれ自身を与える。

パラマンサ・ヨーガナンダ

　僕たちは気さくな自信に満ちたパラシュート部隊だ。空挺兵である事、空挺兵としての任務を愛し、誇りに思う。時にはそれが非常に困難なこともある。しかし、僕たちの士気、遊び心、友情はお互いに刺激を与え、お互いを強くする。そのすべてと、そしてもちろん東北のかわいい女の子たちが、僕たちの部隊が米国軍のどの師団よりも高い入隊率を保持する理由なのだ。
　数か月後、模擬戦闘降下訓練で僕は約1200フィートを飛行していた。ひどく寒くて風が強く、そのうえ雪が降っていた。今日は私たちが矢本に降下する日だ。私は考えた。
　「こんな空挺部隊に志願するなんて、僕はちょっと頭がおかしかったに違いない。」

ヤモトでの降下
1947年1月

　C-46は、空中を飛び回っている。まるでグレイス叔母さんの小さな赤牛のフェルディナンドのように、空を上へ下へと跳びまわっている。僕は早くここから飛び出てしまいたいと今か今かと降りる瞬間を待っている！最初の偵察兵として、僕は二番目にドアの外に舞った。完全武装で、僕は叫びながら寒い冬の風の中に舞う。
　「1000、…2000、…3000。」
　パラシュートが開いたショックで大きく震えた。今日はジャンプ手当を稼ぐぞ…死傷者は多いだろう。
　僕たちは体中に武器を身にまとう。本パラシュート、予備パラシュート、いっぱいに詰められたフィールドパックを背負った完全武装だ。身にまとった武器で飛び降りるだけでなく、.30口径の機関銃のバレルを担いでいる者、複数の弾薬ベルトやモルタルのベースプレートを持って飛び降りる者もいる。僕たちは、トレンチ

ナイフを脚に縛って携帯していた。確かに、接近戦で使用するためのものでもあるが、大抵の場合、着陸時木やその他の障害物に引っかかった場合にそのナイフを用いてシュラウドライン（装着帯をパラシュートのひさしから吊るしているひも）を切って脱却するために用いられる。

　僕は落下の方向を制御するために風を逃がそうとしているが、強い風が僕のパラシュートを乱暴に押してくる。DZ（ドロップゾーン）降下地帯を逃してはならない。今日は、完全武装をして氷のように冷たい水に入るのには良い日とは言えない。僕は顔に冷たい空気が刺さるのを感じた。地面には雪が積もっていた。これでもかと追い打ちをかけるように、北東からの強い地上風が吹いてきて、僕のシュートを出来の悪い着陸に追いやる。

　僕のパラシュートは風の強い力のために制御が難しかった。下降する他のパラシュート兵たちを見ると、ヘルメットや装備が空から落ちるのが見えた。最後の揺れでぐらついて、僕は矢本飛行場の滑走路に強く打ちつけられた。地上の風に引きずられながら、僕はライザーを強く引っ張って風を逃し、パラシュートをしぼませた。落下の際に頭を滑走路に激しく打ち付けたが、スチールのヘルメットのおかげで口の中が切れて傷から血が出ただけで済んだ。

　でも僕の左の股関節に激痛が走った。どうにかドロップゾーンに着地できたのが幸いだ。この厳しい冬の日に、僕たち全員がドロップゾーンに入ったわけではなかった。僕たちは広く散在していた。何人かは水路に落ち、何人かは近くの村の屋根の上に着陸し、何人かは不幸にも木々に吊るされていた。

　その日、小さなL-5単発飛行機がひっきりなしに矢本飛行場と仙台の陸軍病院との間を行き来して負傷したパラシュート兵を運んでいた。

　僕は担架に載せられ、それらの小さな飛行機の1つでキャンプ・シンメルフェニンの病院に運ばれた。僕の左脚は股関節脱臼を起こして少し外に引き出されていた。病院で治療を受けて、今はよくなっている。

　仲間のランニングホースは足首を負傷したが、それは治りつつある。僕たちの大尉は背中を負傷していた。これを聞いて気の毒に思った。僕は矢本の後に彼がどうなったかは知らない。大尉はルソン島の侵略に参加し、第511部隊のホーゲン大佐のもとで勤務した。彼はいい大尉だった。

　矢本でのその日は恐怖の一日だったが、ランニングホースと僕は逃げることを知らない。僕たちは第11空挺部隊だから！

ヘブンから降りる、イレブンだ
そして、下に戦うべき地獄がある

叫べ。ジェロニモ！　ジェロニモ！
シルクを引いて…キャノピーを確認しろ
そして周りを見るんだ
空いっぱいの空挺兵
地上での戦いに備え
レイテとルソンで殺された
天使の一員に加わるまで
叫べ。ジェロニモ！　ジェロニモ！
それは栄光へ続く残酷な道
でも準備はできている
さあ行くぞ！
叫べ。ジェロニモ！　ジェロニモ！

LTCバイロン・ページ

逃避、制御、抑圧、抵抗より、必要なのは恐怖への理解だ。それを見て、それについて学び、直接それに関わることを意味する。人は恐怖から逃れる方法を探すのではなく、恐怖を理解するべきだ。

ジドゥ・クリスナトゥート

第511部隊のパレード進行

ダグラス・マッカーサー元帥

　キャンプ・ホーゲンでの土曜日の朝。第511部隊は華々しくパレードをしている。第511部隊は壮大な光景を演出している。
　観閲台のコクラン大佐が叫ぶ。
「連隊！」
　大隊の指揮官たちが叫ぶ。
「大隊！」
　中隊の司令官たちが叫ぶ。
「中隊！」
　行進の命令が出た。僕たちの連隊バンドが心躍らせる音楽を演奏し、僕たちは行

進する。部隊旗を高く掲げて、次々と部隊が通過していく。僕たちは誇らしげに閲兵を通過する。第511連隊のパレード行進だ！僕たちはパレード場に完璧な隊列を組んで広がり、誇り高く観閲台前を通過する。僕たちはパラシュート空挺兵だ！

　マッカーサー元帥は、毎年夏に東京で軍隊記念日パレードを催す。第11空挺師団の構成員は常に最高の栄誉を授与される。パリッとした格好のいい軍服、輝くばかりに磨かれたジャンプブーツを履き、一糸乱れぬ機械のように整然とした足並みで行進する。僕たち空挺部隊の空挺兵の誇りは、常に高みを目指して共に努力することから生まれる。第511部隊は、僕たちが忠誠心や、誇りや友情を通じて培ってきた固い仲間意識を持つが、これは、エリート兵の部隊によく見られる感情であり、僕たちがいつまでも忘れずに心の中に抱き続けるものだった。

　パークと僕は軍隊記念日パレードのために東京にいる。

　「おい、パーク！総司令部のマッカーサー元帥に敬礼しに行こう。ここから遠くない。」

　パークは笑って言った。

　「彼が僕たちを覚えてくれて、僕たちを上等兵にしてくれると思うかい？」

　五つ星元帥、ダグラス・マッカーサー将軍に敬意を表することは光栄なことだ。

　陸軍の曹長が運転手を務める黒いキャデラックが、正確に午後6時に第一生命ビルのマッカーサー元帥の連合国軍最高司令官総司令部（GHQ）の前に乗り付ける。背が高く、堂々たるマッカーサー元帥が建物を出てくる。パークと私は、偉大な元帥に敬意を表そうと集まった者たちの中にいた。僕たちは背筋を伸ばして立ち、彼が建物から出て来ると、誇らしげに彼に敬礼した。彼は僕たちを見て立ち止まり、車に乗り込む前に、返礼してくれた。曹長が直立して元帥に敬礼し、キャデラックの後部ドアを開けた。マッカーサー元帥と彼の補佐官が車に乗りこむ。曹長が、キャデラックの後部ドアを閉める。エレガントな黒い車は、武装した護衛兵なしにゆっくりと車の流れに交じり、元帥をアメリカ大使館の自宅まで送った。何年も後になってから、僕は思ったものだ。

　「あんなこと、イラクやアフガニスタンでは言語道断だ！」

　マッカーサー元帥が日本に到着した時には、第11空挺師団のパラシュート部隊が横浜の第一ホテルの臨時総司令部へと護衛した。

　今日でも東京都千代田区有楽町の旧第一生命ビル（DNタワー21）に、現在でもマッカーサー総司令官室が当時そのままの状態で保存されている。

　いま一度、僕はこの際、ここで言っておきたい。間違いのないように。第11空挺師団の戦闘部隊の構成員とマッカーサー元帥の総司令部の通信部の構成員こそ

が、厚木空港に着陸して日本に到着した最初の部隊なのだ。これは史実として記録されている。

おとぎ話

自らの部隊が日本を占領した最初の部隊であった、というおとぎ話を語り継いでいる者達がいる。

酉年

　1945年8月。米国陸軍と海兵隊員たちは、東京湾に停泊中の船の中で陸に上がる指令を待っていた。彼らは、自分たちが日本に初めて入ったアメリカ軍だと、おとぎ話のように想像たくましく語るが、実はそうではなかった。

　間違った情報を伝えた人々は多くいたが、まず1つのグループは第4海兵隊だった。彼らは自分たちのことを『見事なろくでなし』と呼んだ。さて、勇ましい第4海兵隊には誇るべきことは沢山あるだろうが、君たちが日本に初めて入ったわけではないのだから、他の者のフリをすることはないのだ。

白ガチョウは、白くなるために入浴する必要はない。必死に変わろうとせずに、ただ、自分らしくすればよいのだ。

老子

　おそらく、船に乗って湾内に留っている第4海兵隊の事務官あたりが手紙にこう書いたのに違いない。

　「ママ、ママ、僕たちが日本に入る最初の軍隊だよ。」

　船上の他の第4海兵隊員もそれを見てその気になって家に書き送る。

　「ママ、ママ、僕たちが日本に最初に駐留する軍隊だよ！ジョーがそう言ってたんだ！」

　このおとぎ話は海兵隊で語り継がれていた。第4海兵隊員たちはこのおとぎ話を自慢げにあちこちに書き、語り続けて止まない。あまりに幾度も繰り返すので、彼らは今やこの大きなほら話を自分自身でも信じ始めて、息子たちや、娘たち、孫たちや親戚にも、そして耳を傾けてくれるなら庭の木にでも、このおとぎ話を繰り返し語る。

愚かな人は、見えるものを否定し、考えていることは否定しない。賢明な人は、考えていることを否定し、見えるものは否定しない。

黄檗希運

しかし、第4海兵隊の皆さんは、そのおとぎ話についてはあまり心配しないで大丈夫。私が先ほど言ったように、あなた方だけではないのだから。あなた方と同じように勘違いしている人たちが他にもいるのだ。

陸軍部隊の中にも、同じような、そこそこありそうなシナリオを書いた者たちがいる。これも彼らの息子たちや娘たち、そして耳を傾けてくれるなら庭の木にでも繰り返し語られている。偽者たちよ。項垂れることなどない。私が言ったとおり、あなた方には誇るべきことがたくさんある。あなた方のおとぎ話は、おやすみ前の話にはうってつけに違いない。ヘンゼルとグレーテルのお話や、白雪姫と七人の小人のお話のように！さて、第4海兵隊の『見事なろくでなし』の皆さんもお休みなさい、良い夢を。ただ、これだけは覚えておいてほしい。あなた方が安全に着陸できるように道を開いたのは、第11空挺師団だったということを。

素敵な夜を… お休み！ ジェロニモ！

コパカバーナ

私にお酒買って？

従業員は彼女をママコパと呼ぶ。アメリカ人は彼女を『ドラゴンレディー』と呼ぶ。彼女は東京のナイトクラブの女王だ！毎晩、彼女はクラブを見回って、女の子たちに、お酒をどんどん売って熱心なお客達からお金を稼げるように、商売上の駆け引きを教えているのだ。彼女は長くて黒いシルクのチャイナドレスを着て、魅惑的な笑顔で彼女の顧客を迎える。彼女の右の胸の上にある白い刺繍は、帝国のドラゴンだ。

彼女が優雅にテーブルからテーブルへ歩くたびに、ドレスの脇の長く開いたスリットの隙間から、新雪のように白い彼女の美しい足が、足首から太ももまで見え隠れして、しなやかな動きに神秘的なオーラを醸し出す。彼女がテーブルを渡り歩く姿は、妖艶で、挑発的だ。多くの崇拝者は目が離せない。

大聖堂に模せられたドーム型の天井は、コパカバーナに神聖な趣を加えている。天井の中央からぶら下がっているのは、ゆっくりと回転する大きなディスコボール

で、色とりどりのガラスチップが散りばめられている。回転すると下のダンスフロアは虹色に輝く。ビッグ・バンド・オーケストラは黒のタキシードを着て正装している。男性ボーカリストはホウギィ・カーマイケルの『スターダスト』をささやくように優しく歌う。

そして今、紫に染まる黄昏が
この胸に広がる草原を覆う
空の頂に、小さな星が昇ると
君と別れたことを、いつも思い出す

君は小路を彷徨い、遠くに去ってしまった
朽ちることのない歌を残して
愛は今や過ぎし日の星屑
もう過去となった年月の調べ

時折考えるんだ　独りで夜を過ごしていると
ある歌が心に浮かぶのは何でだろうって
夢見るときに、その調べが流れると
再び君が傍にいてくれるんだ
あの恋がまだ鮮やかで
くちづけを交わすたび、すべてが輝いていた頃のように
でも、それは遠い昔のこと
もう僕を慰めてくれるものは
星屑のような歌の中にしかない

星たちが瞬く頃
庭の壁際で
君は、この腕の中にいてくれる
小夜啼鳥が語るは　薔薇の花萌える
あの楽園の物語
この夢はとても虚しいけれど
でも、いつまでも心に残るだろう
星屑の調べが
繰り返される、あの恋の記憶が

ママコパのもとには多くの女の子たちが、それも本当に綺麗な子たちが、アメリカ軍の富を分かち合うために日本全土からやって来ていた。

　遥々、琉球列島の沖縄からやってきた女の子たちが最も美しかった。大きな美しい目、金色に日焼けした肌。お互い同士では、他の県の女の子たちが知らない言語で話をしているのがよく見受けられた。

　毎晩、コパカバーナのテーブルは悦楽とロマンスを探す裕福な顧客で溢れていた。コパの美しい女の子たちも同様、悦楽とロマンスを求めていた…　そして富を。彼女たちは笑顔でからかうように言う。

　「私にお酒買って？」

　パークと僕がサンシャインホテルから出ようとしていたとき、僕は彼にこう言って驚かせた。

　「なあ、パーク、今夜は大パーティーだ。あの世界に名高いコパカバーナクラブに行くぞ！」

　パークは、目を大きく見開き、ショックを受けた表情で呟いた。

　「おまえ、頭がおかしくなったのか？コパカバーナは超高級ナイトクラブだぞ。将校や政府高官のような裕福で余裕がある人間だけが、コパカバーナに行くんだ。」

　「大丈夫さ。パーク、僕たちは給料をもらったばかりだよ。僕たちにはたくさんのお金がある。パラシュート降下手当ももらったし、今ならちょっとしたお金持ちじゃないか！パーク、僕たち今は将校やお金持ちの政府高官みたいに金持ちだ。さあ、パーク！タクシーをつかまえて、コパカバーナに行こうぜ！」

　赤坂のコパカバーナには美しいホステスがたくさんいて、彼女たちは一晩で平均的な日本人がひと月に得るよりも多くの金を稼いでいた。

　コパカバーナに着くと、僕たちは一緒に座ってくれる最も可愛い女の子を２人選んだ…　それとも、女の子たちが僕たちを選んだというべきか？

　「こんにちは、兵隊さん。あなたたちはパラシュート兵だと思うんだけど。お給料もらったばかりよね！」

　「その通りさ、美人さん。たっぷり払ってもらったさ！僕たちはお金はいっぱい持っているよ。パラシュート降下手当ももらったし。パーク、そうだよな？」

　私は億万長者の笑顔で言った。

　「美人さんたち、何か飲みたい？」

　これは銀行強盗にお金がほしいかと質問するようなものだ。

　一方の女の子の左の胸の上には、コブラの刺青があった。それはとぐろを巻いていて今にもかみつきそうなコブラだ。彼女は『アンテシペイション（予期）』という高価なハウス・カクテルを注文した。えくぼがあり、不思議な魅力のある目をし

た女の子は、『ゴールド・マイン（金鉱）』というハウス・カクテルを注文した。
「それをダブルにして！」
彼女が言う。
「パーク、彼女たちは特別なカクテルが大好きみたいだけど、全く酔っぱらってる様子がないな？でも、もっとたくさん飲み物を買ったら、酔っちゃうかもな。」
女の子たちはパークと私が人数分の飲み物を買うごとに、どんどん嬉しそうに機嫌がよくなった！　僕たちはとても幸運だ。彼女たちはコパカバーナで最も高価なハウスサケを親切にも紹介してくれたのだ…　その名もカミカゼ。
私たちの幸運を祝って、パークと私はお互いに乾杯した。その晩、私たちはバンドと一緒に歌いながら、素敵な時間を過ごした。笑ったり、口笛を吹いたり、バンドのドラムに合わせて酒瓶を打ち鳴らしたり、幸せな二人の二等兵だった。将校と政府高官たちは、羨望のまなざしで僕たちを見ていた。彼らは私たち二等兵が羨ましいに違いない…　二等兵は楽しみ方を知っているからね！
パークはジルバを踊るのが本当に上手だ。カッコよくパークはダンスフロア中を踊りまわった！
ダンス！ダンス！ダンス！
「なあ、パーク。女の子たちは僕のロマンチックなゆっくりとしたダンスのステップに感動していると思うぞ。覚えてる？八戸で君に教えてもらった踊り方だ。トラックを運転する時のシフトギアの入れ方と同じ要領だな！コパカバーナにいる、かっこ悪い高官たちはこんなダンスできないに決まってるさ！彼らは今夜、女の子たちと僕たちのすばらしいダンスに、間違いなく嫉妬しているぜ。」

踊る阿呆に、見る阿呆、同じ阿呆なら踊らにゃ損々

阿波踊り

「パラシュート兵はとってもハンサム。あなたたちが大好き。」
近くに抱き寄せて、頬と頬をすり寄せ、ジャスミンの香りでパークと私の心を舞い上がらせ、彼女らは、私たちの目を見つめて言う。
「出会えた幸運を祝うために、アンテシペイションとゴールドマインのダブルを、あと二杯注文しましょ。もちろん素晴らしいカミカゼゴールドラベルのボトルも一本注文しましょ。」
そしてバンドは演奏し続ける。
コブラの刺青をした女の子が言った。
「12時にクラブが閉まった後に、私達が何をしようとしているのか、聞いたら

びっくりしちゃうわよ。外で会いましょ。脇の細い道、小さなドアの前でね。」

　女の子たちが一体全体何を企んでいるのか、私たちは大いに想像力を働かせた。舌なめずりをして、心臓をバクバクいわせながら体を寄せて、彼女の耳元で囁いた。

　「僕は君だけのものだから何も心配しなくていいさ…　時間通りに待っているよ！」

　「パーク、僕たちすっからかんだよ。」

　「すっからかんだということ、女の子達は知ってるかな？」

　とパークは回らない舌で言う。

　出口にふらふらしながら向かうと、私はげっぷしてこう言った。

　「お金なんて問題じゃない。女の子たちは僕たちが好きなんだから。僕たちが飲み物を注文するたびに、そう言ってたじゃないか！」

　パークと私はコパカバーナの正面玄関をよろめきながら出ると、玄関で待っていた２人の陸軍将校に出くわした。彼らは、何かを面白がっている表情を浮かべ、私たちのことをニヤニヤ笑っていた。何かを知っているかのように…　私たち二等兵が知らないことを。

　僕はパークに囁いた。

　「僕はあの将校たちに邪魔されたくないな。彼らは一体誰を待っているんだ？彼らも僕らが手に入れようとしているものを聞いたら、羨ましいと思うに違いないだろうな。」

　パークと僕は脇の細い道に急いだ。私たちはドアの脇にぴったり時間通りにいた…　深夜12時。鼓動が高まった。待ち遠しかった。私は胸にコブラのタトゥーをした女の子が他にもタトゥーをしているのだろうかと想像を膨らましていた。

　外は凍るように寒く、次第に雪が降り始めた。私たちは少しでも体を温めようと飛び跳ねたり、腕を振ったり、足踏みをしたりしていた。

　「今、12時半だよ、パーク。彼女たちは少し遅れているのかな。」

　「大丈夫さ、彼女たちを待とう。日本の女の子は決して時間通りには来ないんだ。彼女たちは僕たちを気に入っていたみたいだし、僕たちの歌い方もダンスも大好きだし、ドラマーに合わせてリズムを取っていたのも気に入ってたじゃないか！だからこそ、彼女たちは僕たちにたくさんの飲み物を買わせてくれたのさ。」

　「確かに君の言うとおりだ、パーク。僕たち二人は何て幸せな二等兵なんだ！」

　「レイ、もう１時も過ぎたよ！女の子たち約束を忘れてしまったんじゃないか？」

日本人の可愛い女の子や金持ちの陸軍将校の方が、貧しい二等兵よりも抜け目がないことがある！

プライベート・ペイン

翌日、パークは僕に言った。

「聞いて、女の子たちがみんな僕のジルバに夢中になる素晴らしいクラブを知っているぜ。僕みたいに上手なジルバは見たことがないって言われたんだ。彼女たちには僕が一番だってわかるんだ！クラブの誰も僕のようにジルバを踊れないって…女の子がみんな口をそろえて言うんだぜ。

僕が女の子たちをくるくる回らせたり、ひょいと頭の上に抱き上げて投げ上げると、とってもスリルがあるって言ってたよ。ほとんど失敗しないんだ！さあ、レイ、まだ早い時間だ… パーリーゲイツ（真珠の門）に行こう。銀座からたったの２ブロックしか離れていないよ。」

ひどい夜

パーリーゲイツ（真珠の門）は開いている

早い時刻に到着した僕たちはパークのお気に入りのテーブルにエスコートされた。ダンスフロアの隣だ。賢い女の子たちは、私たちがパラシュート兵であることを見抜き、僕たちのテーブルに集まって来た。彼女たちは、陸軍のパラシュート空挺部隊二等兵が他の二等兵に比べ、倍のお金を稼ぐことを知っている。また女の子たちは、パラシュート兵が簡単に恋に落ち、簡単にお金を手放してしまうことも知っていた。

到着するや否や、僕たちは膝と両脇に女の子をそれぞれ抱える。僕の膝の上の女の子は、白い菊が刺繍された長いスリットの赤いチャイナドレスを着ている。彼女の細い脚の片方の太腿には、黄金の後光が差した小さな天使の刺青が見える。彼女が脚を組むたびに、天使は羽ばたきをするように見えて、僕は刺青から目が離せなかった。

パークのお気に入りの女の子は、金魚の刺繍の施された短いシルクの半被を着ていた。スカートが短いので、黒い網タイツが太ももの丈であるのが見える。彼女は右手に、真珠で飾られた黒いレースの扇子を持っていた。彼女は扇子をゆっくり上下させて顔を隠したりのぞかせたりしながら、魅力的な笑顔で美しい黒い、猫のよ

うな目をキラキラさせる。

　僕たちは女の子のお勧めの特別カクテル『クラウド・ナイン』を注文した。それは高価だったが、気にするものか。僕たちはパラシュート兵なのだから、最高のものがふさわしい！女の子たちだってそう言ってる！

　ロマンチックな夜。バンドが演奏している。襟ぐりの深い白いイブニングドレス姿の素敵な女性歌手が甘く柔らかに歌う。

『天からのペニー』

雨が降るたびに、天からペニーが降ってくる
雲からそれが落ちてくるって知ってた？
天からのペニー？
街中にあなたの幸運が落ちてくるのがわかるはず
必ず傘を
逆さまに持つように

たくさんの
太陽の光と花
雷の音を聞いた時
にわか雨が降るはず
愛するものが欲しいなら
木の下へと走ってはいけない
天からペニーが降ってくるから
あなたと私のために

ジョニー・バーク、アーサー・ジョンストン

　海軍兵が一人、僕たちのテーブルにやってきて、女の子が組んだ脚の天使のタトゥーを見つめながら、僕の女の子を触り始めた。僕は雷のような声で怒鳴る。

　「汚い手で僕の彼女を触るな！僕が飲み物を買っている間は彼女は俺のものだ…わかったか？」

　僕は彼のシャツの胸倉を掴んで押しのけた。彼はこれがお気に召さなかったようだ。彼と彼の海軍兵の仲間が僕の両腕を掴んだ。困ったことになったぞ…　今夜はついていない！

パークは皆の注目を浴びながら夢中でジルバを踊っていた。パークが僕の方を向いた時には、二人の海軍兵が僕の腕を掴んでいた。別の海軍兵が僕に叫び、僕の胸倉を突いている。パークはテーブルをなぎ倒して飛んで来た。酒の瓶が床の上を転がった。まるでネズミが走り回っているようだった。女の子たちは叫んでいる。パークは、身体の最も大きい海軍兵の股間を蹴り上げた。海軍兵は豚のような叫び声を上げ、急所を押えてうずくまる。同時にパークは彼に空手チョップをお見舞いした。

　そのタイミングで僕は他の海軍兵の足を踏みつけた。彼は叫び、痛みのあまり縄跳びをしている子供のように跳ね回った。僕は左手で彼のみぞ落ちにパンチを食わし、すぐに右から彼の頭に一撃を加えた。

　クラブは大騒ぎになった。海軍兵も陸軍兵も皆席から立ち上がり、参戦した。ダンスフロアから駆け付け、自分とは異なる軍服を着た相手が誰であろうとかまわず、拳を振り回している者もいる…　パーリーゲイツはお決まりの乱闘状態が繰り広げられていた。

　僕は慌てて周りを見渡し、酔っている海軍兵に向かって拳を上げているパークを見つけた。あげた拳をそのまま後ろから掴んで、パークに叫んだ。

　「来いよ、パーク。ここから抜け出そう。僕たちがあいつらと争いを始めたわけでもないし、誰が終わらせるのかを見届ける必要もない。急げ。パーク、走るぞ！」

　僕はフロントドアから飛び出しながら叫ぶ。

　僕は地下鉄銀座駅に向けて、もの凄い勢いで走った。振り返り、パークが僕のすぐ後ろにいるのを確認した。

　パークと一緒に丸ノ内線に乗った頃には、だいぶ遅くなっていた。僕たちは滞在先のホテルサンシャインに向かっていた。僕たちが車両に乗り込むと、車両の後部の端に四人の第１騎兵隊の兵隊がいるのに気づいた。彼らを除いて他に乗客はいなかった。彼らはぐでんぐでんに酔っ払っていて、僕たちのジャンプブーツを妬ましそうな目で見て、睨み付けてきた。

最も粋で優しい人

　僕たちが地下鉄に乗ると、体の大きな兵士がパークと僕を指差した。日本の北部エリアの第11空挺師団のパラシュート兵が、一体、第１騎兵師団の縄張りの東京で何をしている？という感じだった。再び、体の大きな兵が僕のブーツを指さして

言った。

「それは俺のものだ！」

「俺が最初に手に入れれば、俺のものだ！」

ジミー・デュランテみたいな大きな鼻をした醜い方が言った。

「ちょっと待て。あれは僕のサイズだ！」

小柄な太った兵が駄々っ子のように言った。

地下鉄がトンネルを出入りし、東京の夜の灯りが煌めき流れるのにつれて、皆熱くなっていく。緊張が高まっていく。4対2だった。勝ち目は五分五分だろうと思うが、あちらはジャンプブーツを奪ってやると意思を固めているのがわかった。エンジンの幽霊の悲鳴にも似た音と一緒に地下鉄の車輪のカタタン、カタタンという音が不気味に鳴り響いた。これが僕をさらに不安にした。パークは彼の座席で落ち着かない様子でソワソワし始めた。この状況を無事に、ブーツを履いたまま抜け出すためには、今ここに奇跡が必要だった。すると予期せぬことに、夜の暗闇の中から本当に奇跡が訪れた！

地下鉄は虎ノ門駅で停まり、ドアがさっと開いた。その暗い夜の中から車両に入ってきた人物は… 他でも無いフォート・ベニングで新兵訓練担当軍曹であった、あのスウォールツ軍曹だった！

彼はすぐに僕を認識した。あの懐かしい揺れるような足取りで、私たちのいる車両の後部にやって来た。

「やあ、また会ったな、ペイン二等兵。」

「スウォールツ軍曹、あなたですか！」

「その通りだ。どうしてる？」

「あまり良くないです。スウォールツ軍曹！」

車両の反対側を体で示しながら、僕はこう言った。

「あっちの第1騎兵隊の兵士たちが、我々のジャンプブーツを欲しがっています！」

第1騎兵師団は、第11空挺師団と、先にどちらが日本に到着したのかを常に争っている。マニラに最初に到着したのは、第1騎兵隊だった。

日本に初めて到着したアメリカ軍は、第11空挺師団の一員であった。横浜港で第1騎兵師団が部隊輸送船から降りた際、第11空挺師団の楽隊が波止場で彼らをこの曲で出迎えたのだ。

老いた灰色の雌馬

老いた灰色の雌馬、

彼女はあの頃とは全然違う
あの頃とは全然違う
あの頃とは全然違う
老いた灰色の雌馬、
彼女はあの頃とは全然違う
何年も昔のあの頃とは

何年も昔のあの頃とは
何年も昔のあの頃とは
老いた灰色の雌馬、
彼女はあの頃とは全然違う
何年も昔のあの頃とは

　スウォールツ軍曹は第１騎兵の兵士に向き直った。脚を広げ、腰に手を置き、頭を左右に振り唇を曲げた。彼はまるで世界を相手に挑むように、一人で、ひるむことなく、平然とした態度で立ちはだかる。

　「それで、彼らはお前たちのジャンプブーツを欲しがっているのか？じゃあ、俺のブーツをくれてやろう！」

　彼は、あのリチャード・ウィドマークのような冷たい微笑を浮かべた。私には馴染みのある笑い方だった。そして車両の反対側に向かって、のしのしと歩いていき、にやりとした笑顔で落ち着いて言った。

　「パラシュート部隊のジャンプブーツが欲しいのなら、かかって来い！さあ来い！私のブーツを持っていけ！誰が最初だ、４人全員でかかってくるか？」

　彼は嘲るような表情で、彼らを凄んだ。

　この時ちょうど、地下鉄は別の駅に停車した。そこは、まだ第１騎兵隊兵士たちの目的地の駅ではなかったかもしれないが、とにかく彼らは降りた。彼らは地下鉄の車両を出て行き…　駅の構内を急いだ。振り返ることもなく。

　パークは、慌てて地下鉄を離れていく兵士たちを見つめた。彼は信じられないという風に頭を振った。彼は本当に奇跡を見たのだ。

　降下訓練校の幹部軍曹が、助けを必要としている時に私に手を差し伸べてくれたのは、これが二度目だった。スウォールツ軍曹はこれまでに会った人の中で最も粋で親切な人だった。その後、私は再びスウォールツ軍曹に会うことはなかった。

　スウォールツ軍曹、あなたが何処にいようとも、私はこう言いたい。

　「あなたにとって私は、任務を遂行するなかで手を貸した大勢の隊員の中の一人

に過ぎなかったかもしれませんが、私は、あなたと人生のひと時を共に過ごせて本当に感謝しています。私は永遠にあなたを忘れません！」

君子以独立不倶　遁世无悶
（君子たるもの、独り立ち倶するあらざれば、世を遁れ、悶えをしらず）

（人は、真に独立していれば、その者には何も恐れることはなく、些末な世事に煩わされる事もない。）

易経

　空挺部隊のただ一人の二等兵を除いては、誰もその理由を知らなかったのだが、パークは私たちが八戸に帰る列車には乗っていなかった。私はその理由が東京の女の子たちのせいではなかったかと思う。連隊長は、立川陸軍航空基地の憲兵が第511パラシュート歩兵連隊の二等兵フロイドH.パーキンスを拘束していると大尉に報告した。彼は酔っ払い、バーを壊し、軍隊の兵士を殴り、脱走した。それは、AWOL（無許可の外出）だった。

パーキンス二等兵の無断外泊
パークが宿の主人からお金を借りていると僕は確信した。

　キャンプ内の多くの人間の中から、大尉はわざわざ僕を、ペイン二等兵を指名した。東京郊外の立川陸軍航空基地に行き、収監者をキャンプ・ホーゲンに連れて帰るという任務だ。僕を送ることで、大尉は僕も無断離隊扱いにして、手のかかる二等兵から少しの間でも、できることならずっと、おさらばしたかったに違いない。
　「ペイン二等兵。収監者、フロイド・H・パーキンス二等兵を武装護衛の下でキャンプ・ホーゲンに連れ戻せ。」
　「はい、大尉！決して彼を逃しません！」
　さて、これはキツネに鶏小屋の番をさせるようなものだった。
　事務室では、係が命令書を一束、綴じた書類の中から切り取って渡してくれた。補給係の軍曹は僕にライフル銃を渡してくれた。まもなく、僕は東京に向かうディーゼル機関車、ヤンキーフライヤー号に乗り、南に向かっていた。ディーゼル機関車は東北地方の町や村を通った。山々から流れ出る滝、実り豊かに穂を陽に揺

らす水田の谷々、大きく熟した柿や大根を軒下にぶら下げてある茅葺の農家の家屋などの美しい景色の田舎を高速で駆け抜けて行った。

立川陸軍航空基地に着くとすぐ、門衛に憲兵司令官本部への行き方を尋ねた。中に入ると、彼らが既にパーキンスを僕の保護下に引き渡す準備を終えているのが見えた。パークはまるで頭の中で何か他のことを考えているかのようにまっすぐ前方を見て椅子に座っていた。僕は間もなくそれが何であったかを知る。僕はさっと掌を翻し、空軍の憲兵中尉に敬礼し、彼に命令書を見せる。

頭を高く上げて、中尉をまっすぐに見た。

「本官は、第11空挺師団、第511パラシュート歩兵連隊、イージーカンパニー第２小隊の第１スカウト第１部隊のペイン二等兵であります。」

僕はカチッと音を立てかかとを揃え、言った。

「中尉殿、ここに命令書を持参しています。私はパーキンス二等兵をキャンプ・ホーゲンに帰すという命令を受けました。速やかにとの命令であります！」

中尉は僕の手から命令書をもぎ取るとうつむいて、僕の命令書をじっくりと読み、ゆっくりと顔を上げると、きつく言い放った。

「彼はお前に預ける。彼をここから連れ出せ。そしてお前ら二人とも二度とこの基地に戻って来ることがないように！」

「イエスサー、中尉！」

私は中尉に再度、勿体ぶって敬礼をしてみせ、回れ右をすると、パークに片目で目配せした。ちょっとした演技のために、私はライフル銃を構えてちょっと左右に振り、高圧的な声で言った。

「いいか、パーキンス二等兵、行進！おかしな素振りをするんじゃないぞ！」

立川の正門の外。

「パーク、一体何があったんだ？」

「なあ、ウーピークラブの女の子たちはすごいぞ、お前も見なきゃ。それから、その銃をこっちに向けるのをやめてくれ。発砲するかもしれないだろう！」

ウーピークラブは、銀座のパーリーゲーツから約４ブロック離れた場所にあった。もちろん、パーリーゲーツにはもう近寄ることはない！

ウーピークラブの女の子は皆きれいで親切だった。

最も可愛い子の何人かは、あの美しいアーモンド形の目をしていた。彼女たちは南の琉球列島から来たと言っていた。

「さあ、行こう、レイ！僕は六本木の小さなホテルに泊まっているんだ。お金は持ってる？」

「うん、パーク、持ってるよ。給料日だったのさ。」

パークの目が輝く。ちょうど給料を貰ったばかり、ラッキー！

さて、かわいい女の子たちは常に僕の優先順位の第1を占める。僕たち二等兵には任務があるが、直ちに行わなくても構わない場合もある。例えばもっと重要なことがあるときには…　例えば、かわいい女の子とか。

東京の上野駅で立川からの列車を降りた。パークは人力車を（僕の金で）雇った。パークが先頭の人力車に乗った。彼は人力車を曳く車夫に叫ぶ。

「ギディ・アップ！（進め）」

パークは故郷に戻って農場でラバで畑を耕しているように振舞った。「ギディアップ、ギディアップ！」

パークはどこに行けばよいか知っていた。小さな脇道を通り抜けて、灰色の瓦を葺いた2階建ての木造の建物にやって来た。正面玄関には木製の看板が掲げられている。

ホテル黄色いさくらんぼ

ホテル・イエロー・チェリー

ホテルの入り口近くの小川に木製の水車が架けてあり、この上なくゆったりと軋みながら回っていた。小さな松の木から射す柔らかい木漏れ日が長い影を作り、日が暮れっかかっていることを教えている。

ホテルの主人がパークを迎えた。彼はパークを見てとても嬉しそうだ…　長い間会えなかった旧友に会ったかのように。パークが主人からお金を借りていることは間違いないと僕は確信した。

大きな笑みを浮かべ、主人は誇らしげに彼の2本の金歯を見せた。私は思った。

「うわぁすごい、驚いた！彼は財産を口の中に抱えている！」

パークが待ちきれないといった様子で、声をあげた。

「高村さんに支払ってくれないか。宿代を三泊分、カミカゼの大型ボトル6本、魚の頭の味噌汁を何杯か、そしてそれから…　とっとと行こうぜ！ウーピークラブに行かないと。可愛い女の子たちが待っている！」

「ちょっと待て、パーク。この装填済みのライフル銃はどうする？あの銀座では装填済みのライフル銃を持って走り回ることはできないぞ。」

「高村さんに渡しておけば」

「なに！？ライフルをジャップに！彼は本当に戦争が終わったと考えていると思う？」

「彼に渡しても、大丈夫だ。一体、彼がそれで何をすると思う？また戦争を始め

るのか？さあ、彼にそれを渡して！行こう、女の子たちが待ってる！」

　私は高村さんに向かって言った。

　「私の銃を保管しておいてもらえますか？もちろん、誰も撃たないで下さい！」

　「さあ、行こう。パーク、時間を無駄にしないぞ！ウーピークラブ、行くぞ！」

　それは本当に素晴らしい夜だった。歌にダンスにロマンス。ホテルの支払いを済ませ、ウーピー・クラブで女の子たちに飲み物を買うと、僕は正真正銘のすっからかんになった！

　あの古い蒸気機関車ヤンキーフライヤー号は煙を吐き出しながら、寝ぼけ眼の二日酔いの僕たちをキャンプ・ホーゲンに連れ帰ってくれた。再び大尉はパークを二等兵に戻した。彼は僕には、鍋と皿を洗わさせる以外に何もしなかった。僕は二等兵であり二等兵よりも低い階級はなかったのだから！

　曹長は思っていた筈だ。

　「信じられない。またあいつらが戻ってきた！」

　大尉は私たちが一日遅れた理由について全く質問しなかった。彼はただ心の安らぎが欲しいだけだ。

心の安らぎのためには、プライベート（二等兵）のプライベートには首を突っ込まないことだ。

プライベート・ペイン

　僕たちはキャンプに戻った。お金はすべて消えてしまった。僕たちは、次の給料日までどこにも行くことはできない。パークと僕は、女の子たち、特に東京の銀座沿いの洒落たクラブの女の子たちに、会いたくてたまらない。パークと僕は次の給料日が待ち遠しくて気が狂いそうだ。永遠のように長い時間が過ぎて、ようやく僕たちのパラシュート手当を含む給料日だ。そして何と、驚くなかれ…　曹長が、何の前触れもなく突然、僕とパークに３日間の外出許可証をくれたのだ！僕たちはキャンプ・ホーゲンから丸々３日間、離れられる。僕たちは東京に帰るのだ。僕たちが曹長の事務所から出て行く時に、彼は目を閉じて…　ほっと安堵のため息をついた。

　東京は八戸からのパラシュート空挺兵にとって、わくわくする場所だ。僕たちは東京で、送風機のクランクを回したりと、タクシー運転手を手伝う。運転手が木炭をシャベルですくって炉に入れて小さなスチームエンジンを稼働させると…　煙を吐き出して、シュッポ、シュッポと音を立てる。さあ、あとは走るだけだ！東京は間違いなく近代的な場所だ！

人力車

二等兵は自身を恥ずべきだ！

戦後、占領下の日本では人力車は引き続き使用されていた。北日本に駐在する米軍兵は人力車を頻繁に利用した。僕たちにとっての『タクシー』だった。

僕たちパラシュート空挺兵は何マイル走っても決して疲れない。時には日本人の人力車の俥夫を座席に乗せて僕たちが自分で車を曳き、お互いに競争しながら基地に戻った。

僕たちは基地に到着すると、人力車の俥夫に支払いを済ませる。俥夫たちは、僕たちが車を曳き、彼らにお金を払ってタダ乗りさせるのを面白がった。彼らが家に帰って家族に話すのが聞こえるようだ…

「この米軍による日本の占領は、まんざら悪くないじゃないか！」

人力車とは荷車の一種で、1～2人が座って乗り、人間が走って動かす。英語のRickshawという言葉は、人が曳く車を意味する日本語の「ジンリキシャ」に由来している。人力車は、1870年代に日本で初めて普及した。人力車の起源に関する話の一つは、ヨーロッパの宣教師が日本で病弱な妻を連れて歩くために発明したというものだった。

この時点では、パークと僕は人力車の歴史について知らなかった。しかし、人力車に座っているにせよ、それとも曳いて互いに競争しているにせよ、僕たちは人生を楽しむ方法をよく心得ていた。僕たち二等兵は楽しみ方を知っている！僕たちが人生の楽しみ方を知っている一方で、上級将校たちは全く異なる世界に住んでいた。

日本の東京の中でも最も有名な交差点、一方には高級な和光百貨店が戦火を免れて建ち、その通りの向こう側には巨大な三越百貨店が建つ有名な一角は銀座という名で知られる。

高級品のみを扱う和光百貨店は当時、米軍の高級PX（陸軍駐屯地の売店）になっていた。ここが、すべての裕福な将校や政府官僚、そして時には傲慢な妻たちが買い物する所だ。そして…　僕たち二等兵が日本人の女の子たちのために綺麗なピンクのシルクの下着をよく買う所でもあったが、これには日本人の女の子たちは喜んだが、将校の妻たちのお気には召さなかった。妻たちは将校の夫たちにこの不満をぶつけ、夫たちを悩ませていた。僕たち二等兵にとっては喜ばしいことにね！Y'all know what I mean?

過去の教訓から学ばなかったかのように、パークと僕はコパカバーナ・クラブで

出会った女の子のために買い物をしていた。突然隣の通路で、女性が夫に叫んでいる声を聞いた。僕たちはこっそり盗み聞きをした。奥様はお怒りだ！これはパークと僕が和光PXで耳にした会話だ…。

「あの二等兵たちは恥を知るべきよ！　ホレス、私の話を聞いてるの？ちゃんと聞いて、ハーペック大佐、どういうわけで私たちのPXで兵隊たちにランジェリーを買うことを許しているの！　あの人たちは日本の女の子たちのために私たちのシルクの下着を次々買いあげて、PXマネージャーの仕入れが追い付かない程なのよ！　PXマネージャーは、一体何を考えているのかしら？　兵隊たちが私たちのシルクの下着を買うのを止めさせることはできないかしら？　ホレス、最高司令官に規制をお願いして！」

「ハニー、僕たちはそんなことはできないよ。あの兵隊たちは軍に属していて、PXは軍のみんなの為のものなのだから。彼らが何か他の物と下着を取引していない限り無理だ。例えば、女の子たちがシルクのパンティーと何かを取引しているならば、それは闇取引だ！　僕が個人調査しよう…　その女の子たちが何をしているのか、そしてどのようにしているのかを調べなくてはいけないようだ。」

夫人はあっけにとられ眉をつり上げ、夫が言っていることを聞きながら、ぱちぱちと瞬きをした。

「あら大佐、誰かが何とかしてくれるなら嬉しいわ！日本人の女の子たちが特大サイズのシルクのパンティーを履かないのは、本当に幸いだったわ！　もしそうだったら…　売り切れて、残っていなかったかも！大佐、議員たちに手紙を書いて。何と言っても、そのために議員たちがいるのじゃないかしら？」

「あの二等兵たちは恥を知るべきだわ！彼らは、まともな女の子たちが待っている故郷のアメリカに帰るまで、待つべきよ！」

「私たちのシルクのパンティーを日本の女の子たちに履かせるなんて！そんなことして、兵隊たちは次に何をしでかすのか分かったものじゃないわ！」

「ハーペック大佐！あなた、何を考えてにやけているの！　何を夢見ているの？とにかく、もう行きましょう。もう遅い時間よ！　私、疲れたわ。私の『特大サイズ』のパンティーはあったわ。お勘定をしましょ。家に帰って、ベッドに入って、良い本を読みたいわ！」

「うん、そうだなハニー。僕は朝早く起きて、仕事を終わらせるよ。夕方早くにでも個人調査を開始したくてたまらないよ。長くてへとへとになる夜になるだろうな。」

パークと僕は彼らがデパートから歩き去るのを見る。

パークは言った。

「特大サイズ？僕の見た感じでは大佐の夫人は超特大サイズを履いていると思うけど。あの大佐が何を夢見ているのか、僕には間違いなく言い当てられるよ！」
　「そうだ、パーク。僕たちは皆同じ夢を抱いている。」

夜が長くなるほど、私たちの夢はもっと大きくなる。

中国の諺

ランタンをつるして

　淋病が蔓延していた！　占領初期の日本では、食糧、衣服、住居が不足しているだけでなく、医療状況もひどく悪かった。ペニシリンは日本人にとって容易に入手できないものだったから、多くの日本人の女の子たちが淋病に感染していた。加えて、多数の部隊が配属されている各地の基地でも、多くの兵士が感染していた。
　報告によると、日本に駐屯する米軍部隊25％もが淋病に感染していた。感染者の割合がさらに高いと推定されていた部隊もあった。
　僕たちの第511パラシュート歩兵連隊では、感染者率はさほど高いとは思われなかった。実際、ペニシリンは１回の接種でかなり効果があり、たちの悪い風邪から回復するよりも迅速に淋病から回復する。
　僕たちの便所の小便器は亜鉛メッキされたブリキで覆われた長い木製の樋のようなものだった。この樋の一番端にはVD（性感染症）専用と表示されていた。個室トイレの一つにも、VD（性感染症）専用と記されていた。
　食堂の一角のテーブルの一つにはVD（性感染症）専用と大きく表示されている。排尿したり、トイレを使用したくて我慢できない者は、VD（性感染症）の小便器やトイレを皆の視線に耐えながら使ったり、VD（性感染症）テーブルで食事をしなければならず、そうでなければ、空腹でいるしかなかった。最近VD（性感染症）に罹っていた、または罹っているという事実は他の者に明白に知られる。僕は、こうしてVD（性感染症）と表示するのは、見せしめにして恥をかかせるためであり、懲罰の一種であったと考える…　八戸の立ち入り禁止の酒場に行き、楽しんだ罰だ。
　将校と下士官は、僕たちに常に「自制しろ！」と説教していた…　そうしておいて彼らは妻たちの元に帰るのだ。
　軍は都市の街角に夜間には性病予防テントを設置した。米国政府が兵隊たちのこ

とを考えてくれるのは、ありがたいことだ。兵隊たちは女の子たちのことを考える
ので精一杯なのだから。

　テントの中には灯油ランタンと、兵隊たちが淋病から身を守るために使用する予
防キットがずらりと吊り下げられてされていた。

　東京では、兵隊たちと日本の女の子たちに、文化交流と友情を育む場所として、
夜の銀座が非常に人気があった。

十代の売春婦たち

　小さな横丁がたくさんあり、一風変わって面白い小ぶりなバーがあり、シルクの
パンティーを欲しがる美しく若い日本人の女の子たちがいた…　もちろんサイズは
小さいものを！

　今日の日本人に、銀座の有名な三越デパートの目の前に、夜になると例のテント
が設置された話をすると、驚きと信じられない思いで想像を巡らせる。

　日本でも色々なことが起きていたが、故郷のミシシッピ州のテュペロの小さな町
でも変化が起きていた。赤十字から連隊に連絡があり、僕が緊急休暇を取りすぐさ
ま帰宅するべきであることを通知した。僕の上の兄弟姉妹たちが赤十字社に、僕た
ちの母親が危篤だと伝えてきたのだった。連隊が伝えた帰宅せよという重要なメッ
セージで、僕の頭は一杯になった。できるだけ早くテューペロに帰らなければなら
ない。

優しいウソ
1948年夏、子年

　僕たちは、プロペラエンジンを四基搭載した大きな飛行機で飛び石伝いに太平洋
を渡った。最初はハワイ、そしてカリフォルニア、次にメンフィスへ。テューペロ
まではヒッチハイクをして南下した。僕は母に会うのに間に合った。彼女の意識は
はっきりとしていたが、身体は弱り切って、余力は残されていないようだった。僕
たちは母のそばに座って穏やかに優しく話した。

　ある朝遅く、病院の窓からキング川の方に向かって太陽に照らされた辺りを見な
がら…　僕たちはお互いに嘘をついていた。

　「ママ、ママは直に家に帰れるだろうし、僕は.22口径ライフルでウサギ狩りをす
るよ。ウサギの揚げたのを食べよう。ママの大きな黒いフライパンで揚げると、と

ても柔らかくて美味しいんだ。」

「レイ坊や、あなたがウサギを家に持って来たら、あなたの大好きな黒エンドウ豆、カブラ菜、サクサクしたコーンブレッドと甘いミルクグレービーとバナナプディングを作ってあげるわ… あなたが軍隊に入る前にいつもしていたのと同じように。」

「うん、ママ。考えるだけで、ものすごくお腹が空いてきたよ。」

僕ははうなずき微笑んで、手を伸ばし、母の手をしっかりと握った。

夜の闇の中で、僕たちは母を失った。

父と母の二人が、僕たちのもとをあっという間に去って行ってしまった。彼らがもはや僕たちと一緒にはいないと考えるだけでも辛いものだ。彼らは短くとも貴い人生を送り、ひと時たりとも無駄にすることはなかった。困難な時代に子供達を育てたから、何年もの間、しばしば必要最低限の生活必需品を必死に掻き集めるようなことを強いられた。でも僕たちの家庭は愛に満ちていた。僕たちの両親は決して他の人々に対して怒ったり、悪く言ったりすることはなかった。そしてできる限り他の人々に助けの手を差し伸べた。

毎日、目を覚ましながらこう思いなさい。自分が生きているのは幸運だと。私には貴重な人生があると。それを無駄にはしないと。私は自らを成長させ、他の人々に思いを馳せ、すべての存在の利益となるよう悟りを実現するために、私のすべてのエネルギーを使うつもりだと。私は他の人々を優しく思いやり、他人に怒ったり、悪く思ったりすることはしないつもりだと。私はできるだけ多くの人に福をもたらすつもりだと。

ダライ・ラマ

母はもう僕たちのもとにはいないので、兄弟姉妹が妹のボニーとジェリーを世話する。僕はまだ休暇の日数が多く残っていたが、第511部隊のある八戸へ、日本へ急いで戻りたいと思った。僕は妹や他の家族や親戚に別れの挨拶をし、荷物をまとめ、バス停に悲しい気持ちで歩きながらも、部隊と日本でのワクワクする日々へと帰るのを待ち遠しく思っていた。

222

U.S.S.サダオ・S・ムネモリ

　テューペロからは、グレイハウンドバスでメンフィスに行った。メンフィスで
は、僕は西に向かう陸軍航空隊の飛行機に便乗した。カリフォルニア州サンバー
ナーディーノにあるノートン空軍基地に向かうのだ。この小さな双発エンジン飛行
機は8人前後の乗客を運ぶ。搭乗したのはパイロット、副パイロット、将校たち
が2、3人、そして僕、ペイン二等兵だった。あれは夜のことだったが、僕たちは
オクラホマ州の上空高くを飛んでいた。飛行機は巨大な暗い雲に突入してしまい、
コックピットの上のガラス窓に激しく大粒の雨が叩きつけた。耳を裂くような恐ろ
しい雷が鳴り、刺すような稲妻の光が真っ黒な空を駆けた。ヨーヨーのように、僕
たちは上昇と下降を繰り返した…　しかも僕はパラシュートを持っていなかった。

　パイロットは暴風を避けるためコースを変更し、テキサスに着陸した。このテキ
サスでは、僕は初めてメキシカン・チリを食べた。悪くはなかった。豆入りのもの
だったが、南部のバタービーンズとは全く違っていた。1ガロンは氷水を飲んだと
思う。

　いつか、僕がメキシカン・チリを作る方法を教えてあげよう。まずはアイスキャ
ンディーから始めるんだ！

　僕の帰還のために、小さな陸軍輸送船U.S.S.サダオ・S・ムネモリの乗船が予約
されていた。カリフォルニア州オークランドから出発して3日後、僕たちは嵐に襲
われた。僕は調理室よりも下の階に逃げた。船は上へ下へと跳ね回って、あの小さ
な赤牛フェルディナンドよりもたちが悪かった。地獄とはまさにあの調理室の状態
のことだ。海軍に入らなくて本当に良かった。絶対に僕はこれ以上の荒波には耐え
られなかった！

　このU.S.S.サダオ・S・ムネモリ号で、僕の人生の中で二番目に大変な想いをし
た船旅をした。最も大変な想いをしたのはロングライフ号でのことで、夏の終わり
に猛烈な台風に襲われてしまったのだった。ヨットの名前を絶対に付け間違ったの
だと思う。(第II巻：ワイルド・ワイルド・イースト)

　U.S.S.サダオ・S・ムネモリ号は、日系二世の英雄にちなんで名づけられた。サ
ダオ・ムネモリは第二次世界大戦中にヨーロッパで戦ったアメリカ人の英雄だ。彼
は命を懸けて私たちの国の自由を守った。この偉大なアメリカ人、サダオ・ムネ
モリはイタリアのセラヴェッツァで仲間の兵士たちを救うために自らの命を犠牲に
したことから、アメリカにおける最高の賞、議会名誉勲章を授与された。彼は部隊
長が負傷したことを知り、直接射撃でドイツ軍を攻撃した。ようやく仲間の兵士が

占領していた穴に到達したとき未発の手榴弾がヘルメットに当たり、他の兵士たちの方に転がっていった。彼はとっさに手榴弾に覆いかぶさり爆発を抑え込み、命を失った。

英雄とは、自由に伴う責任を理解している人のことだ。

ボブ・ディラン

　こうして荒れに荒れた帰りの旅は厄介で時間もかかったが、僕は日本に戻れて嬉しかった。僕は母を失った悲しみ、残された家族のもとを離れなければならなかった心の痛みを思い出すまいと心に決めた。僕は福利厚生部門に戻されPXで働くことになった。僕にとっては、これが初めての福利厚生部門ではなかった…。

サルヴァトーレ・セバスチアネッリ軍曹
Lo son oil piu grande

　仙台は第11空挺師団第188パラシュート歩兵連隊の本拠地だ。第511部隊は僕を仙台のクック＆ベイカースクール調理学校に送った。ミシシッピ州テューペロのウィッツカフェで働いていたことをサービス中隊の大尉に伝えた。ウィッツカフェは、ミシシッピ州全体で最も有名なカフェであると彼に言うと、彼は本当に感銘を受けた。有名なウィッツカフェで働いていたということは、どこにでも通用するようだ…　でも、それは長く続かなかった！
　クック＆ベイカー・スクールは第9部隊が運営していた。第9部隊の教官の1人は、小柄な太ったイタリア人だ。いわゆる名前の響きが面白い、そんな軍曹たちの一人だ・・・
　サルヴァトーレ・セバスチアネッリ二等軍曹。どんな人の事を言っているのか、誰にでも思い当たる。
　彼はニューヨークの、イタリア人がブルックリンと呼んでいる場所の出身というが、一体どこの地球の果てであろう、僕は聞いたこともない！
　脚を大きく広げ、前へ後ろへと体を揺らしながら早口の可笑しなアクセントで彼は言う。「きょーうのレッッスンは、僕たちが美味しーいバナーナ・プーディングの作りかーたをやる。」
　僕は考えた。

「このイタリア人軍曹は頭がおかしいに違いない！北部の人間、特にイタリア系の北部の人間の中に美味しいバナナ・プディングの作り方を知っている者などいるわけがない。だって、バナナ・プディングは南部のものなのだから！」

セバスチアネッリ軍曹は、にやりと笑うと、手を挙げ自分自身を指さし言った。

「Lo son oil piu grande！」

彼が言ったことは大体予想がついたので、僕は彼のel grande ego（偉大なるうぬぼれ）を攻撃することに決めた！

私はポケットをまさぐり、小さな丸いかんしゃく玉を見つけた。これは硬い表面に投げつけたり、踏みつけたりすると破裂するのだ。彼が僕たちに背中を向け黒板を差して説明している時、僕はこの小さなかんしゃく玉をいくつか彼のブーツの後ろに転がした。

太ったイタリア人軍曹は、振り返った瞬間に、それを踏んでしまった。大きなバン！と破裂音がした！サルヴァトーレ・セバスチアネッリ軍曹は30センチは空中に跳ね上がり、着地すると同時にもっと玉を踏んでしまった…　バン、バン、バン！小さなかんしゃく玉が至る所で破裂した！セバスチアネッリ軍曹は、暑いブリキ屋根の上の猫のように踊りまわって、イタリア語で必死に何か叫んでいる…

「Siamo sotto attacco！（敵襲だ！）　Siamo sotto attacco！（敵襲だ！）」

「Siamo sotto attacco！敵襲だ！」

僕は可笑しさに飛んだり跳ねたりしながら、クラス内の他のみんなと一緒に笑いながら太ももを叩いていた。誰が最後に笑ったと思う？

想像がついただろう。その第9軍隊、サルヴァトーレ・セバスチアネッリ軍曹が最後に笑った。ペイン二等兵は今夜も鍋洗い当番をさせられる。Mamma mia! Non si puo avere il miele senza la pecchie.（蜜は甘いが、蜂は刺す！）

僕はクック＆ベイカー・スクールを卒業した。信じられるかい？後日、サービス中隊の大尉にも、信じられないと目を丸くされた！

イタリアンチェリー爆弾攻撃の1週間後、ジョン・ラッセルと僕は八戸とキャンプ・ホーゲンに行くため、北に向かうヤンキーフライヤーに乗っていた。

松島は素晴らしい所

ヤンキーフライヤー号は、急行列車の通過待ちのため、松島という名の海辺の小さな村の観光地に停車した。

「ジョン・ラッセル。ここは確かに本当にきれいな所だ。見て、あの女の子たちは笑顔で僕たちにおいでって手を振っている。何だろうか。降りて、ちょっとだけ辺りを見てみよう…異文化交流は何しろ大事な教養だからな。」

文化とは知性と精神性を広げてくれるものである

ジャワハルラール・ネルー

ヤンキーフライヤー号の列車の汽笛は耳に入らなかった。たぶん僕たちは耳に入れたくなかったのだ。女の子たちが僕たちに、一緒に行こうと呼びかけている。
「行く、サケハウス行く！パーティー、ある！」
ジョン・ラッセルと僕は顔を見合わせた。どんなに思慮深く、まじめな二等兵でも、このような魅力的な招待を断られるわけがないじゃないか。
松島は素晴らしい所だ。若い女の子たちはとても綺麗で、とってもフレンドリーだ！あまりにも親しみやすかったので、ジョン・ラッセルと僕は一晩過ごしてしまった。私たちは炭の火鉢で焼いた魚を食べた。トムトム焼酎を飲み、女の子たちとゲームをして、とても楽しい時間を過ごした。女の子たちに僕のお気に入りのカードゲーム、ストリップポーカーを教えた。女の子たちは、この新しくワクワクするアメリカのカードゲームが気に入ったようだ。
着物というものは、幾重ものの布の重なりで、アーティチョークの花びらよりも層が多い。焼酎をもっと飲んで、僕たちの探求心はさらに啓発された。酒瓶を皆で飲み回し、ゲームは夜まで続き、僕たちの心は幸せに満ちていた。僕たちは女の子たちに『エースはワイルド』だと教えた　…女の子達は非常に盛り上がっていたし僕たちも…　ストリップポーカーをして…　新鮮で、素晴らしい異文化交流を体験し、僕の故郷の小さな田舎町テューペロにあるキングクリークの謎をはるかに超えて僕たちの知性は広がった。

知性を養うのには、心の求めに従順でなければならない。

マハトマ・ガンジー

陽はだいぶ西に傾いていて、僕たちは基地に戻る時間に遅れていた。焼酎を飲んだ後では、遅れて基地に戻ろうとしても、すんなりとは行かなかった。僕たちの頭の中ではインディアンたちがトムトム、トムトムと、ドラムを叩いているが、もう列車に乗らなければならない時間だ。

偉大なる列車レース

これは、これは、あの偉大なる列車泥棒、ジェシー・ジェームズとフランク・ジェームズ！

　連合軍専用列車の南に向かうディクシーレベル号、または北に向かうヤンキーフライヤー号に乗車するためには、乗車日が記された軍隊命令書が必要だったが、僕たちの書類は期限切れだった。大尉に会わせる顔がないような事をしているのが分かっていたので、言い訳も底をついてきたところで、今すぐにでも基地に戻らなければならなかった。残っているのは二等兵としての臨機応変な対応力だけだ。

　日本人乗客向けの列車が松島駅で止まった。この列車は北へ向かうようだ。

　「来いよ、ジョン・ラッセル、さあ、行こう！この列車に乗ろう。これは僕たちが行く方に向かうんだ。僕たち、八戸に戻らなきゃ！」

　「レイ、そんなの規則違反って知ってるだろ、これは日本人用の列車だ！」

　「ジョン・ラッセル、大丈夫だよ。とにかく早く帰らなきゃ！ドアの側のハンドルを掴んで！さあ行くぞ！　…列車に飛び乗るんだ！」

　一般の日本人用の列車に乗ることは軍規に反すると、将校は僕たち二等兵にそう言った。僕たちは、自分たちの他にも、この規則をわきまえている者がいたことを、じきに知ることとなった…　そう、第9部隊軍警察だ！

　鐘がせわしなく鳴り響き、ピストンが上下し始め、エンジンが力強く唸って列車は走り始める。幸いにも列車はすぐにスピードをあげて…　北へ向かった！　車掌が乗車券を確認しにやって来た。彼は僕たちを見つけ、驚いたというように一瞬目をまるくしたがそのまま無言で通り過ぎた。僕たちは電車に乗っているすべての乗客の視線が列車の外でおきていることに釘づけになっていることに気付いた。

　「ジョン・ラッセル、何事だ？」

　ジョン・ラッセルと僕は窓の外に頭を突き出した。僕たちは他の人たちと同様に好奇心に駆られている。何だろう？　ジープの赤いライトが点滅している。それは軍警察のジープだった。そこには見事な仏頂面の第9部隊の軍警察隊員が二人乗っていた。彼らは僕たちの方を見ながら、あたかも何かを捕まえようとしているかのように手を振っていた。信じられないかもしれないが、軍警察のジープはサイレンを響かせながら、次の駅までに僕たちの列車を追い抜こうとしているようだった。そして、なぜ彼らがそこまでしてこの列車を追いかけているのかを悟った。彼らが狙っているのは、僕たちだ！

　僕はジョン・ラッセルの背中を叩いた。顔を上げながら、目を細め、顔に大きな

笑顔を浮かべて言った。

　「ジョン・ラッセル、何も心配しなくて大丈夫さ。この列車の機関士はどんどん石炭をくべているから、こっちの方が先を行っているんだ！ジョン・ラッセル、僕たちはすこぶる運がいい！」

　もう一度、僕たちは頭を窓から突き出して、世界を征服したかのように自信たっぷりに、二人してその軍警察隊員たちに中指を突き出して見せた。彼らはお気に召さなかったようだ！サイレンが空気をつんざき、彼らは僕たちに握りこぶしを振って見せた。彼らは、もっと笛を吹き鳴らし、車のクラクションを鳴らしている。ひょっとしたら怒らせてしまったかもしれない。

　僕たちの乗った日本人向けの列車はジープよりも速く走っている。僕たちの方が先を行っている！僕たちは、あのジープには追い付かれずに、第9部隊の軍警察よりもずっと早く、次の駅に到着する筈だ。そして、僕たちはとっとと居なくなるのだ！軍警察が、クラクションを鳴らし、笛を吹けば吹くほど、僕たちの機関士はもっと躍起になった。列車の先頭を見ると、われらが機関士が興奮して身を乗り出し、帽子を振り、汽笛を鳴らしながら叫んでいた。

　「さよなら！グッバイ！」

　レースだ！機関士が石炭をどんどん釜にくべる！僕たちは軍警察の隊員たちを見て大笑いしている。列車の速度が上がるのにつれて、ジープとの距離が大きく開いていく。僕たちは親指を両耳の穴に挿し、残りの指をひらひらさせて、舌を突き出し、彼らにアッカンベーをして、さらにもう一度、中指を立てて見せた。僕たちは2人の幸せなパラシュート兵だ。イエスサー、大将！有り金全部賭けてもいい、この競争は私たちの勝ちだ！

　軍警察は、赤い警告灯を点滅させ、クラクションをブーブー鳴らすだけでなく、警笛を吹き続ける。叫び声を上げながら、拳を振っている。なぜ彼らはあんなに怒っているんだ？

　ジョン・ラッセルと僕にとって素晴らしいひとときだった。まるで勝利を約束された者たちのように、飛び跳ねたり、背中を叩き合ったりしながら大笑いしていた。再度、車窓から体を突き出して軍警察に中指を立てて見せた。普段は、ジョン・ラッセル・マクファーランドは物静かな人物だが、今はこの興奮に満ちたレースに勝っているので、こっちが少し引いてしまうほどすっかり調子に乗っている。

　ジョン・ラッセルは叫ぶ。

　「捕まえられるもんなら、捕まえてみろ！デブ！できるもんならやってみろよ！」

　もう一度手をポンプのように上下に動かし、中指を立て、もう片方の手を振りながら

「バイバーイ、バイバーイ！」と叫ぶ。

僕は思う。ジョン・ラッセルは、やっぱりちょっと調子に乗り過ぎている。二等兵が上等兵の物真似をした時の少尉のように、彼は少し狂ったように振舞っている。

「ジョン・ラッセル、僕たちはこのレースにきっと勝つ！安心して大丈夫だ！ウサギの足のお守りを持って来たからね！」

ウサギの足にすがるといい、でも考えてみろ、当のウサギ自身には効かなかったんだ。

作者未詳

日本人の乗客は、窓から外を興味津々に眺めている。彼らは列車の外で何が起こっているかを見るために首を伸ばしている。彼らはジョン・ラッセルの、とんでもないふざけ振りをこっそり見ていた。

今や何が起こっているのか、日本人の乗客たちにも十分に分かっていた。このレースは彼らの日常に大いなる刺激と興奮をもたらした。それはまた、僕たちの日常にも大いに興奮をもたらしたが…　それはどうやら望んだ以上のものとなった。特に列車が減速し始めてからは…　時間を厳守するのが日本の社会で、列車も例外なく、到着予定時刻に正確に駅に到着するのだ。日本で深く根付いている、この生真面目な文化がレース敗北の原因となった。

レースの興奮のさなか、機関士は盛大に石炭を投げ入れ、釜を見事に焚きつけた。これで、僕たちは予定よりも随分と早く駅に着くはずだ。それなのに、機関士が何をしたと思う？　彼は時刻表に忠実に、火力を調節し始めたのだった…　列車をぎりぎりまで減速させて…　僕たちが予定の時刻ちょうどに駅に到着するように！日本人が時間を厳しく守る事は周知のことだ。

第9部隊の軍警察は、ペダルを最大まで踏み込み続けて車を走らせ、軍警察お決まりのにんまりとした笑顔を浮かべて駅で僕たちを待っていた…　手錠を手に。

「ジョン・ラッセル、僕たちはもう少し、あの軍警察に愛想よくしておくべきだったな。多少ふざけちゃったことを、あまり怒っていないといいけれど。」

レースに勝利した軍警察はこう言った。

「これは、これは、あの偉大なる列車泥棒、ジェシー・ジェームズとフランク・ジェームズ！」

僕は軍警察隊員たちを笑顔で迎えた。軍警察に対して行ういつもの大きな笑顔を見せ、愛想のよい南部訛りで挨拶した。

「どうも、お元気ですか？皆さんに会えて嬉しいなぁ！ …ご家族もお元気ですか？ 何とも良い日じゃあないですか。あなた方は八戸に向かっているようですね。本当に、フレンドリーで楽しい同乗者が居たらいいなって思いますよね。」

僕はジョン・ラッセルに目配せして言った。

「ジョン・ラッセル、君も同感だよな？」

ジョン・ラッセルは天を仰いだ。

他の人に誠実であることを真実求めるならば、本音では答えを聞きたくない質問はしない方がいい。

ビルマの諺

軍警察隊員たちは顔を見合わせ、大きな笑みを浮かべたかと思うと、こう言った。

「ジェシー・ジェイムスおよびフランク・ジェイムス… 列車をハイジャックした罪で逮捕する！」

八戸までの道中は、僕たちが望んだようには快適ではなかった。第9部隊の軍警察ジープの後部座席に手錠をかけられて乗っていたからだ。

どこかの道端に、僕がもういらないと投げ捨てたうさぎの足のお守りが落ちているはずだ。

戦闘支援部隊に戻ると「私はお前を二等兵に叩き戻してやる。」と大尉は怒り心頭であった。

彼はまるでこんなのは初めてかのように言うが、僕はついこの間上等兵になったばかりだった。プライベート・ペイン（ペイン二等兵）がプライベート・ファーストクラス（上等兵）になるとは… 本当に驚きだ！と将校たちに言われたものだ。

僕は襟章を縫いつける暇もなく、再びペイン二等兵に戻り鍋洗いの毎日が始まった。あまりにもたくさん洗っていたものだから、僕はもはや鍋洗いにかけてはプロの域に達していた。記録など残ってないと思うが、ペイン二等兵正規軍14236468番は、アメリカ軍史上一番沢山の鍋を洗った二等兵であろうと自負する。

どれほど大量のじゃがいもの皮をむいたのかについては言うまでもない。メダルか、少なくとも感謝状に値するはずだ… 何時間も玉ねぎの皮を剥がし続けながら、傷つき、涙を流した事も忘れないでもらいたい。僕はパープルハート章（名誉戦傷章）ぐらい貰ってもいいと思っていたが、食堂担当の軍曹は

「いいや、ペイン二等兵、おまえにはメダルなど値しない！くどくど言わずに、玉ねぎを剥く作業に戻るように。食事は５時だぞ！」

人生は僕たち二等兵に公平ではない。

僕は、一度だけ、上等兵の証しのPFCの階級章をつけたオーバーコートを着て整列したことがあった。それは僕がE中隊にいた時の話だが…　僕のゴタゴタ騒ぎには、まだ続きがあり、間もなくマッシミリアーノ・クワトロキ少尉と出会うことになるばかりか、アルのハンマーが消えたことについても咎められることになるのだ。

詐欺師とムッソリーニ
そしてアルのハンマー

1951年、卯年

　それは、身の引き締まるように寒いある土曜日の朝のこと。それはエスキモーが凍る程に寒い朝だった。E中隊のサマーフィールド曹長が叫びながら兵舎を歩き回っていた「整列！…　整列！…　総員、中隊の通路に出て来ること！オーバーコート着用の上、クラスA検査！」

　小隊のクラッケンブッシュ軍曹が叫ぶ。

　「曹長の言葉が聞こえただろう！ぐずぐずしないで早く出ろ！みんな出ろ！」

　そして僕も叫ぶ。

　「パーク、君のオーバーコートを貸して！早く！昨日の夜、繁華街の飲み屋に忘れて来ちゃったから、ないんだ！」

　パークは少し羨ましそうな口ぶりで「オーバーコートを持っていないってどういう意味？一体、どの飲み屋の話をしているんだ？」

　「パーク！知っているだろう、MPジャーディンの彼女が働いている店、ピンクバタフライだよ！覚えていないのか？君は僕と一緒にいたけど、僕は裏口から逃げ出してきたんじゃないか。早く、パーク！君のオーバーコートをくれ！」

　パークはちょうどインフルエンザで兵舎に閉じ込められていた。

　パークのオーバーコートの袖はとても短くて僕の肘から先が半分見えていたが、僕は所定の場所に行き、検査を受けられるように整列した。僕はオーバーコートを羽織ったから、これで服務規定通りだぞ…　と安心しきっていた。

　僕たち小隊の新任少尉は、背が低く蟹股で、サイズ12の底上げブーツをはいていた。彼がどうやってパラシュート兵になれたのか不思議である。空挺部隊は通常、チビを採用しないのに。

僕たちが休めの姿勢で立つと、彼は大袈裟に甲走った声で叫ぶ。

　「私はマッシミリアーノ・クワトロキ少尉だ。私がお前たち小隊の新しい少尉だ。」

　彼は底上げブーツでごまかした背を、更に伸ばせるだけ高く伸ばしながら命令を叫ぶ。

　「では検査を始める！クラッケンブッシュ軍曹、号令をかけて諸君を整列させろ！」

　僕は視線を真っすぐ前に据えたまま考えた。あーあ！また、あの典型的な『イタリアーノ』人の類が来たぞ。発音するのが難しい、可笑しな名前の奴らだ。ムッソリーニなら誰でも知っている。そこで僕は彼をただムッソリーニと呼ぶことにしたが、もちろん彼は知らない！

　正面を向いたまま眼で彼を追った。彼が近づいてきた…　隊列の目の前を小さなチャボが傲慢そうに歩く姿さながら、サイズ12のブーツを蹴立てて歩く。

　ムッソリーニは、いわゆる金持ちの子供で、コットン摘みなぞしなくてよかったのだ。親からもらったお金で学校に行ったり、RCコーラやムーンパイを買ったりできた。彼が手にしていたのは、親から毎週貰えるお金で、金持ちの子たちがお小遣いと呼んでいたものだ。そんなもの、僕たち二等兵は貰えなかったさ！ムーンパイが欲しけりゃ自分で稼ぐしかないのが僕たちには当然のことであった！

　君たちは僕の言っている士官たちのような人たちのことを知っているだろう？彼らは士官学校、その名も別名『90日の奇跡』に通った後、学校を出るころには、まるで神様のような気になっている　…少尉様だ！

　ムッソリーニは将校におなりだ！彼は今や自分を神のように思っている！将校たちが貰うパラシュート降下手当は、僕たち二等兵の二倍だということを二等兵たちは皆知っているが、それは彼らの頭が2倍の大きさだからなのだろうか？士官学校『OCS』を卒業した彼は、今や僕たち二等兵が『90日の奇跡！』と呼ぶ存在で、何でも知っている…　と彼は思っているのだ！

　ムッソリーニは列を進み、僕のところにやって来た。彼はこの日のために何度も予行練習したようにカッコ良く、左向け、左をした。士官学校で学んだに違いない。彼は微笑みを浮かべ、それから眉をひそめてゆっくりと僕を頭の天辺から爪先まで眺めまわし、それから左右を見渡して小隊が一人残らず皆、彼に意識を集中していることを確認した。

　この瞬間、彼は皆の注目を浴びていることがわかったので、再び僕に視線を戻し頭のてっぺんからつま先まで、頭を上下させながら品定めするように何度も見る。彼はまるで世界の七不思議を発見したような反応だが…　その七不思議というのは

どうやら僕のようである！

　あっちゃあ！なんだか悪い予感がするが…　その悪い予感というのもどうやら僕のようである！

　リトル・ムッソリーニは４歩後ろに下がり、小さな肩をいからせ、ピカピカに磨き上げられた底上げブーツを履いた体を更に伸ばし、甲高い声で精いっぱいに叫んだ。

　「前に出ろ、ペイン二等兵！」

　ムッソリーニは爪先立ちになってさらに背を伸ばし、叫ぶ。

　「見ろ、諸君。詐欺師がいるぞ！他の人になりすます者がここにいる！ペイン二等兵が上等兵になりすましているぞ！よく見てみるが良い。」

　彼は得意げに金切り声をあげる。

　片眼を閉じたまま、上等兵のPFCストライプが見えないことを願いながら、僕はパークのオーバーコートの袖をゆっくりと見下ろした。パーキンス二等兵が今はもうパーキンス上等兵だったことなどすっかり忘れていた。彼がどうやって昇格できたのか不思議でならない。僕が問題を起こす時は、パークはいつも一緒だったのに。

　ムッソリーニ少尉は延々と叫び続ける。彼は右へ左へ振り子のように揺れながら、興奮したチワワのような声でPFCストライプについてまだ何か騒ぎ立てている。

　「ペイン二等兵、食堂に17時に出頭せよ！鍋やフライパンを洗ってもらうぞ！」

　「イエスサー、ムッソリーニ少尉！あ！ああ…　いえ、その…　少尉殿！」

　ムッソリーニは僕のことを全く信じられないという目で見つめた。まるで彼は世にも珍しい物、上等兵ではなく、あたかも５つ星元帥になりすました二等兵をみるかの様に。ムッソリーニはクラッケンブッシュ軍曹に小隊を解散させるように命じ、そのまま歩き去りながら、両手を上に投げるようにして、つぶやいた。

　「Dopotutto、domani e un'altro giorno！（どっちみち、明日は明日の風が吹く）」

二等兵は、それ以上低い階級に下げることができない唯一の階級という意味で他に類のないものなのだ。

プライベート・ペイン

　僕の事でお手あげ状態なのは、マッシミリアーノ・クワトロキ少尉だけではないようであった。翌日、どういう訳か僕の曹長は、前夜の僕の居場所について尋問し

てでも問いたださなければならぬと思ったようだ…

　僕がその前夜にオーバーコートを紛失してしまったのは、繁華街で立ち入り禁止の飲み屋から逃げ出した時だった。僕は連隊の軍警察が使用している古い兵器運送車が飲み屋の前で急停止した音を聞いた。コートどころではなかった。僕はすぐさま酒の瓶をつかむと、裏口から緊急脱出した！

　翌日、僕は目を赤くして疲れたように頭を垂れ、曹長の前に立っていた。

　「ペイン二等兵、昨夜どこにいたのだ？パーキンス上等兵は立ち入り禁止の飲み屋で捕まった。軍警察が言うのには、そもそも2人いた筈が、1人は裏口から逃げ出したと。お前は昨夜どこにいたんだ？」

　「曹長殿、私が昨夜どこにいたのかですか？覚えていません、曹長殿。」

　「ペイン二等兵、覚えていないとはどういう意味だ？お前はアルツハイマーがあるのか？」

　「いいえ！曹長殿、私はアルのハンマー（Al's hammer：アルツハイマーの誤ったスペル）何て持っていません。釘も持っていません！そもそも、私はアルという人も知りません！」

ゆっくり行くことを恐れなくても良い。立ち止まるのを恐れるべきだ。

中国の諺

なんと光栄なことに少将が僕に話しかけてくれた！

　ミシシッピ州テュペロのウィッツ・カフェで働いたことを将校に話すたびに、僕がいかにこれを誇らしく思っているか感銘を受けるようだ。何と言っても、誰もがウィッツ・カフェがどれだけ有名なのか知っている。まあ、少なくともミシシッピ州のリー郡の辺りでは。

　僕がウィッツ・カフェで働いていたことを戦闘支援部隊の大尉に話したところ、彼もまた非常に感銘を受けたようで、彼は僕をサービス部隊のパン職人にしてくれた。キャンプ・シンメルフェニンのクックス＆ベーカーズスクールでの経験は何かの役に立ったかもしれないが、世の中にはどうにもならない事もある。

　結論から言うと、サービス部隊のパン職人としての仕事は長くは続かなかった。第11空挺師団の新しい少将、マイリー少将が戦闘支援部隊を訪問していた。僕たちの大尉は酷く緊張していて、まるで猟犬を目の前にした猫のようだった。少将が

やって来ると大尉たちは緊張するのだ。少尉がやって来ると、僕たち二等兵が緊張してしまうのとちょうど同じようにね。

少将がこう尋ねた時には、僕はオーブンの前に立っていた。

「やあ、何を焼いているんだい？」

なんと光栄なことに少将が僕に話しかけてくれた！

大尉がハラハラし始めた。彼が足から足へと体をゆするブーツの音が聞こえる。大尉は息を止めて少将からオーブンへ、そして僕へと目線を移動させた。

「パウンドケーキです、閣下！」

僕は意気込んで答えた。誇らしげにオーブンの扉を開き、少将が僕の素敵なパウンドケーキを見られるようにした。その瞬間、パウンド・ケーキ目がけて冷たい冬の空気が吹き込み、みるみるケーキを萎ませてしまい、同時に大尉がはっと息をのむのが聞こえた… パウンドケーキは大尉の靴と同じくらいペシャンコになってしまった。少将は背中を向けると食堂の扉から去ってゆき、大尉はすぐさま僕を歩兵中隊に戻した。

「ホップ、ツー、スリー、フォー！ …ホップ、ツー、スリー、フォー！」

支援部隊は優秀なパン職人を失ってしまったわけだが、僕にはまったく気にならなかった。より良い仕事を探していると、PXの掲示板に成功の機会を見つけた。僕はじきに、二等兵が夢にも思わないような、この上なくピーナッツな仕事に就くことになるのだった。

問題を成功の機会に変える方法を常に探し続けよ。夢を育む方法を常に探し続けよ。

老子

別々の道へ

「おい、パーク。PXの掲示板で、PXの中尉がスナックバーの店長を探しているというのを見たんだ。」

今度はまた何を言い出したんだ？と訝るように、パークは目を見開いてこっちを見る。僕はちょっと大事なことを言うぞという感じで姿勢を正して見せた。

「パーク、僕はミシシッピ州テューペロのウィッツ・カフェで働いていた。

僕は経営者という訳ではなかったけれど、ウェイターをすることはできた。アー

ル・ムーディーが仕事に出てこなかった時に、中の厨房でサンドイッチを作らさせ
てもらったこともある。アールは本当にナマズ釣りが好きだったからね！僕はずっ
と事業家になりたかったんだ。その仕事に応募するつもりだ。何と言っても、僕に
は十分な資格がある。そのPXの中尉は僕を雇えるなんて運がいいと思うな！」

　パークは、細めた目の端から斜めに僕を見て、何も答えず、耳にしたことを信じ
たくないというように首を傾げた。彼は何と言えば良いのか分からない様子だっ
た。山腹に響く音が、沈黙を破った…　キツネの叫ぶような悲鳴にも似た長い不気
味な鳴き声が聞こえた。

　太陽が丘の上に沈みかかるなか、パークは中隊の通りを力なく歩いて行った。う
なだれ、ゆっくりと足を引きずって歩いて行く。僕は何とも悲しい思いに襲われ
た。パークと僕は、一緒に随分と色々な事をやって来た。僕たちは共に歩む歩兵な
のだ。僕たちはパラシュート兵だが、経営者に、ビジネスマンになりたいという強
い願望が、最高の相棒と別々の道へ行く悲しみに勝ってしまう。パークと僕は、北
日本の至る所で厄介ごとに巻き込まれたり、引き起こしたりしてきたので、所属の
歩兵中隊で伝説的存在となりつつあった。

　しかし、僕はもう歩兵中隊からいなくなる…　僕はスナックバーの店長になるの
だ！

　私は、ロイドH.パーキンス上等兵が、第511パラシュート歩兵連隊での一番の親
友だったと、今でも思っている。もう長いことパークを探し続けているが、希望を
失くして、探すのを諦めたりはしない。パークは朝鮮戦争で英雄的な活躍をした。
私はパークの消息がつかめなくなってしまったのだ。

　パーク、どこにいるんだ？もしかしたら、いつかパークと僕は天国で再会するか
もしれない！折角ならば、パーク、24時間営業の飲み屋、その名もママズ・エタ
ニティ・サケ・ハウス（ママの永遠の酒家）というのはどうだ？そこでは、酒は無
料で、女の子たちは美人で、エースはワイルドだ！

　大の親友と一緒に過ごした楽しい時間を、決して忘れはしないと思いつつ、己れ
の生まれつきの天職である起業家になるべく、僕は情熱を持って前に進み続ける！

ウィンフレッド・モンタン・マクウォーター中尉
そして母秘伝のピーナッツバターとバナナのサンドイッチ

ウィンフレッド・モンタン・マクウォーター中尉は、第511パラシュート歩兵連

隊キャンプ・ホーゲンPX（進駐軍専用売店）司令官だ。彼は騎兵部隊の方が似合いそうな風貌だ。彼はすらりと姿勢が良く、薄茶色の髪は細く、カイゼル髭を生やしている。育ちが良く、屈託のない南部人らしい雰囲気を持った人だ。彼は、北部の人ではないということがはっきりわかるアクセントで話す。真の南部紳士の話し方だ。裕福なサウスカロライナの大農園出身のマクウォーター中尉は『風と共に去りぬ』からそのまま抜け出たようだ。

僕自身も南部の人間なので、気安く感じ、彼の目を見て言った。

「私は、スナックバーの店長になるために来ました。私はウィッツ・カフェで働いていました！」なんと、私は、まるでパリの調理師専門学校を卒業したかのように、そう言った。

「マクウォーター中尉、ご覧のように、私の能力も申し分がありません。私は、ミシシッピ州テューペロの有名なウィッツカフェのスタッフでした。私は、エグゼクティブ・シェフのジェームズ・バラード氏の指導を受けたサンドイッチの作り手であり、カーホップ・ウェイターでもありました。あの大きくて、踏板が付いた旧式の車がやって来て、お客様に「ボーイ、どんなサンドイッチがある？」と聞かれれば、間髪入れずに、素早く「旦那、ベーコン・トマーター、ベーコン・エッグ、バーベキュー、トースト・チーズ、チーズバーガー、ハンバーガー、フライド・ハム、ベークト・ハム、チキン・サラダがあります。」と言ったものです。私は機関銃の弾のように早く、サンドイッチの名前をスラスラと言えました。そして、時には「それをもう一度言ってもらえますか？」と言われたのです。彼らはただ単に、私がどれ程上手く言えるか、試したかったのです！」

中尉はわずかに首を傾げて、ほんの一瞬口を閉ざし、僕が料理の経験について語ったことを頭の中で整理して、何やら呟いた。

「もしかしたら、彼は少なくとも　…顧客を楽しませることは出来るかもしれない！」

こうしてマクウォーター中尉に興味を持ってもらえたので、僕はさらに背筋を伸ばして、意気込んで言った。

「そうです、中尉！私はあなたのスナックバーを切り盛りできます。私はウィッツ・カフェで美味しいサンドイッチを作っていました。」

彼が南部人であることを知っていたので、僕は続けた。

「そして、母は、生まれてから今までに食べた中で最高のピーナッツバターとバナナのサンドイッチを作る方法を教えてくれました。私は母の秘伝のレシピを持っています。」

中尉が目を見開いた。鴨のオレンジソース添えに、ガチョウのレバーのパテ、キャ

ビアだなんて洒落た料理の数々は目じゃない！南部の人間に、本当に通の食べ物を
与えたかったら、ピーナッツバターとバナナのサンドイッチを与えるのが一番だ。

　僕は満足だった。見事にマクウォーター中尉の関心を得られたのだ。まもなく
10時だった！

適切な時期に他人のニーズを知れば、適切な時期に成果は出る。

ペイン二等兵

　二等兵というものには、何かがあるらしい。僕たちの中には常に小さな悪魔がい
るものだ。僕たち二等兵には、独特の本能があって、なぜか物事を適切なタイミン
グで適切な場で起こさせ、将校たちをいつも煙に巻くのだ。
　マクウォーター中尉が立ち上がり、興奮した声でこう言った。
　「ペイン二等兵、PXへ異動できるよう、今日、本部に優先的な要請をしておく
ぞ！君は今後PXスナックバーの店長だ。そういえば、折角サンドイッチ作りにも
長けているのだから、キャンプ・ホーゲンの両方のスナックバー、PXの中にある
ものと、町なかのダンスホールのものとの両方の店長になってもらおう！
　仕事の唯一の必要条件は、君の母親のピーナッツバターとバナナのサンドイッチ
のレシピを教えることだ。」
　中尉は続けた。
　「朝は、ピーナッツバターとバナナのサンドイッチを、午前10時きっかりに、そ
して午後にも、3時きっかりに持ってくるように。」
　「はい、マクウォーター中尉！イエスサー！」
　「ペイン二等兵、君は経営への熱意を持っている。君は、私が優れたスナックバー
の店長に求める全ての要件を満たしている。明日の朝、キャンプ・ホーゲンのス
ナックバーでの業務開始を許可する！」
　僕はパッと気を付けの姿勢になり、最高の敬礼をした！やったぞ！

熱意の源を持っている者は素晴らしいことを達成できる。

易経

　マクウォーター中尉が『町なかのダンスホール』と言ったことが、本当に私の注
意を惹いた。いずれも美しい女の子たちがいるダンスホール　…パークが僕にダン
スの踊り方を教えてくれるところだ。
　マクウォーター中尉からスナックバー店長の仕事をもらった後、僕は兵舎から

PXにある小さな部屋に引っ越した。夢は実現するもので、僕は人生で素晴らしいことを達成しようとしていた。

職の保証

　僕はこうしてハイ・コットンな暮らしぶりを楽しんだ。北部の連中はハイ・コットンという言葉を知らないだろう。上流階級の暮らしをしているという意味だ。もはや『ホップ、ツー、スリー、フォー！』だの『ディグ・ザット・フォックスホール（塹壕を掘れ）！』ではない。僕は今贅沢な暮らしをしているのだ！

　豪勢な生活は私の全世界を変えた。「豪勢」という、ご大層な言葉の綴りを調べるのに、僕は辞書を取り出さなければならなかったが。二等兵であれば、時には馬鹿なふりをする方が賢明だ。将校の前では、特にそうだ。こうすることで、将校がいかに賢いかと思い込ませることができる。二等兵には、どういう意味か分かるよね？

　マクウォーター中尉は、母のピーナッツバターとバナナのサンドイッチを本当に気に入ってくれた。僕は母の有名なピーナッツバターとバナナのサンドイッチのレシピの秘密を漏洩しないように注意している。母の秘伝のレシピは…　僕の秘密兵器であり職業保証だから！

　スナックバーやPX自体にいなくてもよい時は、友人と一緒に馬に乗って午後を過ごし、夜は八戸の繁華街のバーやダンスホールにいた。二等兵としてはこの上ない至福の生活だった。僕は軍隊の二等兵として生きる方法を学んだ。それは憂いも心配もせずに延々と無駄な時間を過ごすことであり、二等兵として互いを助け合うことだ。心配というものは軍曹と将校たちのためのものであり、彼らは確かに僕たち兵士のことを心配して無駄な時間を過ごすものだ！

もしも、午後を完璧に無駄にし、何にも役に立たないやり方で過ごすことができれば、それは生きる方法を学んだということだ。

林語堂

　スナックバーの店長として、豪勢に暮らしていると、午後には多くの自由時間ができる。友人たちと一緒に午後は乗馬をして、夜はダンスクラブで遊ぶ。なんと優雅な生活…

チェロキー

　ミシシッピ州のリー郡では、僕のような田舎の少年は幼いころから馬に乗った。僕たちは10歳前後になれば手綱だけで乗ることが出来た。馬の首根っこに近い前方に座り、馬の首に脚を巻き付けて鬣につかまる。

　すがすがしい風を顔に受けながら、小道を走るのは本当に気分が高揚するものだ。僕たちにはそれぞれお気に入りの場所があり、スリーピー・ホロウ（静かな渓谷）、ポッサム・クリーク（袋ネズミの小川）、トレイル・オブ・ロンサム・パイン（わびしい松の小道）と名前を付けて僕たちの秘密の場所にしていた。

　ミシシッピ州リー郡のキング川沿いでの日々のように、僕たちは若いエネルギーと想像力で溢れていた！

　キャンプ・ホーゲンの厩舎で馬に乗るのに鞍を使ったのは、僕にとって初めての経験だった。パーキンス、ランニングホース、ジョン・ラッセルと僕は、第511部隊でいつも一緒にいる仲良しグループで、ほぼ毎日一緒に馬に乗って出かける仲であった。僕はPX・スナック・バーのマネージャーになってからというもの優雅な暮らしになったが、実際には何も変わらなかった。朝、少し仕事をし、座って、新聞をめくって、コーヒーをたくさん飲む。そう、まるであの公務員たちが休暇以外に従事することと同様の職務だ。

　僕たちは馬小屋に行き、馬にまたがると未開拓の地を求めて探検に出た。午後は乗馬に出かけ、夜は美しい日本人の女の子たちと一緒に酒を飲み踊る毎日を過ごしていた。

　僕たちには、それぞれ自分のお気に入りの馬がいる。僕の馬はチェロキーという名で、大きな鹿毛の雄馬だ。彼は堂々たる鹿毛だった。目と目の間が大きく離れていて、胸幅が広く威勢がいい。僕がチェロキーにまたがると、彼は走る準備ができていることを示すために、鼻を鳴らし、少しだけ跳ねまわって見せる。全力疾走に入って間もなく、次の瞬間、まるで空中を飛んでいるように走るチェロキーはケンタッキー・ダービーに出場しているかのような走りっぷりを見せる。競走するときは僕の大きな馬が大抵先頭を切って走ったものだ。

　「行け、チェロキー、行け！風になって飛べ！行け、チェロキー！東風に乗るんだ！」

　走る列車は、チェロキーの競争心を大いに煽らせるようであった。午後になると、僕たちがよく馬を走らせて行ったり来たりしたお決まりの砂利道と並行して、列車が走った。僕は列車と並んで疾駆するスリルが大好きで、チェロキーもそれを

大いに楽しんでいるようであった！機関助手が、もっと推進力を出そうと石炭を窯に次々と投げ入れる。列車はもくもくと立ち上る煙を吐き、機関士は汽笛を鳴らし続ける。列車との競走に、僕のチェロキーはやり甲斐を感じていたようであった。

　日本人の乗客たちが頭を窓から突き出して僕たちを応援してくれるものだから、僕たちはまるで戦場のコマンチ族インディアンのように雄たけびを上げながら、道をさらに駆けていった…　その先に僕たちを待ち受けていたのが「春の香り」とはつゆほども知らずに！

春の香り

　決して蜂蜜バケツを積んだ荷馬車の横を駆け抜けてはいけない。その破壊力は、400メートル離れた所からでも荷馬車を嗅ぎつけられるほどである。においを探知したらすぐさま馬の手綱を引いて馬を急停止しなければならない。そしてすばやく馬を方向転換させ来た道を真っすぐ引き返すのだ！

　チェロキー、戻れ！戻るんだ！もし戻らなければ、春の蜂蜜バケツの実態について身をもって学ぶことになる。蜂蜜バケツの中身とお近づきになったことはあるだろうか？

　何世紀もの間、日本人は人間の排せつ物を肥料として使用してきた。馬で田舎の道を走りながら、日本人がまだ人間の排せつ物を集めていることに気づいた。日本人にとって人間の排せつ物（廃棄物）は廃棄物ではなく、『夜の土』と呼ばれている。夜の土は、村の家々から木製のバケツに集められる。『蜂蜜バケツ』と呼んだのはこのバケツのことだ。これは農家の畑にとって栄養価の高い肥料であり、畑から家々へ肥料は巡り巡って再び蜂蜜バケツとなる。

バラを与える手には、常にその香りが残る。

マハトマ・ガンジー

　美しい春の午後、チェロキーは意気揚々としている。ハナミズキの花が満開で、セイヨウスイカズラの香りが空気を満たしていた。ハナミズキの花の甘い香りが蜂蜜バケツの荷馬車の香りを隠していた。僕たちが全力疾走でカーブを曲がった時、農夫と蜂蜜バケツを積んだ荷馬車に遭遇した。農夫の小さな栗毛の雌馬はギャロップで猛突進してくる4頭の馬を見て浮足立ってしまった。彼女は僕たちの競走に参

加したくなってしまい、突如走り始めた。

　すぐさま農夫の小さな栗毛の雌馬は僕たちの馬と並んで走った。荷馬車は道路の
デコボコにぶつかりながら飛び跳ね、哀れな農夫は必死に荷馬車に掴まるしかな
かった！激しく揺れる蜂蜜バケツはその中身をいたるところ飛び散らせる。蜂蜜バ
ケツと競走しながら、どこか遠くに驚いたキツネが悲鳴を上げるのを聞いた。こう
して僕たちも蜂蜜バケツの春の香りに染まった。

　翌日の朝、八戸湾に太陽がゆっくりと昇っている。僕は朝も早く起き、再び馬に
またがる支度をする。チェロキーと僕は馬小屋を出ると、胸がワクワクするような
期待に満ちた新しい一日に共に駆け出した。

聖なる狐の神社

　まばゆい朝日に挨拶をすると、僕たちは細い山道に足跡を残しながらうねる静か
な山腹を登っていった。遥か彼方から、山鳩がクークー鳴くのが聞こえたが、すぐ
さま、よそ者の来訪を告げるかのような狐の鋭い鳴き声でかき消された。

　僕は上方を見上げてその声に聴き入った。あたかも神聖で神秘的な狐たちの霊の
世界へ、人間たるものが足を踏み入れたぞと告げるような狐の呼び声が、山の上か
ら聞こえてくる。背筋がゾクゾクした。

*しかし、私はあなたを永遠の世界へと誘おう。無限の偉大なる意志の中をあなたが
彷徨うように。*

荘子

　短いモザイク状の参道の両側には二体の大きな狐の石象があり、神社の入り口を
守っていた。神社の松材はすっかり老朽化している。傾斜した屋根は灰色のスレー
トが葺かれており、この瞬間、畏敬の念を起こさせるような穏やかな静けさを醸し
出している。この神社はまるで古代から存在していたかのような雰囲気がある。こ
こは、聖なる狐の神社なのだろうか？

　僕はゆっくりと馬から降りた。チェロキーはひづめをしっかり地面につけ、脚を
広く開いて安定した姿勢で厳かに立ち、その瞳は神社に釘付けになっていた。不思
議なことに、チェロキーは普段の臆病な彼とは様子が違っていた。彼もまたこの聖
なる神社の神秘的なエネルギーを感じ取っているのだろうか？僕がチェロキーの首

をさすると、まるで稲荷神社の霊から招かれているかのようにチェロキーは神社の入口の方へ、僕の身体を軽く鼻で押した。神社の入り口には先ほどのよりも小さな狐の石像が二列に並んでおり、僕を招いていた。石像の間を通り抜け、社の扉の前まで歩いていったがそこで立ち止まった。

　僕は恍惚状態で、魔法にかけられたかのように目の前の神聖な永遠不死の狐像を見つめた。

　ひょっとして、人に支配されたこの人間界の性質を捨て、神秘に満ちた狐の世界で魂を放てと、狐の霊に乗り移られたのだろうか？

人間界の性質を育ててはならぬ。神の性質を育てよ。

荘子

　永遠不死の狐像の周囲をそよ風が通り抜け、小さな青銅の鈴がリンリンと鳴った。僕はふと我に返り、人間界へと引き戻された。鈴には神秘的な狐の鋳造物があしらわれている。

　神は僕がここにいることを既に知っていたであろうが、それでも神に挨拶するために狐のついた鈴を優しく鳴らし、魂の世界へと招き入れてくれたことに感謝した。それから僕とアイコの幸せ、共に生きる人生、そして僕たち二人の将来に感謝した。僕は七福神と呼ばれる七つの神々に祈りを捧げた。

　僕の心に、過去の記憶が戻った。それは、少年だったころ、毎週日曜日に、家族、いとこ、友人達とのんびりとした時間を過ごした、リー郡パルメットにある白い教会での記憶だった。ミシシッピの田舎にある小さな教会での、日がな一日歌を歌い、皆が地面に座り夕食を共にする特別な日々は、これからも永遠に僕の心の一部でありつづけるだろう。

　僕がチェロキーにまたがり、山影へと悟りの道を下りていくと、遥か山の上方から、どこか寂しげで神秘的なキツネの鳴き声が心に響いて聞こえた。

悟りへの道は数知れずあるが、その道は必ずあなたの心で選ぶことだ。

老子

神戸牛の鉄板焼きステーキの神話

　それまで箸しか使っていなかった日本人が、戦後になってナイフとフォークと格闘する姿は見ていて面白かった。たとえば僕の従業員は目玉焼きを食べる際、フォークの背に目玉焼きを丸ごと一つ乗せると、そのまま口に放り込むのだ。

　駐屯地であるキャンプホーゲンのPX軽食バーでは、日本人従業員は食欲旺盛だ。僕が食べるものは何でも、彼らも食べることができた。彼らはステーキが好きだし、ステーキを食べさせてくれる僕のことも好きだ。僕は典型的な公務員のようになった。

　「そんなの気にしないことさ。僕のお金じゃないもの！」

　日本人は何世紀もの間あまり肉を食べる習慣が無かったが、今やステーキは彼らの大好物のメニューになった。

　キャンプホーゲンでは米国同様に立派な炭火のブロイラーなんてものはなくて、ステーキ、ベーコン、ソーセージ、卵、ハンバーガー、グリルドチーズサンドイッチ、パンケーキ等々、ほとんどのものは日本人が鉄板と呼ぶグリルで調理した。

　第二次世界大戦前の日本人は牛肉をほとんど食べたことが無かった。彼らが主に食べていたのは魚で、あとは鶏肉くらいだ。戦後の軍事占領中、北は北海道から南は琉球諸島まで、多くの米軍軽食バーではアメリカ人がグリルでステーキを焼いていた。これこそが日本にステーキ文化を紹介したのだと僕は確固として意見する。今日アメリカ人の言う「神戸牛」鉄板焼きステーキについては多くの文献がある。

　日本人が限られた量の柔らかな牛肉を米国から輸入し始めた時代、その肉は、神戸港を経由して日本に入ってきた。そこで、神戸からやってくる牛肉は上質の「神戸牛ステーキ」として日本人に知られるようになったのだ。僕の知る限り、神戸市内で牛が育てられた事実は無い。

　僕の意見では、鉄板焼きの神戸牛ステーキが数世紀の歴史を持つ日本の伝統食だというのは事実でない。アメリカで日本人が経営するある有名な鉄板焼きステーキチェーン店は、神戸牛の神話を利用してレストランを宣伝する。この神話が信じられ語り継がれる原因を作っている人達は他にもいる。それがアメリカ人である。アメリカ人は神戸ステーキの神話を信じたいのだ。

　アメリカの多くの高級レストランでは、柔らかくて、よだれが出るような神戸牛だと自慢げに謳う。

　なので、有名な神戸牛の歴史をここではっきりさせよう。日本を占領中に、グリルで調理するステーキを日本に紹介したのは、誰でもないアメリカの兵士である。

日本では「焼き」とは、ローストしたり、焼いたり、グリルしたりすることを意味する。僕は、後に日本中に広まり人気を博した鉄板焼きステーキを戦後の日本に紹介したアメリカ人兵士のうちの一人である。

日本人は現在も占領中の時代と変わらず鉄板でステーキを調理する。前述したように、戦前の日本人は全くと言っても過言ではないほど、ステーキを食べたことなど無かった。戦後の日本で僅かに育てられた食用牛は、噛みきれないような肉質の牛だった。そこで、柔らかいアメリカ牛が神戸港を経由して輸入され、鉄板で甘美に調理された。

良心に恥じることなく言うが、僕は大半のアメリカ人が期待するもの、食べたいものをアメリカ人に売って大金を稼いだ…　それこそが、鉄板焼き神戸牛ステーキだ。

現在11店舗を持つ僕のレストランチェーンの中には、５つの神戸牛鉄板焼きステーキレストランがある。顧客の大半は日本人だ。今では、良質なアメリカの牛肉を買う余裕があるからね。

良心が決めるべき問題において、多数派の論理は通用しない。

モハンダス・カラムチャンド・ガンジー

君もキャンプホーゲンの軽食バーに来れば、11時の開店の準備に合わせて鉄板を温めている僕に会えるだろう。ほら、開店前から鎖の向こうで注文したい人々がもう列をなして待ってる。

あるずる賢い軍曹は、ある朝自分が心臓が止まるような出来事に遭遇するとは夢にも思わなかった…。

感電の刑
スズキの目はいつも輝いていた

PXの正面入り口付近の右側には売店、もう片方には僕の軽食バーがあった。二つのお店を隔てるものは、壁からぶら下がった腰ぐらいの高さのチェーンのみだった。毎朝お店を開ける準備がそろうと、従業員の一人がチェーンを外して床に落とした。するとチェーンの後ろで待つ人たちは、我先にとお店に入っていった。僕が

切り盛りしていた軽食バーのお客さんには将校の奥さんたちもいて、驚くべきことに彼女たちはキャンプ・ホーゲンにおける上流階級の奥様方である。

近ごろの上流社会に属するためには、人々に食事を振舞うか、楽しませるかショックを与えることが必要である。

オスカー・ワイルド

　時おり、どれだけお腹が空いているのか、開店時まで待てないようでお店の準備が整ってないのにチェーンを外す軍曹がいた。
　「皆さん、まだお店は開いてませんよ！チェーンの反対側で待ってください。」
　また、あの軍曹が！チェーンが外され、お腹を空かせた客が波のように押し寄せてきた。まだ開店には早いが、チェーンが下ろされたからには開けるしかない…準備ができて無かろうと。
　「チーズバーガーとコカ・コーラを頼む。」
　「俺はハムとチーズのサンドイッチとチョコレートシェーク！」
　注文が次々とカウンター越しに入った。キャンプ・ホーゲンのPX軽食バーはまだ準備が出来ていないというのに！
　開店時間はまだ先なのに！あの北部野郎め、殺せるものなら殺してやりたい！
　赤毛に鉤鼻、ビーズのような青い目、野暮ったい鳥の翼ように大きな耳をして、自分を偉い人物だと思い込んでいる。何となくお分かりいただけるだろうか。彼は軍曹になるのにぴったりの北部野郎だった。それでも階級があるから、僕たち兵士とは格が違うのだった。
　軍曹は多い時で週２、３回ほど、列の一番前に並ぶとチェーンにすり寄るようにして立つ。誰も見ていないと判断すると、こっそりフックに手をかけてチェーンを落とすのだ。すると準備も出来ていない軽食バーに昼食を買い求める人たちがどっと押し寄せて来るのだった。

　スズキはいつも目に輝きといたずらっぽい笑みをたたえており、パーシング将軍が言うところの悪知恵の働く要注意人物だった。
　実に衝撃的な話だが、このスズキと共に僕は北部野郎の軍曹を思いっきり懲らしめてやった。僕たちは一緒になって計画を立てた。今思うと、パーシング将軍は僕たちのことを誇らしく思ったに違いない。スズキは優れた二等兵になれるほどのふさわしい要素を備えていた。売店にやって来る将校たち全員に敬礼をしていたし、定期的に鍋やフライパンの手入れを担当していたからだ。

僕は「改良」を施したチェーンをそっと触ってみた。

「スズキ、どうやら跳び上がるほどの電気は通ってないようだな。」

　それを聞いたスズキもチェーンにそっと触れた。

「イエスサー、ボス！もっとショック必要！僕、じょうず直せます！」

　その日の朝早く、僕たちはチェーンをスイッチの付いた120ボルトのコンセントにつないでいたのだった。どのようにしてそれを更に「じょうず直す」つもりなのだろうかと思ったら、スズキはバケツを置いて僕のほうを見て、大きな笑顔でウィンクすると床のモップがけを始めた。

「スズキ、床が十分に濡れていないぞ。」

　と僕が言うと、スズキはさらに床をびしょびしょにした。僕たちは調子に乗ってエスカレートした。この衝撃的ないたずらを仕掛けながらとても気分が愉快になって、まるで互いの興奮が伝染するようだった。

野ウサギでも危険を感じると嚙みつくものだ。

中国のことわざ

　午前11時まであと数分。知ったかぶり野郎の軍曹がチェーンに近付きフックに手を置いた…　その瞬間僕は電流のスイッチを入れた！火花が散り、軍曹は叫びながら赤毛を逆立てて飛び跳ねた！スズキと僕の髪も逆立った！

「やばい！　あぁぁイエス様！」スズキが叫んだ。

「何てこった！」

　と僕も叫び、急いでスイッチを切った。ヤンキー軍曹はまだ飛び跳ね、刺された豚のように叫び続けている。スズキはキッチンの扉に、僕は開いた裏口に向かって一目散に逃げ出した。

ずる賢いウサギは住みかへの入り口を三つ作ってあるものだ。

中国のことわざ

　翌朝、連隊長から報告を受けたマクウォーター中尉によって、僕は規定通りお叱りを受けた。中尉は微笑みを浮かべ、コーヒーカップを手に取るとあっさり僕を下がらせた。

　マクウォーター中尉は、僕が何かを企てるとすぐに見抜いた。その度に中尉はあらぬ方向を見ると、口ひげをいじりながら僕を見ぬふりをした。彼は「介入」すべきタイミングを、わきまえていたのだった。

中尉のオープンカー

　朝10時の間食用のピーナッツバターとバナナのサンドイッチが届けられると、マクウォーター中尉はいつも機嫌が良くなった。だから僕は、絶好のタイミングを見計らってこの時間を選んだ。

　「マクウォーター中尉、私は日本にやって来た時、横浜の基地にある売店へ行きました。そこの売店ではたいへん綺麗な女性が売り子をしていたのですが、私どもの売店でもそういった女性を働かせてはいかがでしょうか。ここの売店で働いているのは農民ばかりです。人事のほうに顔見知りの兵士がいるので、農民たちに新しい仕事を見つけてやることもできます。」

　中尉は驚いた面持ちで僕をじっと見つめた。口を挟むべきでないと思ったのか、何も聞かなかった。

　僕は続けた。「横浜には第八兵団職業紹介所があり、そこから売り子となる美しい女性を連れて来ることができます。兵士の士気を上げるのにすばらしい考えだと思います。」

　「特に、僕の士気を上げるのにね。」と心の中で付け加えた。

　「ところで中尉、今朝のピーナッツバターとバナナのサンドイッチはいかがですか？」

　「悪くないが、出てくるのが5分遅かった。正確に時間通り、午前10時きっかりに来てもらわないと困るぞ。」

　「かしこまりました、中尉。今後十分気を付けます！」

　マクウォーター中尉は結婚しており、奥さんとキャンプ・ホーゲンの基地内住宅に住んでいた。中尉の奥さんは陽気な、ブロンドと青い瞳が魅力的な南部育ちの女性だった。売店の女性向け商品のコーナーで見かけたことがあったが、そこで中尉は奥さんの誕生日プレゼントとして黄色と赤の水玉もようのワンピースを値上げされたばかりの4.99ドルで買い与えていた。

　またマクウォーター中尉はアメリカから日本へやって来る前に、1947年製で新品のビュイックの黄色いオープンカーを結婚記念日に購入していた。

　僕が「横浜」と言った時、中尉の頭に真っ先に浮かんだのは、横浜の駅で貨物車に乗せられたビュイックの黄色いオープンカーだった。中尉は車が日本へ到着したことを知らされており、その車はさらに八戸まで輸送されることになっていた。中尉の美しいオープンカーは、夜の暗闇の中を持ち主なしではるばる移動するのだった。僕は中尉が、車にキズでもついたらどうしよう、または部品が盗まれたらどう

しようと心配しているのを感じ取った。

マクウォーター中尉は、僕の母親秘伝のピーナッツバターとバナナのサンドイッチを10時の間食に食べてご満悦だった。話を持ち出すのに完璧なタイミングだ。

「ペイン二等兵、悪くないアイデアだ。女性は何人必要だと思うか？」

「２つのシフトで合計16人ほどでございます、中尉。」

と言いつつ僕は心の中で思った。「本当は４人くらい減らしても良いけれど、少し多い方が僕の士気も上がるだろう。仕事はしっかり教えるし、休みの日を十分与えられるからデートに誘って八戸の酒蔵を回ったりできる。僕のお気に入りのトランプを教えてやることもできるぞ！」

マクウォーター中尉は椅子に深くかけ、ピーナッツバターサンドイッチの最後の一口を満足げに食べ終えた。

「ペイン二等兵、我々の売店の顧客は最上級のサービスを受けるに値する。」中尉は僕をまっすぐ見つめながら言った。「直ちにヤンキーフライヤー号で横浜へ向かい、キャンプ・ホーゲンの売店の売り子となる女性を採用するよう命令しよう。」

「かしこまりました。ありがとうございます、マクウォーター中尉！」

僕は中尉の頭の中にあるのは横浜駅でぽつんと佇むビュイックの黄色いオープンカーであることが手に取るように分かったし、中尉もまた僕の頭にあるのは美人の売り子たちであることを見抜いていた。

人生をより良くするものに関しては、時に中尉も二等兵も同じように考えるものだ。

「しかし、住居はどうするのだ？」中尉が尋ねた。

「基地の馬小屋のそばに、使われていない倉庫がございます。連隊用の支給品の倉庫から二段ベッドや寝具を運べば問題ありません。ご心配なく、中尉。女性たちの世話をする時間と労力は惜しみません。供給部にいる知り合いの兵士が書類の手続きをやってくれるでしょう。」

二等兵の抜群なタイミングの良さの秘密を、上官たちは知る由もない！

時間と忍耐を以てすれば、桑の葉も絹のガウンに変えることができる。

中国のことわざ

マクウォーター中尉は椅子を前後に揺らしつつ、頭を左右に振った。僕のもろもろの供給源や書類手続きなどに関してはこれ以上聞きたくないようだった。

「ご心配要りません、中尉。僕がお力添えいたします！」

僕はほとんどスキップするように中尉のオフィスを退出したが、角を曲がる前に

呼び止められた。

「待ちなさい、ペイン二等兵。君には横浜に行ってもらい、第八兵団採用事務所に出向いて売り子の女性を16人採用する命令を下す。そして横浜から戻る時、私の新車が積まれているのと同じ列車に乗れるよう取り計らう。ペイン二等兵、私の車に乗って誰も触らないよう見張ってもらえるか？」

「かしこまりました、中尉！」僕は、16人の美女に囲まれた横浜から八戸までの長いロマンチックで快適な列車の旅を空想して高鳴る胸を落ち着かせながら返事した。

「中尉の新しいお車についてはご心配なく！しっかりと見張らせて頂きます。」

僕が中尉の真新しいオープンカーを計画の範疇に見据えていた事を、中尉は知らなかった。中尉は僕が、横浜で美しい女性を大勢見つけて中でもとびきり綺麗なのを連れて戻るのに浮足立っているのは分かっていたと思うが。僕は中尉が、自分の新車を同じく南部育ちでミシシッピ州出身の僕、ペイン二等兵が見張りすることになり安堵しているのが感じ取れた。

故郷のサウス・カロライナの訛りで、中尉は言った。「明日の朝、ヤンキーフライヤー号での旅行命令書が届くはずだ。それと、いつか君の母親の秘伝のレシピを教えてもらおうか。」

僕は真っすぐ立ってかかとを合わせ、敬礼した。そして退出すると同時に「かしこまりました、中尉！」と言ったが、心の中では「でもレシピは渡すもんか！」と呟いた。

戦争は終わり、大変な世の中で沢山の人が仕事を探している。僕はもうじき16人の美女を選ぶことができる幸運を噛みしめた。我が売店の売り子ということで、とことんこだわろうと思った。

この時僕は、悪名高き第八兵団の憲兵どもについては知る由も無かったのだった。

偉大な映画監督

1948年、ねずみ年

遠くに見える『キツネの山』から太陽が顔を出す中、僕は興奮と大きな期待を胸に早めに駅へ着いた。聞き慣れた長い汽笛、鐘の鳴る音とピストンが聞こえると、戦争を生き抜いたヤンキーフライヤー号が金属のきしむ鋭い音を立てながら停車し

た。さっそく乗車すると、列車は東京へ向けて出発した。海沿いの松島の町を通り過ぎる中、懐かしい思い出に浸りひとり微笑んだ。女の子たちと…　エースはワイルド！

　東京へ向かってヤンキーフライヤー号が走ってゆく時間は、まるで一分が一時間のように長く感じられた。東京に着くと、僕は上野駅で横浜行きの列車に意気揚々と乗り換えた。一秒たりとも無駄にはできない。僕は非常に重要な最優先任務を背負っているのだ。少なくとも、僕はそう思っていた。

　横浜では『梅の花』という小さな旅館に泊まった。味噌汁、焼き魚、卵焼き、漬物等の朝食を、緑茶と共に楽しむと、旅館の者に頼んで人力車を呼んだ。

　人力車の車夫のしっかりした足取りは、第八兵団の本部へ向かうのに遅く感じられた。一秒たりとも無駄にする事なく、僕は門番に教えてもらった通り採用事務所へ向かった。僕は受付にいた伍長に命令書を差し出し、

　「これが命令書です！女性たちはどこですか？」

　と聞いた。伍長は驚きと疑いの織り交ざった面持ちで僕を上から下までじろじろ見て、あきれたように首を振ると

　「あっちだ」

　とぶっきらぼうに呟いた。そして窓の外を指さし、何百人もの人々が仕事を探しにやって来るという、すぐ近くの大きな倉庫を見せた。礼を言って急いで倉庫へ向かうと、僕は別の伍長にキャンプ・ホーゲンの軽食バーで採用する売り子の担当者を尋ねた。その伍長は一人の軍曹を指さし、

　「あれが担当だ」

　と言った。その軍曹は、いかにも偉そうな態度で、少なくとも彼はそう思っているようだ。想像できるだろうか、バレリーナのように頭を高くもたげて辺りをうろつき歩き回るようなタイプの人間だ。俺様を見よ！と言わんばかりに。引きつったような薄笑いを浮かべながらクリップボードを片手に、鉛筆をもう片手に持ってゆっくりと用もなしに周囲を見回っていた。僕は軍曹を目にすると思わず立ち止まり、首を傾けて感嘆せずにはいられなかった。彼は将校に向いている！

　僕に気が付いた軍曹がこちらに歩いてくる。僕は軍曹の前に来ると立ち止まり、いかにも威厳のある声で言った。

　「私は、第551パラシュート部隊基地所属、八戸キャンプ・ホーゲンPX総支配人の、ペイン二等兵でございます。軍曹、こちらが命令書です！」

　そして真っすぐに軍曹を見据えて聞いた。

　「女性たちはどこですか？」

　軍曹は僕を見下したように一瞥するとメガネを直し、僕を真っ直ぐ見つめながら

言った。

「悪いが今、忙しいんだ。」

「しかし軍曹、こちらが命令書です。僕は八戸のキャンプ・ホーゲンの売店の売り子に16人の可愛い…　つまり16人の女性の採用を命じられて来ました。命令に従っているだけなのです！女性たちがどこにいるか、教えて頂かなくてはなりません。」

軍曹はもう一度メガネを直し、命令書を見ると手を振って

「好きに選べ」と言った。

僕は天にも昇るような気持ちになった。軍曹は去り際、僕に紙と鉛筆を手渡した。

「女性の名前を書いたら私に持って来なさい、ペイン二等兵！」

「イエスサー、軍曹！かしこまりました！」

ようやく僕は偉大な映画監督セシル・B・デミルのごとく、キャンプ・ホーゲンの軽食バーという僕の舞台にふさわしいキャストを選ぶ運びになった。思えば僕自身も多少演技の才能があり、5年生の時に一度、尊敬するマッキンリー先生が監督した劇に出演したことがあった。ゆっくりと辺りを見渡すと、雪のように白く美しい肌、黒い髪、アーモンド形の瞳をした綺麗な女性が部屋のそこかしこにいた。実に選び放題だ！　僕は自信ありげに歩き回って吟味し、部屋にいた何百人の女性たちの中から16人を選んだ。そして出来るだけ紳士的な態度で彼女たちの名前と出身地を聞き、クリップボードに書き留めた。どの女性も、映画スターになれそうな位の美貌だ！　僕は自分に言い聞かせた。「この女性たちは軽食バーでの仕事のことは何も知らないけれど、そんな事は気にしない。キャンプ・ホーゲンが彼女たちの人生における舞台で、台詞は『チーズバーガーにフライドポテトはお付けいたしますか？』だ。僕にとって大事なのは、彼女たちの現場監督となることなのだ！」

『人生という舞台において、自分の役は他人のそれと同じくらい重要である。』

パラマハンサ・ヨガナンダ

長く寒い夜

横浜駅で、僕は16人の女性のうち14人を乗客車両に乗せ、とびきり綺麗な2人を同伴させた。皆一様に美しく笑顔が素敵で、その中から2人を選ぶのは容易くなかった。僕は彼女たちを両脇に抱き、線路沿いを歩いた。中尉のオープンカーに乗っての快適な旅に、僕たちの胸は高鳴っていた。満月が明るく照らし、実に美し

い光景で、ロマンティックな夜だった。

　月光のもと、明るく輝く黄色いオープンカーを見つけた。この車を見落とす人は誰一人いないだろう！　傍らには売店があり、僕はそこでチーズとクラッカー、RCコーラ、ムーン・パイとどれも高カロリーな食料を調達した。長く、寒い夜に備えなくてはならない。もっとも女性たちが温めてくれるから、寒さはあまり気にしていなかったが！　僕たちは中尉の車の後部座席に乗り込み、長くとも暖かい夜の始まりを待った。

　「ペイン二等兵は何故こうも幸運なのだろう？」

　僕はウサギの足のお守りを撫でながら思った。ヤンキーフライヤー号の機関士がチェーンを引っ張って蒸気を放ち、警笛を鳴らして北のキャンプ・ホーゲンに向けて出発する合図をした。僕たちはオープンカーの後部座席でぴったりと寄り添った。今の僕もある意味で機関士である。八戸への道中のロマンチックな夜を想像して耳から蒸気が出るほどだ！ああ、なんて幸せな夜なんだ！この夜が永遠に続けば良いのに！

　僕は女性たちを一人ずつギュッと抱きしめた。

　その時突然、中尉のオープンカーの脇に停車した、第八兵団憲兵のジープの軋む様なブレーキ音を、僕はたぶん一生忘れないだろう。車から外を見ると、そこにいたのは2人の太った憲兵だった。そのうちの一人の軍曹が言った。

　「これはこれは、見事なビュイックのオープンカーじゃないか。」

　女性たちは憲兵を見ると、驚いてさらに身を寄せ合った。

　「まったく、こんなに真新しく美しい車を見落とす奴はいるまい。どこへ行くんだ？」

　もう一人の伍長が聞いた。

　「八戸でございます、伍長！　第551パラシュート部隊のキャンプ・ホーゲンです。」

　僕は立ち上がって答えた。

　「という事は、貴様はパラシュート空挺兵か？命令書を見せろ！」

　軍曹はさも威厳のある声で命令した。

　「イエスサー、軍曹！こちらになります。ご機嫌いかがでしょうか、軍曹。僕はペイン二等兵でございます。お会いできて大変光栄です。大変美しい夜でございますね！」

　僕は憲兵たちを敵に回さないよう、できるだけ親しみやすい笑顔で言った。

　軍曹は首をかしげ、

　「ペイン二等兵、令状には16人の日本人女性とあるが…　残りの14人はどこだ？」

と聞いた。

「向こうの乗客用の車両におります、軍曹。」

僕は、憲兵と話す際にしか見せないフレンドリーな笑顔で返事した。ウサギの足のお守りを持ってきて良かった、と心の中で思った。するとこの不快な軍曹は、いかにも憲兵にありがちなお馴染みの作り笑いを浮かべ、並びの悪い歯をあらわにして言った。

「ならば二等兵よ、そこの2人の女も他の14人と同じ車両に移らねばなるまい。」

そして女性たちは、後部座席に一人さみしく佇む僕を振り返りつつ、憲兵どもに連れて行かれてしまった。

まるで失恋したような気分だった…　偉大な映画監督ともあろう僕が、マクウォーター中尉のオープンカーの後部座席に一人ぼっちで座っている。僕は窓の外の、本来ならロマンチックな筈の満月の明かりを、悲しい気持ちで見つめた。

残念で仕方がないが、夜の闇へと消えてゆく八戸行きの列車での寒く寂しい一人旅となるのは確実だった。車の窓を開けて、ウサギの足のお守りを窓の外に放り出し、お守りもまた寒い冬の夜へと消えていった。

『事実は事実であり、自分の好きなように曲げることはできない。』

ジャワハルラール・ネルー

ダンス、ダンス、ダンス！

八戸のダウンタウンにある八戸軽食バーは、ペイン二等兵の軽食バーチェーン店のひとつで、軍認可のダンスホールの一階にある。二階のダンスホールは、八戸で軍に認可された唯一のダンスホールだった。

ダンスホールには専属の美人女性歌手とオーケストラのバンドがいる。女の子たちはダンスホールの一方に固まって座り、兵士たちは反対側に座る。バンドの演奏が始まる時だけ、お互いのところに歩み寄ることが出来るというルールだった。時にこれはイス取りゲームのような大混乱を呈することもある。音楽が終わると僕たちは元の席に戻り、女の子たちもあたふたと自分の席に戻る。最後のダンスナンバーをバンドが演奏する時、歌手はこの曲を歌う。

『お休みなさい、愛しい人よ。

私の祈りは全てあなたのため
お休みなさい、愛しい人よ。
私があなたを見守っているわ
涙と別れが私たちを寂しくする
でも、夜明けには、新しい1日がはじまる
だから、今はお休みを言うわ、愛しい人よ。
眠りが悲しみを消し去ってくれる
お休みなさい、愛しい人よ。
明日会う時には
あなたは夢に包まれて、
私が愛しいあなたを抱きしめるから
お休みなさい、愛しい人よ。
お休みなさい』

レイ・ノーブル、ジミー・キャンベル、レグ・コネリー

　夜の終わりを告げるこの曲が流れると、あちらこちらでキスやらハグやらのオンパレードが始まる！そして、自分のお気に入りの女の子と就寝前にお酒を飲む約束をしたりと、ロマンチックな言葉が交わされる。

　『僕の愛しい人よ、また明日！』ここに来る兵士それぞれに、休日や祝日の度に会うガールフレンドがいる。僕たちには秘密があった…　基地のフェンスにあいた秘密の穴だ。僕たち二等兵はその穴からそっと抜け出しては特別な女の子と夜も遅くまで甘い晩酌を酌み交わした。

　このダンスホールこそが、僕が初めてパークからダンスの方法を教わった場所でもあった。

　「パーク、僕には踊り方なんてわからない！生まれてこの方ダンス何てしたためしがないんだから、今から踊るなんて無理だよ！」

　パークは答えた。

　「なに言ってんだよ。ダンスなんてちょろいもんさ。僕が教えてやるよ。お前もここの可愛い女の子たちが好きなんだろ？」

　僕は心の中で呟いた。「こいつ、いかれてるのか？　キャンディショップにいる子供に向かって、キャンディが好きかどうか聞いてるようなものだ！」

　パークは言った。

　「ダンスっていうのは、トラックの運転みたいなもんさ！俺を見て、俺の動く通

りにやってごらん！」

パークは僕にやり方を見せながら説明してくれた。

「まず左足をローギアに入れるだろ。次に、左足をセカンドギアに入れる。そしたら右足をサードギアにいれる。今度は、左足を４速ギアに入れる。次に右足を５速ギアに入れる。そしたら左足をリバースへ戻す。これは、後ろに下がるためにね。ここまで来たら、あとは同じことの繰り返しだ！なあ、まるでトラックの運転みたいだろ？簡単だってことがわかっただろ？ダンス何てちっとも複雑なことないさ。」

こうして、プライベート・ペインはダンスを習得した！

『人生とはいたってシンプルなものである。しかし、人は執拗にそれを複雑なものにしようとする。』

孔子

ザ・サムライ

パークのガールフレンドは北海道の札幌出身だった。彼女はパークよりも30センチくらい背が高い。ひとことも英語を話さないから、パークは判りやすく彼女を「サッポロ」と呼んでいた。

「パーク、彼女に少しは英語でも教えたらどうなんだい？」

「教えたよ。」

「なにを教えたのさ？」

「レッツ・ゴー・トゥー・ベッド（ベッドに行こう）さ！」

今週の土曜の午後は、夜になるまで町には行けない。その理由は、パークに軽食バーのカギを貸したからだ。軽食バーは夜にオープンするからそれまでそこに彼女と一緒にいられるってわけだ。今は夏で、軽食バーにはスイカとキンキンに冷えたサッポロビールの大瓶がふんだんに貯蔵してある。

僕がそこに着く頃にはパークとサッポロはすでに酔っ払っていた。彼女は北海道の松前藩の家紋の刺繍が施された夏用の薄手の浴衣を着ていた。

サッポロは目を爛々と輝かせ、大きなキッチン包丁を振りかざして、スイカを相手にサムライの刀の使い方をパークに披露しているところだった。彼女は「バンザイ！」と叫びながら駆け出すと、包丁でスイカをめった切りにした。スイカは割れ

てそこいら中に飛び散った。

「サムライ、こうするよ！バンザイ！」

彼女はこう叫び、両手を頭上高くかざしながらその場でくるりと回ると、包丁を振り下ろして宙を十字に切った。スパッスパッ！

そしてまたスイカの破片が宙を舞う！　パークは、テーブルの隅っこに固まって縮こまり、目をまん丸くして彼女にもっと英語を教えておけば良かったと後悔した…「ストップ！」とかね。

『サムライの流儀のひとつは、瞬発性であり、顧みることなく突進することが良いとされる。』

サムライの格言

トムトム

八戸の下町には魅惑的な立ち入り禁止の飲み屋が沢山あって、そのどれもが日本酒、ビール、ロマンス、そして「トムトム」の宝庫である。残念なことに、そうした飲み屋は二等兵の立ち入り禁止区域となっていた。立ち入り禁止の飲み屋では、沢山の可愛い女の子たちがトムトムを振る舞う。二等兵として長い経歴を持つ僕は長年の経験を通して、日本人が焼酎と呼ぶ一見無害のあの水のような飲み物が、実は非常に強いアルコールだという事を身をもって学んだ。頭にガツンとくるこの飲み物を、僕たちはトムトムと名付けている。サラサラ飲めるものだからと油断していたら、気づかないうちに酔いが回って問題を起こすこと間違いなしだ。女の子をめぐった飲み屋での喧嘩はトムトムが発端になっていることが多い。トムトムという名前の由来は、翌日の二日酔いがまるでインディアンが頭の中で「トムトム、トムトム、トムトム」と太鼓を叩いているように痛むからである。

軍隊は僕たち二等兵にどこへ行くかを命令するだけではなく、行ってはいけない場所も命令する。皮肉なことに、その行ってはいけない場所こそが、一番楽しい場所なのだ！だから毎晩憲兵は、命令を破った二等兵を探しに立ち入り禁止区域を巡回する。こうした飲み屋は完全に立ち入り禁止だった。二等兵が上等兵になかなか昇格できない理由こそ、この立ち入り禁止区域という名の誘惑のせいであった。

僕には今週の土曜日、甘く素敵な計画がある。もし武器輸送車が故障したら、移動手段のない憲兵たちは二等兵を探し回ることが出来なくなるだろう。友人たちも

まだ僕の計画を知らない。どんな展開になるか、楽しみにしててくれ！

『二等兵（プライベート）は共に助け合う。プライベートのプライベートはプライベートたちで守りあうのだ。』

プライベート・ペイン

なんて甘美な夜！

「僕たちで、憲兵たちを懲らしめてやるんだ！」

パークは大声ではしゃいだ。

「今日は土曜だから、俺たちみんな給料日だぞ。待ってろよ、八戸！」ジョン・ラッセルもこれに便乗した。

「ピンクバタフライとヨコハマ・ママズに行こうぜ！」

ランニングホースの顔に苛立ちの表情が見てとれた。

「どうした、ホース？まるで革剥ぎの儀式にでも行くような顔しちゃって。何を考えているんだい？」

ランニングホースは、スカルプロック（剃った頭の頂点に長い髪束を残したアメリカ先住民のヘアスタイルのこと）の頭を左手でおもむろにさわり、目を細めてイライラした面持ちで言った。

「白顔のお前らも知っての通り、ピンクバタフライもヨコハマ・ママズも、立ち入り禁止区域だし、憲兵たちが俺たち二等兵を真っ先に探しに来るところだ。武器輸送車は、俺たちを探して町中を巡回してるし、ヨコハマ・ママズにも絶対にやって来る。そうなったら俺たちお手上げだ！」

「いいや問題ないさ、ホース。武器輸送車はガソリンでは走っても、砂糖では走らない！」

僕は、自信満々に宣言した。武器輸送車というのがどんなものか知らない人も多いだろうが、それはジープより大きく6輪駆動のトラックより小さい車両のことを言い、0.5口径マシンガン、追撃砲、爆弾といった重量のある武器を運搬するために通常は使われる。言うなればラバとロバの違いのようなものだ！南部の田舎育ちの少年なら、僕の言ってる意味が判るはずだ。僕たちの連隊では、武器輸送車は立ち入り禁止区域において、憲兵隊が二等兵を探すために使用されていた。いくら追われても、小さな穴を見つけてそれをかいくぐり、上手く逃げおおせるのが二等兵

である。

　ジョン・ラッセルが首をかしげて聞いた。

　「武器輸送車は砂糖では走らないって、どういう意味だい？」

　「いいかい、憲兵たちは土曜の夜になると、立ち入り禁止区間を巡回する前に、憲兵隊お気に入りのレストラン、ローズガーデンの近くの脇道に武器輸送車を停める。僕たちで、憲兵たちを懲らしめてやるんだ！僕の軽食バーには砂糖の袋がいくつかある。武器輸送車のガソリンタンクに５パウンド（約2.3kg）の砂糖をぶち込んでやるんだ。武器輸送車は、絶対に砂糖では走らないからね！」

　すべては僕の計画通りにいくはずだ。一人一人に担当をつけて、任務を説明した。

　「ホース、君は偵察担当だ。ローズガーデンの入り口近くで、見張っててくれ。奴らがレストランを出始めたら、インディアンがするフクロウの鳴き声で、僕たちに合図を送るんだ。ジョン・ラッセル、君はホースから目を離すな。インディアン流の戦は御免だからな！パーク、君は僕と一緒に来てくれ。いいか、パーク、この紙袋を漏斗の形にして持っててくれ。そうそう！僕が砂糖を入れている間、漏斗の形状のままで支えててくれ。ほら、砂糖がタンクに入ってく。５パウンドの砂糖が、ガスタンクにビッシリだ！これで武器輸送車は、歩く力もないぞ！」

『人生には、スピードよりもっと大切なことがある。』

マハトマ・ガンジー

　その日は僕たち二等兵にとって、最高の夜になった！僕たちは、八戸の町中を駆け巡ってバーからバーへと飲み歩き、可愛い日本人女性と歌い踊って、ロマンスに興じ、素晴らしい時を過ごした。ホースは彼の得意な「パウワウ」（北米先住民族の、盛大な踊りを伴う伝統的な交歓会）スタイルで楽しそうに踊り、テーブルの上をドラムのように叩きながらはしゃぎまわった。ジョン・ラッセルは、泥んこの中で転げまわる豚のようにゴキゲンだった。彼はサッポロビールを掲げて叫んだ。「やあ、ホース、みんな、俺たちはやり遂げたぞ！俺たちやってやったんだ！俺たちはヒーローだ！武器輸送車からまんまと逃げおおせたぞ！」

『ヒーローは、生まれるのではない。作られるのだ！』

プライベート・ペイン

　ピンクバタフライ、ドゥードロップイン、ナイトトレイン、サースティーペリカ

ン、そしてヨコハマ・ママズ。なんて最高な夜だ！なんて素晴らしい人生だ！　僕たち二等兵の人生は…　なんて甘美なんだ！

　僕たちの将校は憲兵たちに、将校と二等兵は違うことを説明すべきだったであろう。僕たち二等兵は、ただ楽しみたいだけなのだ。軍隊において、将校と僕たち二等兵の間には大きな格差がある。

軍隊だって格差社会！
軍隊で上手くやっていくためには、正しい敬礼が重要

　僕たち二等兵は、常に自分から先に挨拶しなければならない。でもたまには役を変えて、将校から率先して挨拶してみたらどうだろう？　君たちは、やっぱり何事も公平であるべきだと思わないかい？　お金に関しても差別がある。たぶん、将校には、金持ちのパパとママがいるからだろう。将校たちが育った家庭では、毎日食卓には食事が並んでて、学校に行くお金もあった。大学を卒業する時には、仰々しく学位と呼ばれる一枚の紙切れを受け取る。そして何とも不思議なことに、その学位には『バッチュラー』と書いてあるのだ。（注：学士号のことだが、バッチュラーbachelorは、独身という意味もある）キャンプホーゲンの将校のほとんどは、妻を持つ既婚者なのに！それなのに、将校たちは自分たちがバッチュラーであることを示す紙切れを何食わぬ顔で受け取る。全く不思議な連中である。

　だが実際に、将校たちは晴れてバッチュラーになった後、家に妻を残していくことになる。幹部候補生学校へと進学するのだ。そこでは、手を後ろ手に組んで偉そうに立ち、僕たち二等兵が全ての仕事をこなすのをひたすら見届ける術を学ぶ。これが、将校と二等兵の違いだ。

　大恐慌のさなかに育った僕たち二等兵は、自分たちを取り巻く環境が大恐慌なのだとは露ほども知らず、人生とはこんなものであると思い込んでいた。つまり、いつもお腹を空かせて、靴すら持っていないのが普通なのだと。僕は幼少の頃からコットン畑で働き、その後、町に引っ越した後も5セントのためであればなんだってした。あの将校たちが子供の頃は、裕福な環境で『奨学金』と呼ばれるものも貰えただろうし、靴だって履いていた。こんな風に将校たちは、二等兵には無い特権がある。

　二等兵は奨学金なんて貰えないから、ただ自分が今持っているものを最大限に活かしてうまく生きていくしかない。そしてそれが常識、又は知恵というもので

ある。

　疑問の余地もなく、将校養成学校では社会常識という科目を教えていないことが、将校を観察していればわかる。二等兵が運営するキャンプ・ホーゲンPXのマーケティングの法則を、将校が理解することは決してないだろう。それでも僕たち二等兵は、将校たちに対しても常に公平に接するように配慮し、努めて親切心と思いやりを示す。僕たちは、将校の存在意義を充分に理解している。彼らの存在意義とは、万一軍曹が彼らを必要とした時の為に控えているということだ。

　知ってるだろうか？軍隊は蜂の巣にそっくりだ。雄蜂は女王バチのためにハチミツを作り、将校のような役割を持つ。女王バチが政府である。女王バチは、ちょうど政府がお金を必要としているのと同じくらい、ハチミツを必要としている。僕たち二等兵は働きバチだ。僕たちは、雄バチみたいにただブンブン飛び回る将校を支えるために、ありとあらゆる仕事をこなしている。

　二等兵こそ、この役割を自覚しているべきであると感じる。誰もが二等兵になれるわけじゃないということを！雄バチは、働き蜂の雄バチから一生涯利益を受けながら生きていく。まるで、政府の人間が働き者の一般市民から利益を享受しているようなものだ。政府の人間はまだ若いうちに引退して、働き者の一般市民から利益を受け続けることが出来る。一般市民は生涯かけて政府の人間を養い続ける。政府の人間が、早期退職の優雅なライフスタイルを満喫できるように、生涯あくせくと働き続ける！

　働きバチさながらに二等兵は、生涯にわたり雄バチを支え続けるのだ！雄バチはミツバチに寄生して、重労働の成果であるハチミツを拠り所に、生涯にわたり悠々自適な人生を送る。雄バチは、働きバチから取れるだけのハチミツを搾り取ろうとする。あたかも将校が、二等兵に可能な限りの労働を押し付けるように。

　それにしても、なんだか僕たち二等兵は、一日中敬礼ばかりしている気がする。

中尉たちの監視の下で、一日中僕の一挙一動が特別な注目を集めていることはもしかしたら誇りに思うべきことなのかもしれないが。

　軍隊で上手くやっていくためには、正しい敬礼の方法を知っておくことが重要である。軍曹に命令して二等兵を何度も行ったり来たり、行進させる以外に、将校たちがこだわりを持って取り組むのが、正しい敬礼である。将校が嫌う敬礼の一つは、ゆっくりと右手をあげて、頭を右側に傾けて、あげた右手の掌にくっつけるようにするスタイルだ。これは怠け者の敬礼だとみなされる。そんな印象は与えない方が身のためだ。

　将校が嫌がるもう一つの敬礼は、『フリップ』と言うスタイルだ。フリップというのは、右腕を勢いよく振り上げ、左側に大きく弧を描くようにして頭上に手を戻したら、敬礼の指先を額に軽くタッチさせて、そのまま右手を空中に投げ出す敬礼のことを言う。将校の目にはこの敬礼が非常に生意気に映るらしい。もし将校に目をつけられたくなければ、フリップスタイルは慎むことだ！

　敬礼の正式な方法は、ゆっくりと右腕を挙げて、右目の横に添えて一旦静止し、それから腕を降ろすというもの。これで将校たちは、自分が尊敬されていることを確認して、安心することが出来る。間違っても脚を大きく開いて両手を腰に当て、あたりを見回しながら頭を左右に揺らしてはならない。これをやってしまったら、間違いなく営倉行きだ！この敬礼は将校専用のスタイルだからだ。先ほど言った通り、二等兵が軍隊で上手くやっていくには、こうした学習がとても大事になる。二等兵であれば、じっくり考えればわかることであろう。僕たち二等兵が、一日中敬礼をして働きずくめなのも、もっともなことだ！

　僕たち二等兵には階級が７段階しかないが、一方の将校はというと階級が15段階にも分かれる。僕たちは、将校が二等兵を指揮するために階級別に分け、１対２以上の割合で数が上回るようにしていることを知った！僕たち二等兵は自分自身を理解しなければならない。この軍隊で上手くやっていくためには、自分自身を律する術を身に付けなければならない。

『他者について多くを知る者は、博学であるかもしれないが、自分自身を理解している者は、より賢明である。他者をコントロールする者は、力があるかもしれないが、自分自身を律する者は、より強者である。』

老子

　将校たちがPXで妻のための買い物をするのを例に、マーケティングにおける『逆転の経済学』を説明するとしよう。

蓼食う虫も好き好き

『蓼食う虫も好き好き』とはよく言ったものだ！これはまさしくドレスの事を言っていて、キャンプ・ホーゲンPXで働く二等兵が身をもって学んだ優れたマーケティングの法則の事を言う。特別な女性のためにプレゼントを探す将校と僕たち二等兵には、決定的な違いがある。将校たちは、誕生日や記念日のような特別な時に、妻にドレスを買う。もちろん、これを忘れてしまっては大惨事！

僕たち恋する二等兵も、ガールフレンドのためにドレスを買う…　特別な理由なんていらない。愛する彼女のためだから！

さて、4.95ドルのドレスを買う余裕がある将校と、お金のない二等兵の間には、決定的は違いがいくつもあるということはお分かりだと思う。将校は僕たちと比べ物にならないくらいの給料を貰う。実際に働くのはいつも二等兵なのに、どうしてこれがまかり通ってしまうのか、僕には全く理解できない。将校はジャンプ手当として毎月100ドル貰うが、僕たち二等兵は月に50ドルしか貰えない…　これは全く不公平だ！

我らがキャンプ・ホーゲンPXでは、女性用の高価なドレスが4.95ドルで販売されていた。綺麗なドレスには値段が書かれた小さな値札が袖から細い紐で吊るされている。PXは2.95ドルの安価な価格でも、同じくらい綺麗なドレスを販売している。この2.95ドルの値札が4.95ドルのドレスに付けられると、僕たちのように勤勉かつ低賃金の二等兵にとっては、棚から牡丹餅のご利益であった。PXで働く者にはちょっとしたメリットがある。ここで僕たちは、優れたビジネスとマーケティングの実務を短期間で学ぶことが出来た。士官学校なんかでは、教えてくれないものだ。ここではっきりさせておくが、PXで働く二等兵は真面目で、決して盗みなど働かない。市場価格をちょっと操作するだけだ。

人によっては7.25ドルのブローバの時計は、13.95ドルのベンラスの時計と同じぐらい良いものに見える。僕たち二等兵には13.95ドルのベンラス時計が、7.25ドルのブローバの時計と同じように見えるときもある。2.95ドルのドレスの中には、4.95ドルのドレスと同じくらい綺麗なものもある。だから、この2.95ドルの値札を4.95ドルのドレスにつけても、良い感じで全然違和感がない。反対に4.95ドルの値札を2.95ドルのドレスにつけても、それらしく見える。僕の言いたいことは分かるよね？二等兵なら、よく分かるさ！

ある将校が言う。

「ねえ、ボビー・ジーン。この可愛い黄色と赤の水玉模様のドレス、4.95ドルだっ

て。これは、どう？」

　彼女は嬉しそうに微笑み、将校はボビー・ジーンのために価格調整された高価な
ドレスを購入する。僕たちはガールフレンドのために2.95ドルに改定された、見
栄えの良いドレスを喜んで購入する。

　僕たちが大っぴらにできない販促方法は二等兵ならばすぐさま理解するが、将校
たちが理解することは絶対にないであろう。士官学校で彼らが習うのは、僕たちを
いかに行進させるかだけだから。

　「ホップ、ツー、スリー、フォー！ホップ、ツー、スリー、フォー！」

　そして、PXのドレスに関しては…　蓼食う虫も好き好きなわけだ！

『あらゆる物に美は備わっているが、誰にでもそれが見えるわけではない。』

孔子

　キャンプ・ホーゲンでの生活は、将校と二等兵の違いがあるにもかかわらず、と
ても良いものであった。ウィンフレッド・モンタン・マクウォーター中尉と彼の美
しい妻にとっても、申し分のない日々が続いた。彼女は買ったばかりの黄色と赤の
水玉模様のドレスを着て、いつになく素敵に輝き、真新しい1947年型の黄色のビュ
イック・コンバーチブルでキャンプ・ホーゲンの周辺を颯爽と走らせた。僕はとい
うと、どうすれば卸売業を始められるか、戦略を密かに練り始めていた。

チョコレートバーの日々

『勝負を挑むのならば、始めに３つのことを決めなければならない。勝負の決まり
事、掛け金、そして潮時だ。』

中国の諺

　豊かさへの道は、すぐそこの八戸にある。パラシュート空挺兵は定められた降下
をこなさなければならないが、降下訓練をしていない時は、僕はPXで働きながら
恵まれた暮らしを送っていた。天が与えてくれた持ち前の判断力を発揮して、僕は
卸売業の流通システムを作った。お金が溢れるように入ってくる！ペイン二等兵
よ、これこそ極上の生活だ。僕は美しい日本人女性と恋に落ち、二人で卸売業を営
み大成功している。

マクウォーター中尉も、毎日のお楽しみである母親秘伝のピーナッツバターとバナナのサンドイッチのおかげで、この上なく極上の日々を過ごしている。PXの売上も飛躍的に伸びた。

　煙草は1ケース20カートン入りで1カートンが50セントだ。さて、僕はこれまでの人生で煙草を吸ったことはないが、煙草が嫌いだというわけではない。煙草こそがアイコと僕のビジネスを支えているのだから。

　5セントで買える、お馴染みの大きなハーシーチョコレートバーもまた、僕たちのビジネスの支えとなっていた。これをケースごと買って、八戸の下町で卸すのだ。どうやら、全米陸軍の中でも第511部隊が最も高いチョコレートバー消費量を誇っているそうだ！僕はその理由を知っているが、口にするつもりはない。

『人生で成功するためには、無知と自信の2つが必要だ。』

マーク・トウェイン

コイワ・アイコ
僕はなんて正直な二等兵であろう！

　黒い瞳のアーモンド形の目、積もりたての新雪のような純白の肌、薔薇色の頬、えくぼのある可愛いい微笑…　これがアイコだ。僕たちは愛し合っている。彼女は18歳で、僕はちょうど19歳になったばかりだ。

　僕はアイコのために一番美しいドレスを、お決まりの2.95ドルという特別割引価格で購入した。アイコと僕の出会いは、二人の働くキャンプ・ホーゲンPXだ。ここでの仕事を通じて僕たちは共に、ビジネスについて多くのことを学ぶことができた。PXは小売業だが、アイコと僕は瞬く間に商売のコツを習得し、PXで購入した価格を3倍にして八戸の陶磁器店に卸売りしていた。紙巻き煙草、石鹸、ハーシーチョコレートバーなど、富裕層の日本人向けに商品を提供していた。

　僕たちの売上に比例してPXの売上もうなぎ登りに上昇し、双方に沢山の利益が生まれた。卸売事業というのは取引量が多い事業であり、収益が高く…　胸が躍る！特に、象牙石鹸とハーシーチョコバーは非常によく売れていた。僕たちの卸売業は次第に規模を拡大し、次から次へと沢山の利益が、アイコの姉妹が住む八戸と盛岡市の銀行につぎ込まれた。支払いは円のみを受け付けた。

　僕はなんて正直な二等兵であろう！

卸売販売のために、僕がPXで小売の商品をケースごと買いこむと、PXは僕が購入した値段、つまり売値である小売価格で儲けを得る。僕の販売ルートは、卸売業から小売業へ、小売業から卸売業へ、卸売業から小売業へと流通した。このビジネスの成功は、将校たちに理解できるものでもなく、頭上をまんまと素通りした。僕はそれを逆転経済と呼ぶ。

　アイコと僕は毎日幸せいっぱいで、どんな結果になるかなんて恐れることもなかった。僕のモットーは、「何でも市場が受け入れられるだけの、目いっぱいの値で売る」ということだ。

『恐れずに行動する人には、成功がよく訪れる。悪い結末を恐れている臆病者は、なかなか成功しない。』

ジャワハルラール・ネルー

MPC

『優れた経営者は先見の明を持ち、今何が起こており、状況の変化と発展に迅速に適応するためには何をすべきかを明確に見通す。これから展開されるトレンドと、興り来る市場を把握できる。』

ラフィダ・アジズ

　アンクルサム（アメリカ合衆国政府）は軍人の給料を米ドルでは支払わず、僕たちは軍事基地においての法定通貨として使用されていた軍用手票（MPC）で支払いを受け取っていた。時々、一夜にしてMPCが新型デザインに変更されることがある。これは、闇市場でこの通貨が価値を持つことを防ぐためだ。日本人はデザインが変更されるとき、MPCをそのまま持っていたくはないはずだ。僕は本部に通じている二等兵の友達がいるおかげで、一般市場に新しい通貨が出回る前に、いつ抜き打ちでデザインの変更が行われるかをちゃんと把握していて、賢い対処の術を知ることが出来た。変更を事前に知ることができたと言っても、それでも迅速に動かなければならない！　僕は日本の仲買人に、古いMPCを1ドルあたり75セントの新しいMPCで購入してやると持ち掛けた。連隊本部の財政部門にいる僕の個人的な人脈のおかげで、苦労せずに古いMPCを額面通りの新しいMPCと交換することができた。

『先見の明を持つ経営者は好機を見抜き、遮眼帯を付けて世の中を見ない経営者は困難を嘆くことしかしない。良い経営者の証は、彼が好機を捉えて行動するスピードだ。より優れた経営者はビジョンを積極的に形作り、それを実現するために必要なことを実行する。』

ラフィダ・アジズ

　米国政府が僕のせいで損をすることは全くない。僕はしっかりと先を読んで、迅速に対応した。僕は日本の市場において、25％の利益率を実現する投資の機会を発見したのだ。僕は一番高い額面のみしか受け入れないと決めていたので、5セント、10セント、25セント、50セントのMPCは目にも入れず、1ドル、5ドル、10ドルのMPCのみを受け入れていた！　僕は八戸陶磁器店と事前に打ち合わせをして、新型MPCと引き換えに、手元にある期限切れとなりつつある旧型MPCを、なんとか処分しようとしている八戸市の市民から受け取れるようにしていた。その八戸陶磁器店とは良い関係を築いていた。オーナーは僕の卸売業において、小売販売代理業者の役割を担っていた。

流通と思いやり

　僕は誰にも見咎められることなくPXの6輪トラックでゲートを出て、八戸の繁華街にある軽食バーに物資を供給しに行く。

　アイコが僕よりも数字に強いことは明らかだ。彼女は財務を担当して、PXに小売の売上代金をきちんと確実に支払った。彼女はこれが得意だった。PXの儲けも、アイコと僕の卸売りの儲けも右肩上がりに上がり続け、僕たちの銀行口座はみるみるうちに膨れ上がった。

　卸売流通システムは僕の仕事だ。僕はPX軽食バーのトラックを八戸市の繁華街まで運転し、週に2回軽食バーの在庫を補充する。この日は、僕は決まって日本人のトラック運転手に休暇を与えていた。この様にいつも自分の心の中に、他の人々を思いやる余裕を持つのは良いことだ。僕は、常に彼らの暮らしが安泰であるようにと考えている。結局のところ、お金がすべてではないのだ！

　忠実な従業員であるモリヤマさんのおかげで、僕が他人任せにせず、直接個人的に手掛けている流通システムは、細部にわたり、八戸繁華街の軽食バーの裏口に至るまで上手く機能している。

モリヤマと馬

モリヤマがこの世において唯一気がかりなのは、彼の年老いた馬のことだった

　夜の暗闇の中、軋む車輪をぐらつかせながら、古い荷馬車が狭い石畳の横丁を
ゆっくりと縫うように進んだ。その荷馬車を引くのは、荷馬車と共に何十年もの歴
史を生きてきたとみられる灰色の馬である。モリヤマと老いた馬は、共に人生の晩
年に差しかかっていた。彼らは水田で使う肥桶に入った人糞を農家に供給して回る
春を幾度も共に過ごしてきた。歳老いた馬には名前がない。モリヤマはこの唯一無
二の友に深い愛情を込めて、ただ『馬』と呼んでいた。長い歳月を共にした老人、
馬、古びた荷馬車はまるで融合して一体になったかのように見える。

　冷たく雪が舞う中、モリヤマは着古した麦わらの蓑の襟を掻き合わせて冬の寒さ
を凌ぐ。彼は古い荷馬車の轅の上に、首を垂れて座っている。行く先を知ってい
る『馬』はゆっくりと荷馬車を運ぶ。彼らは一週間おきに僕の八戸の軽食バーの裏
口を訪れていた。1948年の冬、良い仕事というものはほとんど無く、モリヤマは
僕のし尿収集業者として働き、更に闇市で僕が御売りする商品の運搬役も務めてい
た。モリヤマがこの世において唯一気がかりなのは、彼の年老いた馬だ…　と証言
するのは、なんと彼の妻！

　モリヤマは人生のあらかたを、八戸周辺の家庭から農家の肥料となる下肥えを回
収して過ごしてきた。蜂蜜バケツと呼ばれる下肥えは捨てるものではない。人の下
肥は、食べ物を求める人々のために作物を栽培する肥料となり、家庭から再び蜂蜜
バケツに戻る…　下肥は決して無駄にならない。この肥料の力で、栄養価が高く良
い作物が育つのだから！　一週間に二回、僕の忠実なるし尿収集業者は、一頭立て
の蜂蜜バケツ荷馬車で捨てるものを回収しに来てくれる。その時に彼が卸売商品も
回収して、細い通りを辿って八戸陶磁器、卸売及び小売店の裏口まで配達する。僕
の商品がそこからどこに行くのかは、僕は知らない。あくまでも僕は小売ではな
く、卸売を専門にしていたから。

　老いたモリヤマは、大きなリスクと責任を背負って、僕のために街での運搬に従
事してくれた。彼は上手くこなしてくれる。モリヤマは僕の従業員であり、僕の卸
売業にとって、なくてはならない家族の一員のような存在だった。僕はモリヤマが
老いた馬に対して抱くのと同じ責任感をもって、モリヤマに十分な報酬を支払って
いた。

『我々は、従業員を家族の一員として扱う。経営者が従業員を採用するというリスクを背負うのならば、経営者はその責任を負う必要がある。』

盛田昭夫

丹頂鶴と蓮の花

「八戸陶磁器店へようこそ。」

フジワラは、浅くお辞儀をして顧客を迎える。

「私どもの瀬戸物を御覧になりますか？私たちの器は最高のお品物ですし、それぞれ裏には、GHQの要請に沿って『占領下日本製（MADE IN OCCUPIED JAPAN）』と裏に記されています。また、器はすぐにでもお送りできます。こちらは、6人用の美しいお茶のセットですが、お値段も手頃なものです。この美しいデザインを見てください。蓮の花に戯れる丹頂鶴です。」

フジワラはなぜ、訛りなく綺麗なアクセントの英語を話すのか、僕にはどうしても分からなかった。細身で、白髪交じりの髪によく似合う灰色の口ひげを薄く生やし、灰色の細い縦縞のスーツをこざっぱりと着こなし、黒い蝶ネクタイも締めている。フジワラは、艶やかだが謎めいた空気をまとっている。ある夜、やわらかな風の吹く、澄んだ夜空の下で、僕はフジワラに挨拶をしがてら…　さりげなく尋ねてみた。「フジワラさん、あなたは日本軍にいたのですか？」「いいえ、私は大日本帝国軍で陛下にご奉仕しました。どうぞ中にお入りください。あなたの昨晩の発送分を清算しましょう。」

僕は、失礼にならないよう笑顔を浮かべて軽く頷き、それ以上追求するのは止めておいた。僕が卸す商品を販売することで、彼が大きなリスクを負っていることを僕は知っている。これは勝手な僕の推測だが、フジワラは天皇陛下に従事し、秘密や策謀など、波乱に満ちた過去を生きてきたのではないだろうか。日本では、不思議で謎に満ちた名門のフジワラ一族が、何世紀にもわたって策謀の歴史を重ねてきたのだ。基地に戻る車の中で、僕は心の中で想像を巡らせる。なぜフジワラは、はるか遠い北本州の、この小さな港町、八戸にいるのか？　なぜ彼は、店の奥でロシア語のラジオを聞いているのか？彼の使命は、何なのか？

『蓮の花は、あるがままで良いのです。咲くときに咲き、落ちるときに落ちます。そして今は、背を伸ばし、大きく花開き、澄んだ青い空の下で全宇宙を映し出して

います。釈迦も迦葉もそれに触れることはできません… 私たちもできません。穏やかな微風の中に私たちを迎え、私たちの静かで敬虔な笑顔を待つだけです。』

武内義典

感謝状

　マクウォーター中尉は、軽食バーを成功させるために必要な商品をせっせと供給する僕の熱心な働きっぷりに感心していた。また、僕が基地のトラック運転手に週２日も休みを与えるなど、同僚に思いやりを持って接していた事も知っていた。僕は運転手を休ませて自ら届け物をしたりと、PXのために時に夜遅くまで真摯に取り組んでいたのだ。

　中尉が僕の献身的な卓越した販売とサービス、他者への思いやりを称賛した感謝状を授けてくれたのは嬉しかったし、それを見て自分で自分に感心してしまった。僕はお店の煙草売り場の壁に感謝状を掲げ、勤勉な二等兵としての業績を知らしめた。

　軽食バーの売り上げは週を追うごとに増えてゆき、中尉もその事で表彰を受けた。売り上げが上がっている理由を中尉は知らなかったが、敢えて知ろうとしなかった。せっかく物事が上手くいっている時に、それを問うのも野暮というものだ。

　中尉の受ける表彰は大尉への昇格につながる。それもそのはず、キャンプ・ホーゲンの軽食バーは、全米軍基地の中でも類を見ないほどの、売上の大増加を記録したのだ。

　マクウォーター中尉は、僕の母親秘伝のピーナッツバターとバナナのサンドイッチがお気に入りだったが、母親のレシピは僕の企業秘密として誰にも教えないでいた。実際僕には、将来ドライブインのレストランを開き、『ママのピーナッツバターとバナナのサンドイッチ』を看板商品にする計画があったのだ。

　僕の考えたレストランは大きなバナナの形をしていて、サンドイッチを運ぶウエイトレスはローラーブレードをはき、ピーナッツ模様のかわいらしい制服を着ているのだ。ピーナッツバターとバナナのサンドイッチが嫌いな人などおらず、料理長である僕がいかに由緒正しく最高級のサンドイッチ職人の血筋を受け継いでいるかということを、全世界に知らしめるのだ。文字通り、なんて甘美な計画ではなかろうか！

　軽食バーの売上急増のカラクリはもちろん知っているが、僕たちは企業秘密を

軽々しく外部に漏らすような人間ではない。なんともチョコレートバーのように甘く、成功に満ちた日々だった。アイコは利益のすべてを日本の銀行口座につぎ込んでいた。軌道に乗っているアイコと僕の卸売業は、ますます繁盛するばかりだった。

　アイコと僕は真剣に交際しており、予定が合う夜や午後は必ずデートの計画を立てた。近い内に結婚して、盛大にハネムーンへ行くつもりだった。どこか外国へ、タコスが好きだからメキシコとか！

　だが僕たちは、結婚することを公にするには早いことも重々承知していた。軍のお偉方は、二等兵が日本人の女性と結婚することを快く思っておらず、駐屯先の女性との結婚を禁止する規定を僕たちに押し付けていた。愛も恋も何も分かっていない将校達は、家に帰って奥さんと話すことといったら、次の日の予定くらいなのだ。

　『Love』は日本語で『愛』、『child』は『子ども』。『愛』と『子』を合わせると、アイコ『愛に包まれた子ども』の名前になる。僕は心の底から、アイコを愛していた。

『愛こそが唯一の現実であり、単なる感情ではない。愛はあらゆる創造の元となる究極の真実なのだ。』

ラビンドラナート・タゴール

フランシスコ・デ・ラ・クルス

　僕の名前はフランシスコ・デ・ラ・クルス。家族や友人は僕をパンチョと呼んだ。

　パンチョは第551部隊の料理人で、軽食バーで働いていた時、同じ部隊に配属されたことで知り合った。僕は常に軽食バーの煙草売り場の後ろで働いていたが、それはこの位置からだと誰が何を買っているか監視できるからだった。僕の営む卸売業に違法な競合相手が出てきては困るのだ。パンチョは週1回有効の配給券でチェスターフィールドを買うため、列に並んでいた。

　「やあ、パンチョ。元気かい？」

　「実はあまり…」

　「なんだ、どうしたんだ？」

　「俺、飛ばされるんだ」

ひどく驚いた僕は「飛ばされるって？」と言った。その時列の後ろの方にいた中尉（中尉ともあろう方が列に並ぶのは、煙草を買う時くらいだろう！）が、「おい、そこの二等兵！列を捌かんか！俺はラッキーストライクが欲しいんだ！」と怒り出した。

　これは困ったな、と僕は思った。僕たち二等兵は中尉に怒られることはしょっちゅうだから、それには慣れていた。怒鳴られるのはへっちゃらだ。

　ただ、困ったのは「俺はラッキーストライクを１カートン欲しいんだ！」中尉の求める商品だった。ラッキーストライクは、僕の商売で一番の売れ筋だったため、しょっちゅう品切れした。その時は残り数ケースしか残っておらず、それらも八戸の町の方ですでに買い手がついていた。僕の日本人客は、包装に描かれた赤い丸が日の丸に似ているからか、ラッキーストライクを特別好んでいるようだった。それなのに、この強引な煙草中毒の中尉が僕の貴重なラッキーストライクの在庫をさらに減らそうとしている！中尉は知る由もないが、煙草市場を取りまとめているのは僕、ペイン二等兵なのだ。中尉にもなろう方は、タバコなんて吸うべきでない！二等兵に悪い影響を与えてしまうではないか。

　「大変申し訳ございません、中尉。今日はアンラッキーな日のようです。ラッキーストライクは売り切れてしまいました。チェスターフィールドも残っておりません。またのお越しをお待ちしております！」

　パンチョは去りぎわに足を止め、振り返って言った。

　「今日俺の家に来いよ！今夜はハナコが焼きギョウザを作る。アイコも連れてこい、会いたがってるに違いない。」

　「分かった、パンチョ。じゃあ後で！」

　平穏が戻り、煙草の列は再び動き出した。

『見切りの付けどきが、市場を操作する上で大事である。』

プライベート・ペイン

幸せの小径
彼の悲しみがまるで伝染するかのように心に染みた

　パンチョとハナコは、歴史の重みを感じさせる石畳の路地に面した家に住んでおり、僕の軽食バーがあるダンスホールからそう遠くなかった。僕はその、美しく穏

やかな路地を『幸せの小径』と呼んでいた。お気に入りの場所に名前を付けるのは
僕の習性で、『幸せの小径』もその一つだった。

　路地では客引きの「いらっしゃいませ！いらっしゃいませ！」と粋の良い声が聞
こえ、店先のちょうちんで売り物が分かる食べ物屋が軒を連ねていた。路中に充満
する美味しそうな食べ物の匂い…「焼き鳥、ラーメン、お寿司、熱燗に大ジョッキ
のサッポロビールはいかがですかい！」の呼び声。『幸せの小径』は幸せの場所だっ
た…　あの夜までは。

　僕はアイコと手をつなぎ、ゆっくりと路地を歩いた。満月がためらいがちに八戸
湾から昇り始めてはいるが、まだ雲の中に隠れている。月もまた、『幸せの小径』
に降りかかる不幸を感じ取っていたのだろうか？

　アイコはピンクの桜模様の綺麗な浴衣を着ていた。パンチョの家に近付くにつ
れ、アイコの小さな下駄がリズム良く音を立てた。ドアを開けたパンチョの悲しげ
な表情を見ると僕は、事態の深刻さを察した。パンチョは優れた兵士で、軍曹の地
位に昇格していた。パンチョとハナコは互いを深く愛しており、二歳半になる男の
子のタダオと一歳の女の子のユキの二人の子どもがいた。実に愛に満ち溢れた家庭
だった。

　畳に腰かけると、悲しみが家族を取り巻いているのを感じ取った。子どもたちは
母親に寄りかかり、ハナコは箸で餃子をつまみ子どもたちに食べさせていた。僕は
ビールを飲みつつ、パンチョの話を聞いた。

　「俺、アメリカに異動になるんだ。今朝伝令が来た。ハナコと結婚するのは規則
違反だって言われて、今後はアメリカ本国での任務に回されるんだ。」

　「でも、ハナコはどうするんだ？タダオとユキは？」

　この善良な家族の将来を案じて聞いた。アイコもまた悲しそうな表情をしてい
た。近い内に僕たちも同じような状況に陥るかもしれないことを分かっていたから
だ。

　「盛岡の実家に戻って、俺がハナコたちをアメリカに連れて来る方法を考えるま
で世話になるつもりだ。時間が無いのは分かってた　…俺はハナコと結婚したい、
いやしなくてはならないのに、あいつらは規則違反だっていう。」

　悲しげにパンチョが言った。

　この一連の悲報を聞いた僕の胸もひどく痛み、彼の悲しみを僕は自分の事のよう
に痛切に感じた。

　パンチョは続けた。

　「俺の地区の議員に、助けを求める手紙を出した。ワシントンの陸軍本部に転送
されて、マッカーサー元帥の連合国軍最高司令官総司令部、第８軍、第９軍団、僕

たちの第7師団の総司令官と次々に回されて、最終的に連隊司令官のジョン・ジェフリー・ヒックス大佐の手に手紙が届いたんだが、それを読んで大変お怒りになった。それで俺たちの部隊のレノ隊長を通して、俺を本部に呼びつけたんだ。」

「こういう規則を作る上官や政府のやつらは、日本の女性と恋に落ちたことなんてどうせないんだ。あいつらはいつも日本の女性とは関わるなと、感情と欲望をコントロールするんだと説教して、アメリカに戻って本国の女性と一緒になるように言いやがる！」

その後、僕たちは悲しい事実を忘れようと、楽しかった思い出を語り合って過ごした。パンチョは寝室へ向かう子どもたちにおやすみのキスをし、アイコは子どもたちを寝かしつける手伝いをした。

七福神

今宵の月は低く重い雲に隠れており、雲は『幸せの小径』に悲しみの涙を流すかのような小雨を降らせている。僕はアイコと腕を組み、古い松の木の下にたたずむ我が家へ向けてゆっくりと歩いて帰った。家に着くと、悲しみにくれるアイコを抱きかかえて寝室へ運んだ。アイコの頭を枕に乗せ、優しくキスをして

「愛してるよ、アイコ…。君はここで少し休んで、僕は七福神に祈ってくる。」とささやいた。僕もまた、ひどく悲しい気持ちでお寺へ向かった。鐘を鳴らし、低い声で囁くようにお願いをした。

「七福神さまどうか、この善良な家族、パンチョ、ハナコ、タダオとユキをお助け下さい。あなたの助けが必要なのです。あの家族は引き離されてはなりません。可愛らしい子どもが2人いる、幸せな家庭なのです。どうか、この規則を作った人達に、家族の愛は神聖なものであることを分からせてやって下さい。」

僕は心の底から祈った。日本人との結婚に関する規則は、今や第11空挺師団に取って代わった第7歩兵師団の司令官によって僕らに伝えられた。その夜、神々は沈黙した。

規則違反だ！

軍で規則を作るのは他でもない、将校の妻であることを二等兵は知っている

　　ヒックス夫人は、第32連隊上官夫人クラブの会長を務めていた。日本人の女性と結婚したいが為に議員へ手紙を書いたメキシコ人軍曹を見せしめとして懲らしめるように、夫に対し圧力をかけていた。第七歩兵師団の総司令官は、第32連隊に所属するパンチョが結婚禁止のルールを破ったことで、第七歩兵師団の評判を下げたとして、連隊指揮官ヒックス大佐を非難した。大佐はもちろんこの状況を快く思っていなかったし、さらに夫人は状況に腹を立てた。

　　ある夜、ヒックス大佐は自宅で、ダブルマーティーニを片手に星条旗新聞を開き、くつろいでいた。そこに怒りをあらわにした夫人が、台風のごとく入ってくると、新聞を取り上げると言い放った。人差し指を立て、横に振りながら、

　　「あなた、聞きなさい！あのメキシコ人の件、何とかなさって頂戴！まったく、自分をクラーク・ゲーブルみたいなスターとでも思ってるのかしら。よくもあのメキシコ人、日本の女と結婚したいなんて恥ずかしいこと言って、連隊の顔に泥を塗ってくれたわね…。恥を知るべきだわ！アメリカに戻れば自分と同じメキシコ人の女性が沢山いるでしょうに…。こんなことがあってはなりませんわ！あなた、お聞きになってる？まったく汚らわしいわ！あの低俗なメキシコ人、よりにもよって日本の女と結婚したいなんて…　早く、どうにかして頂戴！」

　　大佐はマーティーニをもう一杯注ぎながら

　　「ああ、分かったよ」

　　とだけ答えた。軍で規則を作るのは他でもない、将校の妻であることを二等兵は知っている。次の日、ヒックス大佐は夫人から更なる指令が飛ぶ前に朝早く家を出た。出勤すると緊急会議を招集し、供給部隊のレノ大尉に連絡して、直ちにデ・ラ・クルス軍曹を本部へ連れてくるよう命令した。大佐は怒り心頭で、この事件が自分の一つ星への階級の昇格に影響することを懸念していた。規則違反の結婚の承諾、ましてや規則の免除を求める手紙が議員に送られたことを、上官の夫人たちに知られたらとんでもないことになると、恐れていた。

　　「デ・ラ・クルス軍曹、どういう事だ！日本人と結婚したいなどと議員に相談するとは！日本人の女と結婚するのは規則違反だと知っているはずだ！本来ならば貴様を軍事裁判にかけるべきだが、代わりに別の隊への移動で手を打ってやる。良き兵士として、貴様もしかるべきヒスパニック系…　メキシコ人の女性と結婚して家庭を築くなら良いが、日本人との子を育てるなど言語道断だ！日本がちょっと前ま

で敵国だったという事を忘れたか！」

「レノ大尉、こいつをつまみ出せ！デ・ラ・クルス軍曹の早急なアラスカへの異動を命じる！」

「かしこまりました、大佐。これで奴も頭が冷えるでしょう。」

「議員に手紙を書くなど、うちの軍はどうしたというんだ！あのメキシコ野郎は何も分からないのか！議員は軍の規則など知ったこっちゃないんだ、うちの妻に聞いてみろ！」

大佐が怒鳴り散らす声は、ドアが閉まる間際まで響き渡った。その次の日、夫人クラブの社交パーティーで、大佐夫人はチョコレートボンボンを頬張りつつ鼻高々に夫の自慢をした。「皆様、我が連隊に不名誉なことはございません！私の夫、第32連隊指揮官ジョン・ジェフリー・ヒックス大佐は、我が連隊の名誉を守り抜きました。確固たる意志を持って、例のメキシコ人をアラスカの砲兵隊へ左遷したのです。日本人の女との結婚は、この先何があろうと許されませんわ！」

『家族と離れ離れになったものはオオカミに食われる。』

アジアのことわざ

ヒックス夫人は満面の笑みを湛え、クラブの会員たちから拍手喝采を受けた。パンチョは心に負った深い傷も癒えないまま、打ちひしがれて本国へ左遷された。僕は二度と彼に会うことはなかったが数年後、パンチョと他の者たちの努力が功を奏し、結婚禁止の規則は撤回されたのだった。

『助けを求めるべきは他人ではなく自分自身であり、自分の心の傷は自分で癒さなくてはならない。』

ルミ

友情は永遠ではない
波乱に満ちた人生の1ページ

僕が卸売業を畳むことになった原因は、実は業界内の問題ではなく、売店側で発生したトラブルのせいであった。軽食バーがあまり忙しくないとき、僕は煙草売り場の手伝いをしていた。なので僕にとって煙草の商売は身近であり、常に動向を観

察していた。当時煙草は配給制で、一人あたり週に１カートンのみの購入が許されていた。だから煙草の購入には配給カードが必要で、レジでカードに穴があけられてから、煙草を購入することが出来た。購入が許されているのは一週間で１カートン、それだけだ。だが僕はある日、友達のためにキャメルを内緒でもう１カートン売ってやった。その友達、ジョニー・ジャーディン軍曹は、新しく付き合いだしたガールフレンドの、お祖父さんの誕生日プレゼントにあげるのだと言っていた。

　ジョニーのガールフレンドの名前はサチコといい、ショートヘアと茶色の瞳がチャーミングな美女で、彼女にお近づきになりたいと願う兵士は多数いた。キャメルの煙草は、『キャメルは他のどの銘柄よりも多くの医師に愛用されている』と謳った広告が魅力的で、僕の営む卸売業でも売れ筋商品の一つだった。なのでこの２カートン目は、マクウォーター中尉の売り上げ記録に貢献するだろう位にしか思っていなかったのだが、これが後に、サチコの家が憲兵に捜索された際に、保持すべきでない２カートン目のキャメルが見つかった理由となるのであった。僕は後になってジョニーから、捜査を担当したスワインファインという憲兵は、サチコの浮気相手であったことを告げられた。その後サチコはスワインファインを振って、ジョニーと付き合いだし、終わりのない泥沼におちいってしまったのだ。そこでスワインファインは理由をでっち上げ、いきなり家宅捜索を行い、偶然にも煙草を発見してしまった。

『浮気の恋というものは決して丸く収まらない。』
プライベート・ペイン

　僕はこの状況の板ばさみとなった。ペイン二等兵はジャーディン軍曹の配給カードに、一週間で購入が許される分の穴をあけた後、キャメルをもう１カートン売ってしまった。煙草の代金は支払われているが、こうなるとサチコがキャメルを２カートン所持しているということが事実であることは変わらず、これは『闇市場』での取引とみなされる。闇取引が軍の規則違反であることは周知の事実だ！友達を助けることは、時にトラブルに身を投げ込むようなものである…　僕が身をもって経験したように！ハンギントン憲兵隊長は、ジョニーを怒鳴りつけて言った。「ジャーディン軍曹、貴様のガールフレンドがどうやってキャメルを２カートン手に入れたのか白状しないと、貴様を二等兵に格下げするぞ！」

　ジョニーは格下げだけは勘弁して欲しいと必死であった。僕には理解できないが…　僕は入隊から今までずっと変わらず二等兵であるが、全く気にすることはなかった。そこでジョニーは責任を免れるため、ペイン二等兵が配給カードに穴を開

けずに２カートン目の煙草を売ったのだという供述書を書き、その結果僕に火の粉が降りかかることになった。いよいよ事態は深刻になった。

約束
憲兵司令官の事務所に知り合いの二等兵がいる

　ジョニーが娯楽クラブでビリヤードに興じるのが好きなことを知っていた僕は、すぐさま行動に出た。クラブで待っていると、程なくして彼が現れた。僕を見て少し驚いたそぶりを見せつつも、笑顔を取り繕って言った。

　「やあ、元気かい？」

　そして不器用に笑顔を保ったまま、ゲームの準備に取り掛かった。僕は拳を宙に突き上げ、ジョニーを睨みつけた。ジョニーの表情に恐怖が広がり、僕が明らかに怒っていることを察した。

　「や、やあ…」

　ジョニーの一突きで球が台の上に転がった。

　「どうしたんだい？」

　彼はキューに手を乗せて言った。

　「ジョニー、お前、どういうつもりだ？？どうしたも何も、この野郎！お前のせいで、僕がどんな目に合うか知っているくせに！裁判が終わったら拘置所に連行されるんだ！俺は親切に、お前とガールフレンドの頼みを散々聞いてやっていたのに！その度にガールフレンドのじいさんの誕生日だとか、色んな口実を聞いてきたけどな…　今になってお前がやってきたことが分かったぞ！お前、俺から追加で買ったキャメルを闇市で売りさばいてたんだろう！闇市が軍規違反なことを知ってるのか！町の方でお前のジープと、裕福そうな日本人を見かけたっていう情報もあるんだぞ。お前がずっと何をやってきたか、俺は知っている　…煙草を闇市に回していたんだ！」

　ジョニーは僕が真剣に怒っており、今にも飛びついて殴り掛かる勢いである事を悟った。既にピラミッドの一番底辺にいる二等兵は、これ以上降格しようがないから、僕はジョニーが上の階級であることなど気にもしていなかった。ジョニーはビリヤード台の反対側に回り込み、ドアの近くに逃げながら慌てて抗議した。

　「ちょ、ちょっと待ってくれ！レイ、俺は無理やりやらされたんだ！本当にすまない…　あんな供述書、署名しなきゃ良かったんだ。本当に後悔してる。本当だ！」

ジョニーはそう言いながら僕が緊張を解いたのを察したが、万が一のため、ビリヤード台の向こう側に留まった。

「ジョニー、二度とその供述書に署名しないと誓うか？」

「ああ、約束する。供述書のことは本当に後悔してるんだ！」

「分かった。それじゃあ俺はもう行くよ、ジョニー。やらなくちゃいけない事がある。約束を忘れるなよ！お前も言うように、俺たち友達だろう？」

　ジョニー・ジャーディン軍曹は、二等兵の隠し持つ広大なネットワークを存じ上げていないようだ。ジョニーはこの意味を理解こそしていないようであったが、僕の願い通りの事を言ってくれた。それに僕には、憲兵司令官の事務所に、知り合いの二等兵スクーター・ハンセイルがいたのだ。

　僕はスクーターを探しに走った。憲兵司令官の事務所にはほとんど居ないことを知っていたから、代わりに僕の売店に向かった。彼は従業員の女の子たちに惚れ込んでいて、彼女たちと話すためによく来店していたのであった。スクーターは僕の友達だが、二等兵であるから、あまりお金が無かった。だから僕はたまにステーキを奢ってやっていたが、ついにその見返りを得る時が来たのだ。「スクーター、お前、500ドル欲しくないか？大金持ちになれるぞ。」「500ドルだって！？それ、ほぼ年収じゃないか！僕に何をして欲しいんだ、銀行強盗か？」

　こうして、スクーターはあっさりと大金持ちになった。

　僕がジョニーの供述書を500ドルで買い取ったものだから、ハンギントン少佐は怒り心頭でかんかんに激怒していた。500ドルは二等兵の10か月分の給料以上だったが、何ら惜しくはなかった。卸売業で大金を得ていたし、ジョニーとの口約束も取り付けていた　…そのはずだったのに！　憲兵は再びジョニーを呼びつけ、ハンギントン司令官は二等兵を扱うような態度でジョニーを怒鳴りつけた。

「ジャーディン軍曹、貴様を二等兵に降格して拘置所にぶち込んでやる！新しい供述書に署名しなければ、長いこと日の目を見ることはないと思え！どこであの1カートンの煙草を手に入れた？『ペイン二等兵は、僕、ジョニー・ジャーディン軍曹の配給カードに穴をあけずに、煙草をもう1カートン販売した。』この供述に間違いはないな？今すぐこの供述書に署名しないと貴様は拘置所行きだ！」

　ジョニーは恐怖に縮み上がった。ハンギントン少佐は中佐への昇級を控えていたため、怒り心頭だった。ヒックス夫人にこのことが伝わったら？夫であり連隊指揮官のジョン・ジェフリー・ヒックス大佐に昇級を即座に取り消すよう、夫人が命令したら？

　ヒックス夫人の影響力をよく心得ていたハンギントン少佐は、この事件のせいで自分の次の昇級が取り消しになるのを恐れていたのだ。「よく聞け、ジャーディン

軍曹！階級を一つ失うだけで放免されるか、それとも拘置所で半年肉体労働をした
いのか？どちらの処罰を選ぶかはお前次第だ。起こったことを大人しく白状して供
述書に署名すれば、勘弁してやる。署名をしなければ、拘置所行きだ！貴様は面倒
ごとを起こさずにいられないようだから、二度と拘置所から出られないようにして
やってもいい！」

　スクーターから、憲兵がジョニーを捕まえたと聞いた時からいやな予感がした。
ジョニーは手錠をかけられ、憲兵のジープに乗せられて憲兵本部に連行されたの
だった。拘置所での労働を死の宣告かのように恐れていたジョニーは、供述書に署
名をしてしまったのだ。こうしてジョニー・ジャーディン軍曹は伍長に格下げさ
れ、サチコはスワインファイン軍曹とよりを戻し、ハンギントン少佐は中佐に昇級
し、ペイン二等兵は500ドルを失ったうえ、拘置所送りとなった。そして、スクー
ターは一夜にして大金持ちになったのだった。これは我が人生で、最も波乱に満ち
た瞬間の一つだった。

『口を堅くしていれば、魚ですら災難に飛び込みはしないだろう。』

韓国のことわざ

モンキーハウス
今以上に悪いことなど起きるはずがないと思ったのに

　「有罪。懲役半年、模範囚ならば3か月。」
　裁判官は小槌を叩いて判決を言い渡し、僕は軍の拘置所へ連行された。第11空挺
師団はアメリカ本国への帰国命令を受け、第七歩兵師団32連隊が、我らが第511連
隊に取って代わった。第32連隊は人員不足だったため、第511パラシュート連隊
の隊員で日本に残りたいと希望する者は、第32連隊への移籍が許された。第511
連隊への思い入れは強かったものの、僕にはアイコの方がずっと大切だったし、お
金も十分にあった。そこで僕は第32連隊に移籍したが、この連中こそが、僕を拘
置所送りにした張本人なのであった。裁判が始まる前に、僕はアイコに拘置所のこ
と、拘置所の鉄格子のことなどを話した。
　「あなたモンキーハウスに行くなんて！」
　アイコは信じられないといった表情で言った。僕はアイコをきつく抱きしめ、キ
スをしてしばしの別れを告げた。軍拘置所での生活が始まった。楽しい遠足とは程

遠く、毎日厳しい労働が課せられ草刈りや荷物を背負っての長時間の行進などに従事した。跳べと言われれば跳ぶ。這いつくばって土を食えと言われれば這いつくばって土を食べる。みんな、厄介ごとを起こしちゃいけない。誰か一人がへまをすると集団処罰になるのだから！

　ある日の夕方、誰かがこっそりと鉄格子の向こう側の友人に煙草を渡した。煙草を受け取った囚人は毛布の下に潜り込んで、匂いを隠そうと試みたが、程なくして僕たちも空気に混じる煙草の匂いに気づき、とうとう看守にもばれてしまった。看守達は囚人の部屋にズカズカと入るとバケツ一杯の水を毛布にかけ、簡易ベッドを次々とひっくり返しながら叫んだ。

　「30分で片付けろ！」

　10分も経たないうちに看守たちが戻ってきて命令した。

　「30分、時間切れだ！全員荷物を持って外に出ろ！夜のお散歩といこうじゃないか。」

　「夜のお散歩」とは名ばかりの、長く辛い行進だった。看守たちは荷物を持っていないから、信じられないくらいのペースで進んでいった。僕たちは次の日の早朝、疲れ果て、足を引きずりながら拘置所に戻ったが、ほっと一息つく暇もなく、その日も一日がかりの草刈り作業が控えていた。集団処罰の原因を起こした囚人はというと、真夜中に他の囚人によって折檻された。看守たちは見て見ぬふりだ。

　アイコは僕の友達を通じて、鉛筆書きの手紙をこっそり寄越した。僕は悲しい知らせを伝えるその手紙を読むと、看守たちに見つからないよう、急いで飲み込んだ。内容はこうだった。

　『フジワラさんいない、あなたモンキーハウス。フジワラさん陶磁器店いきなり閉めて、どこ行った、誰も知らない。八戸、もういない。昨日の夜、モリヤマさん家行った。奥さんが言った、おじいちゃん馬、死んだ、モリヤマさん、とても悲しい、彼も死んだ。』

　ああ、今以上に悪いことなど起きるはずがないと思ったのに！

　僕は模範囚として3か月服役し、晴れて自由の身となった。出所した日のことは今でも鮮明に覚えている。格言にある強くしなやかな竹のように、逆境から見事に立ち直った気分だった。また同じ時期に、僕の3年間の任期が満了した。軍規によると、再び兵籍に戻るには上等兵に昇進してから最低6か月は経過していなくてはならないということを知って落胆した。僕は兵卒として拘置所から出たから、時間が足りなかった。最も長く務めた二等兵としての僕の現役時代は、とうとう終わりを告げたようだった。

『風を受けてしならない木は折れる。』

中国のことわざ

　町の方で卸売業を営む代わりに、仕入先である軍の売店には小売価格を支払っていた。これによって軍の売店では小売の売上が一段と増加し、利益を得ていた。僕が拘置所にいる間、マクウォーター中尉は、僕が留守の間ピーナッツバターとバナナのサンドイッチが食べられず、気が変にならなかっただろうか？母親秘伝のレシピを知っているのは、僕だけなのだから！

　恐らく僕がいない間、売店の売り上げは落ちただろう。マクウォーター中尉は表彰を取り上げられはしなかっただろうか？まだ売店の担当を任されているのだろうか？水の流れのように、フジワラさんは姿を消し、モリヤマさんとその馬はこの世を去った。そして僕とアイコとの将来は…　まだ五里霧中の状態であった。

『水の流れと人類の将来は予測できないものである。』

日本のことわざ

　それでも、決断の時は刻一刻と迫っていた。

チョコレートバーの日々よ、さようなら。

　軍刑務所を出所後、翌朝のヤンキーフライヤーの出発に備えて荷物をまとめるのに、24時間の猶予が与えられた。

　新月のかすかな光の下、僕は兵士だけが知っている、フェンスの秘密の穴を通り抜け、田んぼのあぜ道を横切って全速力で走った。知り尽くしている未舗装の小道を駆け下りて、僕たちの小さな家へと続く石畳の脇道に入って行った。なんとしても、アイコに会わなきゃならない。

　アイコは待っていた。彼女は僕の姿を見ると僕の元に駆け寄ってきた。目に涙を浮かべ、僕をギュッと抱きしめながら、顔にキスをして囁いた。

　「モンキーハウスから出られたのね！」

　アイコは僕の手を取り、二人の小さな家へと入った。この一間の小さな家に入るのもこれが最後になるだろう。この家には、四季と共に過ぎ去っていった二人の素晴らしい思い出がある。春の満開の桜、暑い夏の夜、秋の紅葉、窓に優しく落ちて

くる冬の雪。

　ほのかな月が窓の外から二人をおずおずと覗きこみ、布団に横たわる僕たちに、柔らかな月光を落としていた。僕たちは未来が二人をどこへ連れて行こうとしているのか知る由もなく、ただ離れたくないとしっかりと抱きしめ合っていた。僕はしばらくの間アイコの顔を両腕で抱きしめ、彼女の柔らかな髪に自分の顔をうずめていた。そして彼女の涙を優しく拭って言った。「僕のために泣かないでおくれ。愛してるよ、アイコ。僕には考えがある。いいかい、汽車に乗って東京の上野駅まで行くんだ。それから座間キャンプに来るんだ。座間キャンプの正面ゲート近くで毎日僕は君を探すよ。君をそこで待ってるから！」

　窓の外を見ると光が射しこんできていた。出発の時間だ。

　キャンプホーゲンに一目散で戻ると、僕が遅れていることを知らせるかのように、ヨタカのさえずりが小さく鳴き始めていた。太陽は早朝の空を柔らかな色彩で染めながら、東の地平線に昇り始めている。急がなきゃならない。僕はフェンスの秘密の穴を素早く潜り抜けていった。ここを通るのもこれが最後だ。

　僕はダッフルバッグを取りに出来るだけ早く兵舎へと急いだ。ダッフルバッグを肩に担ぐと、兵舎を飛び出た。出発に遅れるわけにはいかない。この時には僕の心は幸福感で満たされていた。そう、僕とアイコは二人の未来を話し合うために、もうすぐまた一緒になれるんだ。

『*過去に浸ってはならない。未来を夢見てもならない。今というこの瞬間に、心を集中させなさい。*』

ブッダ

旅立ちの時
もう引き返すことのない道

　八戸湾に夜明けが訪れていた。ハナミズキの枝越しに、かすかに瞬く小さな星が今にも消え入りそうだ。山側の頂の方、谷を越えたところからは、物憂げなキツネの鳴き声が聞こえてくる。

　遠くから馴染みのあるエンジン音が聞こえてきた。次第に大きくなっていくその音は、あの馴染みのある武器輸送車のエンジン音だった。彼らは僕を連れ去るため

にやって来た。ジープのキーッというブレーキ音が、キャンプホーゲンに別れを告げる時だという合図のように聞こえた。任務の途中で第32連隊憲兵が突然僕に終わりを宣告したのだ。

「おはようございます、ペイン二等兵！あなたをエスコートしに参りました。今朝、家を出る前に、ヒックス大佐が奥様より、あなたが汽車を乗り過ごさないよう手配するようにとの指示をお預かりしました。」

「それと、今朝早く中尉が我々のオフィスにやって来まして、ペイン二等兵にこの手紙をお渡しするようにと仰せつかりました。」

僕は武器輸送車の後部にダッフルバッグを放り込み、自分もそこに乗り込んだ。ダッフルバッグを背もたれ代わりにすると、手紙を開けてゆっくりと文面に目を通した。

『ペイン二等兵へ、

安全な旅をお祈りしています。君が去ってしまうと、すべて変わってしまうだろう。君のお母様秘伝のピーナッツバターバナナサンドイッチのレシピを忘れずにお送りください。これを私は一生恩にきるだろう。連隊本部に勤務する将校の奥様から僕の妻が聞いたのだが、第32歩兵連隊の司令官である彼女の夫のジョン・ジェフリー・ヒックス大佐が奥様の指示に従い、私、マクウォーター中尉は軽食バーから歩兵中隊へ異動を命じられることになった。この時のヒックス夫人の説明によると、昇進はもう望めないとのことだ！　さて、ペイン二等兵、キャンプホーゲン軽食バーでのワクワクする日々は終わり、私は米軍史上最長の中尉を務めることになりそうだ。

敬具　ウィンフレッド・モンタン・マクウォーター中尉』

武器輸送車は、長く会えなくなってしまう友の貢献を讃えるかのように、唸り声を上げ、ゆっくりとローギアに入る。低いエンジン音と共に煙を吐き出しながら、セカンドギアに入った。今度はまるでお別れのラブソングでも歌っているかのように、エンジンの音ををぶんぶんさせながらサードギアに入った。毎夜沢山の思い出を共有した旧知の友である武器輸送車が、僕を乗せて曲がりくねった未舗装の道を陸奥市川駅へと走らせた。悲しみがこみ上げてきて涙をぬぐった。

ステンシルで描かれたフロントバンパーの「11A/B師団」の文字がまだ消されずに残っていて、第7師団と訂正されていないのを見て僕は嬉しくなった。武器輸

送車は馴染みのあるエンジン音と共に、僕の心に喜びをもたらしてくれた。戦争を生き抜き、立ち入り禁止区域で毎夜二等兵を探し回った武器輸送車の古いピストンが、曲がりくねった道を進みながらリズムを奏でていた。それは、もう引き返すことのない道だった。

ある土曜の夜に、この旧知の友である武器輸送車のガソリンタンクに、僕と仲間とで5パウンド（2.3kg）の砂糖を詰め込んだ事を思い起こし、心の中で呟いた。「このエンジンのリズムは、僕と仲間を探し回って毎夜八戸の町を徘徊した、旧知の友からのお別れの甘いラブソングなのであろうか？」

仲間たちよ、さようなら。

東北の美しい女性たちよ、さようなら。

八戸よ、さようなら。キャンプ・ホーゲンよ、さようなら。

第511パラシュート歩兵連隊と共に過ごした興奮に満ちた日々よ、さようなら。

僕の人生でもっともすばらしく、もっとも冒険に満ちた歳月よ、さようなら。

甘美なチョコレートバーの日々よ、さようなら。

『私たちは、美しさ、魅惑、冒険に満ちた、素晴らしい世界に生きている。しっかりと目を見開いてそれらを探し求める限り、私たちが味わえる冒険には終わりなど無い。』

ジャワハルラール・ネルー

アイコに逢いたい

キャンプ座間の正面ゲートを出ていきながら、僕は待ちきれずにアイコを探す。彼女が道の向こうでゲートを警備する憲兵から離れて私を待っているのが見えた。モンキーハウス事件の後、アイコは憲兵が嫌いになった。彼女は僕を見つけ走り寄ると、僕の首に両腕で抱きつき、囁いた。

「私、いつまででもあなたを待っていたわ！」

U.S.S.ブレッキンリッジ号が出航するまでの三日間、アイコと僕は朝晩共に素敵な日々を過ごした。僕たちは深く愛し合っていた！

キャンプ座間からの出港は、まるで賭けのようなものである。この港は多数の部隊が出入りする中心地であるが、全ての兵士が善良な人とは限らない。僕が割り当てられた兵舎は、日本各地から集まった見ず知らずの兵士で溢れていた。

アイコに逢いたいという強い思いが僕の心を支配して、彼女以外の何も考えられないほどであった。愛する彼女を求める心が、切なさでキリキリと痛む…　アイコに逢いたい！

　出発の時が刻々と近づいていた。僕はゲートから抜け出した。その時誰かに僕のダッフルバッグを盗まれた。カバンの中には、第511パラシュート歩兵連隊での3年間の思い出の全てが入っていた。僕の人生において重要な意味を持つ節目、一生の思い出が一瞬の隙をつかれて永遠に消え去ってしまった。僕の心まで持っていかれたような気持になり、なんとも言えない喪失感に駆られ深く傷ついた。

　すべて永遠に無くしてしまった…　大事なものがすべて、夜の暗闇の中に消えてしまった。あのダッフルバッグが盗まれたのは、僕の人生の中でも最も腹立たしく残念な出来事となり心に傷を残した。いつもどこに行くにも身に着けていた一枚の写真を除いて、僕が撮ったアイコの写真はすべてダッフルバッグと共に消えてしまった。親しい友人たちの写真と住所も消えてしまった。二等兵として、人生の中で最も冒険に満ちた日々…『チョコレートバーの日々』を共有した大事な仲間たちだった。

『人の影と蜂の攻撃に注意せよ。』

ミャンマーの諺

僕のために泣かないで

　夏が終わり、静かに秋が深まっていた。柔らかく白い花びらのような雲が空を漂う。アイコと僕は日中のほとんどを公園に座って、夏の終わりを告げる花の香りに包まれて、僕たちの将来の計画をしながら過ごしていた。

　夜になると暗闇の静寂の中で僕たちは抱き合い、互いの夢と不安を分かち合い、優しい言葉で愛を約束し合った。そして見つめ合い「ずっと永遠に愛している。」と言い交した。

　アイコはすすり泣き、囁きながら眠りに落ちる。

「必ず戻って来て…」と。

　僕は彼女の涙を拭い、頬に優しくキスをする。

「ゆっくりおやすみ、アイコ。僕は絶対戻ってくる。僕のために泣かないで。」

日暮れになり、沈みゆく夕陽が影を落としていた。小雨が降る中、アイコは僕が公園で摘んであげた花束を手に持ち、波止場に静かに佇んでいる。

秋の雨が優しく彼女の頬を濡らし、涙と混ざり合う。僕はアイコの涙を拭って、もう一度僕の腕の中で抱きしめたかった。アイコは叫ぶ。

「戻って来て。必ず…。あなたを待ってるわ！」

U.S.S. ブレッキンリッジ号の甲板の上から、僕は彼女に向かって手を振り、叫び返す。

「必ず戻ってくる。僕がどれだけ君を愛しているか知っているだろう。絶対に戻ってくるから、アイコ、どうか僕のために泣かないで！」

物悲しく響く出発の合図と共に、U.S.S. ブレッキンリッジ号はゆっくりと波止場を離れ、東京湾を出港した。船が夕映えの空から暗闇へと進むにつれて、波止場に立ち尽くすアイコの姿は遠い霧の中に見失われてしまった。

『蜜は得てもその花の美しさと香りを損なうことなく飛び去って行くミツバチのように、賢者にもまた、 この世を彷徨わせよ。』

プライベート・ペイン – 彷徨える賢者

時の流れ

日本占領時代『チョコレートバーの日々』は終わった。『チョコレートバーの日々』もまた、時の経過と共に過去のものとなるだろう。

月がゆっくりと東の空の街灯りの上に昇り、 穏やかに波打つ海面を優しく照らす。僕はU.S.S. ブレッキンリッジ号の甲板に立って、街の灯りの輝きを見つめた…最後の煌めきが見えなくなるまで。

船は太平洋をさらに遠くへ遠くへと進んでいる。孤独な日と夜の繰り返しが延々と続いていくかのようだった。僕はほとんどの時間を船尾に立ち、逆巻く波の向こう側を見つめて過ごした… 僕の人生最愛の人、心から愛したアイコと僕を遠く引き離していく波を。

毎日僕は船倉でアイコへの想い、孤独、悲しみ、キャンプ・ホーゲン近くの小さな家で一緒に過ごした素晴らしい日々の思い出を、紙に書きつけた。僕たちの愛に満ちた幸せな日々を何度も思い返しては、悲しみが胸に溢れ、締め付けた。古い松の木の下にある僕たちの小さな木の家で、もう一度アイコと一緒になりたいと切な

く願った。

『真の愛には終わりなどない。その想いは大海原の流れと共に流れ続け、時を超える。』

プライベート・ペイン

　U.S.S.ブレッキンリッジ号がゴールデンゲート・ブリッジの下を通過すると、目の前にサンフランシスコの街が僕たちを出迎えるように広がる。多くの兵士にとっては喜ばしい光景で、彼らは柵から身を乗り出し、手を振って歓声を上げていた。僕には歓声を上げる理由など何もなかったし、この後一番上の兄と彼の新しい妻と一緒に、僕がハワイに行くことになることもまだ知らなかった。

　明日への道は、散っていく桜の花のように頼りないものだった。

別れの手紙

　アイコと僕は互いにラブレターを送りあった。

　アイコは手紙をくれる度に、僕に聞く。

　「いつ帰ってくるの？」

　僕は彼女に繰り返し答えた。

　「僕は今ハワイにいるんだ。日本に戻ろうとしているけれど、日本は米軍占領下にあるから招待状が必要で、まだそれが手に入らないんだ。」

　太陽が昇り、また夕暮れが訪れ、過ぎ行く時の流れへと溶け込んでいく。一日が過ぎ一週間となり、一週間がやがて一か月になった…。アイコと僕の手紙は次第に途絶えがちになっていった。

　アイコが心から恋しく、僕は一日たりとも彼女のことを考えない日はなかった。気持ちとは裏腹に帰国できない日が続き、僕は永遠にアイコを失ってしまったことに気づいた。

　「泣かないで。」

　と僕はあの時言った。

　「アイコ、僕はまた戻ってくるよ。」

　過ぎていく時間と目の前の現実から、僕はもう日本に戻ることがないことを悟った。『チョコレートバーの日々』は終わり、僕には新しい責任があった。僕はやが

て結婚し、家族を養うことになっていたのだ。そしてついに…　別れの手紙を書くことにした。目から涙が溢れ、のどが詰まる。心は悲しみで一杯だった。

親愛なるアイコ、
　君は僕の人生に、今は過ぎ去ってしまった大切な日々に、大きな幸せをもたらしてくれた。僕は君のことをいつまでも、いくら時間がたとうとも、決して忘れない。二人で過ごした、桜の花が満開の春も、新雪が窓辺に優しく舞う冬も、そして君を最後に僕の腕の中に抱きしめたことも、ずっと忘れない。
　アイコ、どうか僕を許してほしい。僕は結婚する事になった。子供が生まれるんだ。僕たちはそれぞれ違う道を歩かなければならない岐路に来てしまった。もう君の元には戻れないけれど、どうか悲しまないで欲しい。心がとても痛むけれど、さよならを言うときが来たみたいだ。君が残りの人生を一生不自由なく過ごせるように、十分なお金を君に残した。これが僕にできる精一杯のことだ。返事は書かないでほしい。アイコ、どうかこれだけは忘れないでほしい…　君がどこに行っても、どこにいても、僕の心はいつも君と一緒だ。
　心からの愛をこめて
　レイ

　別れの手紙に封をして、ろうそくを灯す。最後にもう一度だけ、僕たちの過ごした幸せな日々に心を馳せながら、一枚また一枚と、僕たちが一緒に撮った写真とラブレターをゆっくりと燃やし、過ぎ去りし日々を灰にしていった。僕はこの後もアイコに二度と逢うことはなかった。

『人生の岐路に立つとき、人は想い出と悲しみを連れて進む。だからしっかりと足元を見ろ。自分の行くべき道を失ってはいけない。』
プライベート・ペイン

後編：THE WILD WILD EAST　プライベート・ペイン著

プロローグ

　1960年代、植民地都市とジャングルの共存する東アジアは、魅力的で興味深く神秘的な地であった。町では一か月の平均収入は8ドルから10ドル。バスの運賃は3セントから5セント、タクシーは13セント、更に安い交通手段は三輪の原付と人力車で、ホテルなど一泊12ドルの世界であった。一流ホテルの小さなスイートルームでさえ一泊16ドルである。金の成る木を求め、国境を越えて飛び回っていたあの時代、東アジアでは「命は安い」という事実を知った…　敵を作るべからず！　東アジア周辺では、革命の前身となる紛争がまだあちらこちらでくすぶっていた。まずいときに、まずい場面に出くわすと、とんでもない目に合うことを身をもって知らされる時代である。イギリス帝国はマレーシア、シンガポール、及び香港を支配下に置き、蒋介石の国家主義軍は台湾を支配下に入れた。主要な都市にある陣地豪では、当たり前のごとく水冷式の50口径機関銃が常備されていた時代であった。

　大幅な部隊の増強と共にベトナムでは戦争が白熱化していた。台湾の領土にいるときは安心して旅することが出来た。私の経営するグレートイースタンコーポレーション（Great Eastern Corporation）は、建設、冷凍、空調、そして東アジアでも屈指の大きさを誇る製鉄工場など多岐にわたって事業を展開していた。ベトナムは多くのビジネスのチャンスがあったが…　同時に危険と背中合わせ、いつ何が起きてもおかしくなかった。

招待状

僕はゆっくりと手を伸ばして封筒を受け取った。

　淡く柔らかな光が夜の影から姿を現し、町をほのかに色づける。僕は新鮮な空気を入れるために窓を開けた。遠くに鶏が鳴くのが二度聞こえた。この早朝、僕の予定はサイゴンの中国区外に位置する、コロンにあるポストエクスチェンジ（Post Exchange）本部に行くことだ。正直、コロンに行く事を考えると心が落ち着かない。ここには不安になっても当然な理由がいくつもあるからだ。ともかく、ホテルのエレベーターを出てロビーに足を踏み入れた。静かに背筋を伸ばして、僕の到着を待っていたのは、特別にあつらえた白いシルクのサマースーツに身を包んだ、身なりの良い、白人男性。スーツに合わせて白いスエードの靴を履き、ベトナムの蒸

し暑い気候に適した格好をしている。

　東アジアで、成功の証は18カラットのロレックス製の時計、クロス製の金のペン、胸ポケットに入れて歩き持つダンヒル製の金のライターであった。石のように固く手榴弾のように冷たい顔をした男性だった。まるで、折り畳み式のスティレットナイフの冷たさが目に見えるよう…　肌で感じるような気がする。深く突き刺す鋼のような彼の青い目は、エスキモーでさえ凍らせるだろう。彼は私が誰であるか、知っていることは間違いない。彼は僕の目を射るがごとく見やる。「貴方が、レイ・ペイン！」という彼の声に鳥肌が立つような冷たさを感じた。

　慎重に、私も答える「そうだ、私がレイ・ペインだ。」

　彼はポケットに手を伸ばす…　とっさにスティレットナイフだと思ってしまったが、彼はポケットから一通の手紙を取り出した。手紙の封をしている高級感のある封蝋には、コブラがあしらわれている。一瞬のためらいの後、僕は手を伸ばして手紙を受け取った。「ウィリアム・クラム様が、貴方をシャトー・ル・サイゴンでのカクテルとディナーに招待している。クラム様の町は、サイゴン川にあるトンドゥックタンという名前だ。住所は招待状に書いてある。招待されているのは、貴方を含む選ばれたゲストのみ。今日の夕方6時、クラム様が貴方をお待ちだ。それでは失礼！」

　名前も言わず去り際に一言もなく…

　まるで、クラム様からの招待を断るものなど、この世にいるわけがないとでもいうように…　彼は私に背中を向けると、出口に向かって歩き出した。僕は今の会話を頭の中で反芻しながら、驚きと好奇心に駆られた。たった今招待状をくれたばかりの見知らぬ人間が立ち去る姿を見届けながら、不思議な気持ちで封筒をポケットに滑り込ませた。ふと顔をあげると、運転手付きのメルセデスベンツに彼が乗り込むのが見えた。ベンツはゆっくりと動き、トゥーヨー通りの車の群れに溶け込み、消えた。

　明確な根拠はないが、なぜか確信を持って言える。…　この男には、また会うことになるだろう！と。心臓が高鳴る。

『知を恐れるべからず！恐れるべきは無知！』

プライベート・ペイン

レイ・ペインは読者からのご感想をお待ちしております。
privatepayne@glbb.jp
レイ・ペイン小説集

RIDE THE EAST WIND

~東の風に乗って~

2020年12月24日　発刊

著　者　レイ・ペイン

翻　訳　Central Translation Services

印　刷　文進印刷株式会社

発行所　有限会社琉球プロジェクト